徐復觀 著

徐復觀文存

臺灣學生書局印行

自序

在民國三十三年以前，我只是隨意讀自己喜讀的書，盡力作自己不能不作的事，却不曾抱有任何目的，更不曾懷有任何野心的一個沒出息的人。三十二年冬，決定由重慶回鄂東，隱居種田，希望能從已經可以預見的世變中逃避出去。但因偶然的機會，引起一種願望，想根據自己所得的一知半解的社會思想，和中國的社會現實，結合起來，把當時龐大而漸趨空虛老大的國民黨，改造成爲一個以自耕農爲基礎的民主政黨。三十四年的抗戰勝利，我立刻感到自己願望的幼稚與幻滅。但此時已馳心於當世之務，而無法自拔了。最痛苦的是，對國家的命運和自己的命運，早已經知道得淸淸楚楚。

三十八年在香港辦《民主評論》，將不材之身，從實際政治中逃避出來，想以旁觀者的地位，在言論上給擔負重任的先生們以一點助力，於是正式寫起了政論文章。到四十四、五年左右，發現這不是能走得下去的一條路；遲回瞻顧，希望把精神完全轉移到敎室裡面。並將此一時期的言論，由故友莊垂勝先生的勸告與幫助，印成《學術與政治之間》的甲乙兩集。但有幾篇轟動一時的文章，並沒有收進去。因爲我寫文章的動機，本不是爲了譁衆取寵的。同時，在此一時期，對於我一向非常嚮往的學術界的情形，已經漸漸地了解；對於我過去曾經十分欽佩的若干名流學者，也都慢慢地淸楚他們的人格、學問的底蘊；由此所引起的精神上的痛苦，只有自己才能理解。而在悲劇時代所形成的一顆感憤之心，此時又逼著我不斷地思考文化上的問題，探討文化上的問題，越發感到「學術亡國」的傾向，比其他政治社會問題更爲嚴重；於是在這一方面寫了若干批評性的文章，引起不少學者名流的憤怒，使我在政治的孤立上，更加上學術圈裡的孤立。但到了四十七、八年，忽然發現自己可能在學術中貢獻出一分力量，於是而有《中國思想史論集》、《中國人性論史 先秦篇》、《中國藝術精神》、《中國文學論集》、《公孫龍子講疏》、《石濤之一研究》等書的先後出版。並花了三年工夫，研究兩漢思想史，想揭穿乾嘉以來所謂「漢學」的神話。剛剛動筆寫了「背景篇」的十四、五萬字的文章，却因受到洋奴合作的迫害，引起生活上的播遷，把它稽延下來了。但只要能多活幾年，一定會繼續寫成功，我認爲這是沒有疑問的。因此可以說從四十七、八年起，我的精神已經完全轉向了。

但時代是一個整體。要便是痲木無所感觸。萬一不幸而有所感觸，却希望鑽進牛角尖後，再不想到生長這牛角尖的牛身全般痛癢，我只好承認我缺乏今日許多騰雲駕霧的學者名流的修養。我以感憤之心寫政論性的文章，以感憤之心寫文化評論性的文章，依然是以感憤之心，迫使我作閉門讀書著書的工作。最奈何不得的就是自己這顆感憤之心。這顆感憤之心的火花，有時不知不覺從教室書房中飄蕩出去，便又寫下不少的雜文；這裏所印出的，乃是其中的一部分。

這些雜文，因動筆時的時間與篇幅的限制，當然不能用太嚴格的學術尺度去加以衡量。

同時，我常常抱愧自己不是一種才子型的人物，不能發揮文采，以提供適合於時下的趣味。但王子淵曾經說過：「詩人感而後思，思而後積，積而後滿。滿而後作。」我不會做詩，可是有些雜文，則是以詩人作詩的同樣心情寫出來的。世事遷流得特別快，讀者如肯注意到各文發表的時間，或許可以對作者增加若干諒解。

庚戌十月三十日　自序於九龍新亞書院

此《文錄》是何步正先生擔任環宇出版社主編時，爲我編印的。一共分成四册。編印尚未完成，何先生即離開台北，所以錯落很多。其中有一册錯落得最厲害，何先生本想重印，也因他離開而作罷。一九七一年印出後，也從未給我分文版稅。一九八〇年六月由蕭君欣義由四册中編選一册《徐復觀文錄選粹》刋印，現又由陳君淑女、曹君永洋將未選入的餘稿，編成此書，其中的文章多寫於六十年代的初期，這正是世界性的反傳統反道德反理性的高潮時代，許多知識份子，在激流中呈現心理變態，日本、台灣正被此激流所淹沒，所以我根據「人應生存於正常狀態之下」的認定，對中日的知識分子提出不少的批評。從七十年代去看這些批評，連我自己也感到有些過分。因爲進入到七十年代，整個文化動向，又接上傳統而漸歸於正常了。但在我寫這些文章時，全處於孤立無援的挨打狀態。

一九八一年二月二十日**徐復觀**於香港九龍寓所

徐復觀文存　目次

人類未來的形像

目前人類的危機，有的地方是來自知識落後，技術落後，因而影響到一般人的基本生存。對於這種地方而言，發展科學，以促進經濟的繁榮，誠爲當務之急。

但就全世界的總形勢來說，以現在的科學、技術，通過合作的方式，以解決人類當前生活的需要，根本是不成問題的。不成問題的事而居然成了問題，這是說明，問題不僅是出於科學、技術的不足，而是出自於使科學、技術不能盡量推廣的人。

目前另一最突出的危機，莫過於兩大集團的對立。因爲有了這種對立，人類不知在那一天會遭遇一場核子戰爭而使現代的文明乃至人類的大部分歸於毀滅。兩大集團，同樣的努力發展科學，提高技術，促進經濟發展。換言之，兩大集團間對於科學、技術、經濟的價值，是同樣的尊重，並無輕重之分。由此可以了解，兩大集團對立的造成，與科學、技術、經濟並無關係，而只是由運用科學、技術、經濟的人所造成的。

總結的說一句，人類的危機，實際是應由人的自身負責。因爲人的自身成了問題，所以一切才成了問題。因此，危機的解決，追索到最後，乃是要求由人的改造而出現新的人，出現新的人的形像。

出現新的人，出現新的人的形像，也有不少的人，寄望於近代學術王國的自然科學；尤其是在仰慕自然科學，但又不懂自然科學的人，更是如此。自然科學中，與人最爲接近的，是生物學。現代的心理學，也幾乎是立基於生物學之上。假定自然科學對人的改造能有所貢獻，也一定要通過生物學而實現。生物學中可以擔當這一任務的，卽是所謂優生學。若能由優生學的進步而孕育出適合於和平共存的人的形像，則一切危險豈不因此而徹底得到解決嗎？

英國倫敦大學生物統計學教授荷爾登（John B. S. Hal'dane）博士，在〈由生物學研究室的展望〉一文中，對此提出了一個簡明的答覆。

據荷爾登教授說，繆拉（H. J. Muller）博士，正提倡包含大量使用人工受胎在內的急進地人類改良法。荷爾登教授認爲要達到此一目的，對於過去的進化，與現在的遺傳學和細胞學，所需要的知識，較之於形成現存文明基礎的全體知識，還要大得很多。假定獲得了這些知識，便可以說今後的進化過程，能從無意識的階段，上昇到意識的階段。換言之，卽可以按照要求的目的來改造人種；這當然是太好不過的事了。但是荷爾登教授說：「我們現在還沒有得到這種知識。」荷爾登教授認爲優生學在消極方面有些作爲，但在積極方面實難有所貢獻。最低限度，在目前則是如此。

然則照着目前生物學的知識，以推測未來的人類，未來人類到底會變成怎樣的情形呢？據荷爾登教授的看法，未來世界的人類到了成人的時候，大概會有很多的肉體的技能。但是他們的體力小，頭腦大，牙齒也生得比我們少。他們成長得非常慢，大概在五歲以前，還不會講話，到四十歲才長成熟，所以讀書要讀到四十歲。其生命大概能繼續活到數世紀之間。未來人較之於我們，是更理性的，而不是本能的；不受性與雙親的支配。一方面不受憤怒的影響，另一方面，也很少受羣居本能的支配。他們的動機，較之於我們，要更多依賴於教育。在他們自己的社會裏面，是善良的市民。但是，在現在的社會看來，却會被看作是犯人或狂人。他們保有遠較我們爲高的智能；並且幾乎每一個人，都能保有我們所稱爲天才的特殊能力。

荷爾登教授繼續說：「若是把我們移回到過去的時代，我們不會受到北京原人的尊敬的。同樣，若是把這些被計劃的作爲進化產物中的一個人，帶回到我們的時代，我們大概也會把他當作不愉快的人來招待吧！這不是悲觀的想法。因爲我們不會遇見到他們的。」

看了上述生物學家對未來人類的描述，有兩點值得我們思考。第一、我們中國傳統的觀念，認爲在人類的本能中，可以透出「放之四海而皆準」的良心理性。這一觀念，在生物學家的立場，是很難與以承認的。第二、我們現在所得到的一切知識，尚不足以形成人類走向未來的起點，所以我們與未來之間，沒有彼此可以相喩的橋樑。因此，我們面對着自己的未來，乃是一個不可測度的幽暗的原始森林。森林中也許有無盡的寶藏，但這不是我們所能探測，自然也成爲與我們無緣的「彼岸」了。順著這一看法，也可以說人類是沒有未來的——因爲未來對於現在，是一種無情的存在。假定我們眞能與未來人相遇的話，那不會是握手言歡，而將是一場生死搏鬥。但荷爾登教授一開始便交代得清楚，他們說的，只是生物學的觀點。人是多方面的存在，生物學的觀點，只是對於人的許多觀點中的一種。他認爲「僅集中於許多觀點中的一個觀點，便是一種災禍」。所以我們還要從其他的觀點來展望人類未來的世界。

（一九六一年一月《華僑日報》）

世界危機中的人類

我以前曾爲《華僑日報》寫過若干東京的通信，大體上是胡亂凑合的東西，所以有許多朋友希望我把它彙印出來，我始終覺得沒有彙印的價值。現時我想就個人所了解的若干思想家們對人類未來的構想，分別作一簡單報導，而稱之爲「未來世界的通信」。意思是想藉此引起所有人們對自己歷史命運的關注，產生出新的觀念，開始新的努力，或許能渡過當前世界性的危機，開天下萬世太平之業。

人類與一般動物最大區別之一，在於一般動物沒有歷史意識，而人類則有歷史意識。因此，一般動物是生活在片斷的，不相連續的「現在」之中，而人類則係生活在把「過去」「現在」「未來」連貫在一起的「歷史之流」的裏面。「現在」才是現實生活的具體內容。但不僅現實生活所憑藉的物質，主要係依賴「過去」所蓄積而來，因而使人不能不回顧「過去」，並且在人類的精神生活中，有一種自然而然的要求自己的生命有一個來源的衝動，因而爲了知道自己生命的來源，作過了不少的共同努力。這種努力，常常形成人類文化的重大財產。一個忘記了自己身世的流浪漢，一個不知道自己親生父母是誰的伶仃兒，他內心的苦悶，常會超過具有一種並不很光榮的家世，但卻能爲自己所清楚知道的人們的苦悶。要求知道自己生命來源的精神衝動，可以說不須要合理的解釋，或現實利害的支持，而只是人類一種感情的活動。照現在若干人的說法，凡是屬於感情的東西，不能成爲學問的對象；但我們要知道，只有人類才有這種感情。並且只要人類得到正常的成長，則時無古今，地無中外，也一定會具備這種感情。所以這是帶有永恒性、普遍性的一種感情。假定學問是屬於人類自己的，則對這類感情的發抒、滿足，正是學問中最基本的任務。

人類的現實生活，不僅與「過去」不可分，而且與「未來」同樣不可分。所謂「未來」，可以縮短到對於「今天」而言的「明天」。只知道今天的生活，不知道明天的生活，或者感到今天可以有把握的生活，明天便沒有把握的生活，這是一般人所不能忍受的生活。當然也有主張採取祇顧今天，不管明天的生活態度的人；但分析起來，作這種主張中的少數人，是他的明天本不成爲問題，因而可以忘記明天。多數人則是來自對明天的絕望。對明天的絕望也卽等於對自己生命的絕望。人類積極性的努力，都是爲的有了今天，還要有更好的明天的。

生活的「明天」，可以無限的延伸、擴大，可以延伸到自已子孫的瓜瓞綿綿；可以擴大到人類整個的歷史運命。我們可以只要求知道古人，或嘆息古人；但我們的確可以「不必替古人擔憂」。因爲古人已屬於過去了。但我們並不能確切知道後人，對後人自然也說不上欣羡或嘆息；却不能不替後人擔憂；因爲後人是屬於「未來」，而「未來」是屬於我們生命的明天的延續。人類是不要任何理由作支持而要求自己的生命能夠延續的。我看到報紙有下面這樣的一則笑話，有人向一位天文學家很緊張的問：「地球將在某一天碰上另一行星，怎麽辦？」這位天文學家很冷靜的答覆：「地球並不是一個很重要的行星，毀滅了沒有關係。」

站在天文學的立場，這位天文學家的答覆並不算錯；可是人們對於這種答覆，只能當作笑話來聽。人類對於「過去」的連結，還可找出現在生活中的利害問題作根據。對於未來的連結，則可以說與現在生活的利害無關，而只是出於人類生命的內在要求。正因爲如此，所以這種要求，在對未來失去信心時，也表現得特別迫切。

如前所說，人類實際是生活在「過去」「現在」「未來」所連結的「歷史之流」裏面。但此種實際連結的情形，並非一般人所能了解。於是，便有少數特出的人物，出而擔當這種解述的任務。最先出現的是各種民族起源的神話，接着便是宗教。宗教的主要內容，便是要把每一個人的過去、現在、未來，很緊密的連接在一起。當我國東漢末年，開始對印度佛教發生了熱烈信仰，主要是因果報應之說，解答了潛伏在各人精神內，要把過去、現在、未來，連結在一起的要求。基督教的上帝七日造人，及末日審判，在基本性格上，與佛教也無二致。再進一步，便由史學家、哲學家來擔當這種任務。最後出現的是科學家。現代考古學，古生物學的進步，最基本的動力，還是人類想知道自己過去的熱望；而進化論一出，所以很快的發生思想上革命性的影響，依然是因爲它對於人類乃至生物的過去、現在、未來，提供了一條確切解說的線索。

宗教根據他們的神意而說未來。史學家、哲學家，則根據他們所把握的歷史法則，理性法式而說未來。科學家要根據材料說話，所以不能輕易說到未來；此一態度的影響所及，廿世紀三十年代以前史學家哲學家，也不輕易說到未來。但五十年代以後，學術任何部門的思想家們，不關心到人類未來的，可以說他們是放棄自己作爲一個思想家的任務。人類是以現在爲基點而通到過去，聯想未來的。在穩定的「現在」中，人們只以純知的態度想到過去，以浪漫的態度想到未來；這種過去、未來，僅是對於人們享受「現在」的陪襯。若「現在」已經失掉了它的穩定性，人們已經感到把握不住自己的現在，便常會以求救的心情想到過去，以憂鬱而迫切的態度想到未來。此時的未來，乃眞成爲思想家精神之所縈繞。何況我們的現在，乃是名符其實的「世界危機」的現在。這種危機，不僅超過了個人、民族；乃至超過了一切文化，而將使之玉石俱焚。則當前世界的思想家們對「未來」的關心，有其更眞實的意義。

（一九六一年二月八日《華僑日報》）

人口問題的憂鬱

當十八世紀末英國正經歷着產業革命的時候，新機器不斷地出現，工廠制的工業代替了傳統的小手工工業。一方面是生產力飛躍上升，一方面却因勞資對立，貧富懸殊，使社會問題顯得非常尖銳。當時無政府主義者高道文（William Godwin），在一七九三年，發表了《政治的正義論》；一七九七年，又公佈了《研究錄》，認爲只要改革社會環境和社會制度，便可以驅逐一切的罪惡與貧窮，人和社會卽可達到完全的狀態。他的立足點在於對人類理性的無窮信賴，認爲通過人類的理性，這種改革是一定可以實現的。

高道文對人類前途的樂觀看法，給當時英國思想界以極大的影響。但是馬爾薩斯（Thomas Robert Malthus）在一七九八年，和自己的父親作了一場辯論之後，出版了有名的《人口論》的第一版，認爲人口若不加以限制，便會以幾何級數的比例而增加；卽是以一、二、四、十六的比例而增加。人類所必不可缺的食物，則只能以算術級數的比例而增加；卽是以一、二、三、四、五的比例而增加。此種增加比例的不平衡，成爲人類貧困與罪惡的不可克服的根源，與高道文所說的社會制度沒有關係。馬爾薩斯人口論問世後的世界情勢，在科學進步的西歐，否定了他的預言；在科學落後的地區，却大體合乎他的估計。他提出了人類問題的一面，但並不能因此而否定了高道文們所提出的另一面。

在馬爾薩斯《人口論》出版後的一百五十二年，即是一九五〇年，英國著名的評論家阿道斯・赫胥黎（Aldous Leonard Huxley）氏，在其《主題與變奏曲》中，對人口問題，又提出了更嶄新、更爲憂鬱地警告。十年以來，漸漸形成新人口政策的動力。

據赫胥黎氏的看法，世界正面臨著兩重的危機：高次元的危機是政治經濟，低次元的危機卻是人口學的、生態學的危機。不解決低次元的危機，只有使政治經濟的危機更爲惡化。他針對「豐富中的貧困」的口號，而提出了「貧困中的貧困」的口號。所謂豐富中的貧困，是許多人以爲地球的資源，可以供給增加的人口以充足的衣食和快樂。當前人類陷於悲慘的原因，乃在錯誤的生產方法與錯誤的分配方法。只要將這種原因除去，全地球便可成爲一個廣大的「糕餅之國」。但赫胥黎氏認爲一個人的食物便須要二・五英畝，所以就現時可利用的土地來養現時人口，已經大有問題，何況人口在十年間約以二億人的比例增加，這怎能不說是貧困中的貧困呢？

更嚴重的問題是生長糧食的土地卻一天一天的變得貧瘠。他完全同意雪巴特在〈食物與饑饉〉一文中所說的，原子戰爭可以破壞文明母體的社會環境，而土壤侵蝕則可以破壞文明基礎的自然環境。「若是土壤侵蝕不能加以防止，將使任何文明的可能性歸於消滅。」赫胥黎更嚴肅指出，在現時人口過多地區，拚命搾取土地的生產力，本來是爲了保存自己，但實在是破壞自己。他於是大聲急呼的說：「人類，即是他自己的火星人。」「由這種火星人入侵的悲慘結果，不是由任何急進地革命所能解消的。」

因爲問題是這樣的嚴重，所以赫胥黎氏覺得西歐的人們雖然發展不出可以爲一般人所接受的哲學，但很容易找出一個積極地、現實地、普遍而有魅力的政策——這卽是緩和人類低次元的危機，限制世界的人口，恢復並增加地球的肥沃度的政策。若是蘇俄對此一政策採取合作的態度更好，否則民主主義國家方面，可以把此一政策作爲強力的外交、宣傳上的武器。縱然因此而不能保證我們這一代的和平，「但在近的將來，遠的將來，可以減少戰爭的可能性」。

但是，人口問題在世界上也並不是一樣的。據赫胥黎說，在西歐和北美，這五、六十年以來，全體的出生率正急遽地減少。因爲死亡率低，所以出生率的減少尚未成爲人口總額的減少。到一九七〇年，西歐人口，較之現在，大約要減少九百萬；但蘇俄則大約可以增加五千萬。全亞洲，當然更會大大地增加。

並且在出生率低下的國家另外還有一個可怕的共同傾向——卽是愈有敎養，愈有才能的人們，出生率減少得特別大。所以他認爲「將來西歐與北美的人口，大槪是由現時住在此一地域裏智能程度很低的人們的子孫所構成」。現時英國極有權威的心理學家巴特，認爲在本世紀告終時，英國有學問才能的兒童只能有現在的半數，全人口的平均智能指數要減低百分之五。其他，西歐各國，乃至北美，隨着出生率的減少，同樣還有質的降低。

由上可知，限制人口政策，對於亞洲是全面的要求，對於西歐北美却特別要找出可以促進有智能的人多多生育兒女的方法。但他認爲國家主義的偶像崇拜，是廿世紀眞正有力的宗敎；這是妨礙實行人口政策最大的障礙。爲了克服這種障礙，需要長期的努力。同時，爲了恢復並增加地球的肥沃度，他提出了三個方案，也是須要世界性的長期奮鬥的。

最後，赫胥黎氏，對於人口問題，他指出了一種難以避免的矛盾——卽是「從生物學、歷史學方面說，大家族較之小家族爲正常。生五、六個小孩的女性，較之以人工限制而僅生一、兩個小孩的女性，更近於自然。出生率迅速降低的國家，在這四十年間，精神變態這類的病有顯著的增加……部分的原因，是由於限制生產而來的性生活、家庭生活的形態，常對大人、小孩給與以某種意味的非常不滿。生物學地正常行動成爲近代文明的犧牲時，我們缺乏調整均衡。然而，若保持生物學的正常行動，則我們更將陷入於饑餓，更缺乏自由，更捲入於戰爭與革命的危險」。所以兩害相權，他主張依然選擇限制人口的一條路。

不過，我感到赫胥黎的高見是否也和馬爾薩斯一樣，以爲人口問題可以掩蓋其他社會問題，亦卽可以作爲現時抵抗蘇俄攻勢的一個盾牌呢？是否含有西歐、北美對於亞洲人口增加的恐懼心理呢？所以他的意見，只有抽去上面兩種政治因素，才在一定範圍之內有其意義。

（一九六一年二月二十五日《華僑日報》）

一個歷史學家的迷惘

喬治・馬可來・特李未利安（George Macaulay Taevelyan，1876－1962）是英國現代最偉大的歷史學家之一。他在《一個歷史學家的自傳》中，以「傳統的歷史學家」自居。因爲在標榜「科學的歷史」的現代，他却努力要維持歷史與文學相結合的傳統。這一傾向雖然不易爲現代人所了解，可是因爲他寫了二十本以上的有價值的大著，其中尤以《英國史》《英國社會史》受到一般的重視，所以即使是不贊成他的史學態度的人，也不能不承認他在史學上的成就。

他以爲歷史最主要的價值是詩的展現。「詩，常常是內在的。」歷史能把過去人們所思所感、所作所爲，像奇蹟樣地，展現於我們的想像力與悟性之前，使過去的世界居然能內在於我們現代生活之中。這完全是詩所給與人的一種意境。所以他說：「我讀歷史，是把它作爲偉大的詩，作爲無始無終的敍事詩，簡直是讀之不厭。」

但是，他認爲在歷史中不能發現出「歷史的哲學」。他說：「哲學應提出於歷史之前，却不能從歷史中抽出哲學。並且，除了好善而惡惡以外，我不曾爲歷史提出自己的哲學。」

他不相信黑格爾的「世界歷史，是自由觀念的展開」的歷史哲學——因爲德意志，乃至整個世界，這一百多年以來的歷史，不能證明黑格爾的歷史哲學的結論。他對阿克頓（Lord

Acton, 1834－1902）的「歷史是通過對立勢力之均衡所成長的自由」的說法，只承認它有一部分的妥當性——即是這僅可包括從十六世紀到十九世紀政治與宗教的歷史情形，但政治與宗教並不是歷史的一切。

他對於並時的大史學家湯恩比（Arnold Toynbee, 1889－1975）似乎相當的推重。但對於湯恩比「挑戰（環境）與應戰是歷史一切動因中最重要的動因」的說法也不贊成。因爲歷史中，有的受到環境的挑戰，但並不一定起而應戰。有時却由一個偉人的出現，以完全不能預期的新方法而改變了歷史的方向。譬如以羅馬帝國、羅馬的道路及斯多亞哲學（Stoic）等因素，可以說明一個世界的宗教得以出現的基礎。但有了這個基礎，並不一定能出現一個世界的宗教。世界的宗教之出現，不能不有待於耶穌、保羅的誕生；而他們的誕生並不是歷史的必然，而只能歸之於歷史的奇蹟，亦即是歷史的偶然性。所以他不承認有一種可以推斷未來的歷史哲學。

特李未利安氏不僅認爲偶然性在歷史中的重要性，並且認爲歷史上所發生事件的評價也難有一定的標準。著有《羅馬衰亡史》的吉朋（Edward Gibbon，1737－94），對於羅馬的和平與文明的沒落、破壞，當然懷有不能自已的悲感，但是羅馬的和平與文明乃完全依存於白人奴隸之上。在基督誕生後一個世紀之間，羅馬社會的經濟基礎完全是奴隸制度。連基督教會也不會要求加以解放，而只要求它有較爲穩健的處理方法。等到蠻族軍隊的入侵，却與奴隸以解放的機會。戰爭與秩序混亂，打開了奴隸工作小屋的門。奴隸社會的苦悶不但因而解體，而且終於消滅了。在此一廢墟之上，都市的工人成爲自由民；土地耕作者，或成爲自由民，或成爲農奴；但決不是奴隸。過去集中在皇帝一人手上的政治權力，分散給無數的聖、俗兩方的個人與團體。因為封建的無秩序及傳教者的策動，和局部戰爭的變動，而激起活力與獨立精神，到處可以聽到生命的脈搏，為了未來的文明，準備好了好的苗床的土壤。可見「穩定的時代，並不一定是好的時代。在這種時代中，人們得不到任何教養」。

不僅如此，許多人認為中世紀是黑暗世紀。當然，從許多生活面看中世紀的人們，的確沒有現代人的享受。但若以自由作標準，特李未利安氏覺得中世紀由孤立而來的自由與機會，反較近代人為多。整天的，孤單地看守著一羣羊的牧羊者，較之今日工會的會員、銀行員、公務員、却有更多的精神的自由，這當然可以表現人類生存的價值。

不錯，中世紀也並不是黃金的世紀。它有戰爭、疾疫、飢饉，不斷破壞人間的幸福。而貪欲、殘忍、偽善，成為當時教會、封建權力所有者的特徵。因此，在某一點上，十八世紀與十九世紀的人，還可以保有用憐憫與輕蔑之心，去回顧中世紀的權利。但在「出現了世界大戰及極權主義（Totalitarianism）的二十世紀，却連這種權利也失掉了」。

中世紀保有許多政治權力及野蠻行為所不能達到的孤立的「據點」。這種「據點」，對於人類自由的保持，有莫大的價值。但是，「在現代極權主義國家裏面，却把所有的據點都抹煞了……現代中央集權的傾向，與近代交通機關的發達，很快地把它們（英國所殘存的據點），也都破壞了。沒有據點，任何文明也會迅速歸於腐敗。對於一切事情都要求劃一統一的人，乃係忽視了這一重要原則。若是沒有獨立於國家這種機械之外的據點，文明便會失掉一切健全的成長力。新的生命，常常是從少數黨、小集體，及有獨立性的個人而來的」。

以上，是特李未利安氏在〈迷羊／歷史的觀念〉一文中的結論。他雖然特別強調「歷史上所發生的事情，其條件是極端複雜；由事件之類似以預言未來，是不可能的」。但從他的結論中，不難從他對現代發展傾向所抱持的悲觀態度中，可以推知他對緊承現代傾向而發展下去的未來，依然是懷抱着詩人性的迷惘和淡淡的哀愁的。

（一九六一年三月三十日《華僑日報》）

科學王國中的「後史人」

路易士·曼福德，是美國現時著名的文明批評家。他在《人的變形》一書中，對人類歷史，加以新的詮釋。因爲若由關心人類運命而談到歷史時，便自然會涉及未來世界的問題，湯恩比們都是如此。所以在此書的九章中，便有一章是談「後史人」。

我這裏想略加介紹的，即是他所構想的「後史人」的形像。因爲這是代表一個肯用頭腦的美國人，對以美國爲代表的現代文化的反省，值得我國談文化的人作參考。他認爲在知性、科學，統治一切的時代中，人類有機的傾向，及以個性爲中心的歷史問題，會被當作不能考慮的東西而消失掉，因之，人已經不是歷史的存在，只好稱之爲「後史人」。構成他的假定的基礎的，是當前的資本主義、機械主義、科學、官僚制度、極權主義等，綜合地演進。在這綜合演進中，發生主導作用的，還是由人的知性所成就的科學。至於在許多落後地區中所殘餘的家族封建勢力的醜惡統治，則一定會被前面的幾種力量，如秋風掃落葉似地掃掉，它沒有構成假定之一因素的資格。

曼福德氏認爲在長久的過去，對於人類有支配作用的本能生活，隨着知性漸漸完全統御了生活的各個部面，而漸漸失掉了它的力量。人離開了本能的東西，目的性的東西，有機的東西，而定著於因果的，機械的東西之內，因而知性可對人的各種活動加以更強的控制。「知性已從物質活動的分野，進入到動物活動的分野。並且，凡是不順從於知性的性質，很快便會被破壞，或被消滅掉。」「由科學方法與近代技術非人性地操作之發現以前，冷靜的知性已經減少了自然的力量；今後更將廣泛支配人類的活動。人爲了生存，不能不使自身與機械相適應。藝術家、詩人、聖人這些不適合的形態，或由社會淘汰，而使其轉向，或乾脆自動歸於消滅。」

在上述的趨向之下，人類自身，也只有適用與物質世界相同的規範。知性創造機械，機械控制人生，結果「知性產生出有同於繼續了六千萬年的某種昆蟲社會。爲什麼呢？因爲知性達到最後的形式時，對於由知性所完成的解決方法、方式，不容許任何懷疑反對」。所以「若一旦科學知識成爲最高的東西，就是政策也不能有所改變。於是具有重複能力的人生，只有凍結在由知性所提出的一個模型之內」。

機械完成了一切控制的「後史人」，「他們之所謂人生，除了多方面地展示『自然魔力』的概念以外，更一無所有。長距離的一瞬間地連絡，空間迅速的運動，產生自動反應的按紐式的操作等，這些便是他們所追求、成就的東西。而最後的業績，則是把含有無限變化的有機的組織力，做成鑲嵌在模型中的機械的東西」。

「後史人」當然要造出向地球以外的星球互相交通的機械；這正是近代開始時，西方人尋找新大陸的精神的繼續。「認爲人生除了不斷地在空間移動以外，更無其他意義的想法，正是知性被非人格化了後所達到的界限的標準」。

但是，機械的效用，並不止於是完成人們向太空活動之夢，同時，也與悲慘的戰爭，連結在一起。「好像與後史人的實存主義的虛無感相呼應一樣，戰爭從限定目標的局部破壞與暴力，變而爲組織地無限制的殺戮。後史人，在各種勝利中站了起來；但這一切，都是死的勝利，能說這是偶然的事嗎？否定生命活動的意義，尤其是否定人生進步的可能性的意志，支配了這個時代的意識形態。因之，便把集團殺戮或自殺，當作最後的目的而前進」。「進到後史時代的過程，先是採用不著目的形態，從科學削弱人性開始。而最後，便從現實世界的全體中，抹煞掉人性」。

對於原子能的開發，美蘇正作拚命的競爭。幾十年後，那一方面，都具有毀滅地球上一切人類生命的能力。把這種新能力轉向能作人自身幸福用途的思考，比之於用爲向毀滅人自身的思考，簡直是微不足道。所以從人生分離了的、被非人格化了的科學知識，它與道德或政治等人類所負的責任，成爲毫無關係的東西；並且也馬上走向埋葬科學自身存在之道。

「後史人」對於自然的態度，將排除過去人類與自然的親切感，而只是將它加以打碎，加以再統合，使其成爲由機械生產所改變的新材料。「對於人的個性，也是一樣的。僅把人性中的合理的知性，擴大到超人的程度；其他的部分，則被縮小或被淘汰掉」。

「後史人」不僅要作出蛋白分子，並且要在試驗管內再現生命現象。一方面由於合成化學纖維的成功，他們要從無機物中造出食物。他們爲了保證這種成功，將造出喜歡吃這種食物的新人種，或造出根本不知飲食之樂的新人種。他們爲了保證由知性所完成的政治經濟生活的劃一性的功效，對於小孩們「像割扁桃腺一樣的，施行前腦葉切除的手術，以確保人類的服從性，而抑制其自發性」。

曼福德氏對於「後史人」，還有很多的描寫。總括說一句，他認爲順着現時知性第一、科學第一的方向發展下去，使人完全成爲機械的一屬性，成爲便於極權統治的一動物，因而由人所成就的科學，結果變成了人自己否定自己的可怕的怪物。

這種牽連到文化中很多很複雜的問題，將來有機會再談。現在我只簡單說出當我把這部大著讀完以後，立刻引起我於民國三十六年在南京《學原》刊物時的一點回憶。當時有位洪先生剛剛從英國（或者是美國）研究維也納學派（即所謂邏輯實證論）的學說歸來，他以滿腔現代科學基礎的自信，獲得當時幾位留德的先生們的恭維。這位洪先生對人非常謙虛，決不像他的徒子徒孫的裝模作樣，狂妄無知。但我聽了他的談話，讀了他的大文以後，私下向牟宗三先生笑了笑說，「將來機器人可以取有生命的人而代之了」。向機器人或昆蟲社會的前進，當然也是值得我們考慮一下的問題。

（一九六一年十二月十四日《華僑日報》）

開幕乎？閉幕乎？

英國的羅素，在今日的哲學界中，應當算得上是一位元老了。他今年大概是八十九歲。但他還保持著作爲一個思想家所應有的活躍。由數學家、哲學家、評論家，一轉而爲晚年的小說創作家，並娶上了一位第四任的太太。他的生命力算是夠強的了。他在第一次世界大戰時，因反戰而失掉了劍橋大學的教職。這幾年，更領導反核子武器、反核子戰爭的運動。甚至主張英國寧可向蘇聯投降，也不必作軍事抵抗的準備。他的主張是否正確，乃是另一問題；但他對人類命運的關心，這在西方正統的哲學家中，恐怕是很少見到的。然則他對人類命運的前途，又作何看法呢？他在所著的《倫理學及政治學的人類社會》一書中，以〈開幕乎？閉幕乎？〉作最後的一章，或者可以代表他對此一問題的觀點。

他是以數學爲出發點的哲學家，完全站在知識的立場來談哲學的。知識的成就，表現在科學、技術之上。目前科學技術，正以空前未有的速度，向前發展，所以採取此一立場的人，對人類前途，多保持樂觀的看法；羅素也正是如此。他在這一章中，首先認爲「若用天文學者的眼光來看此一世界，則人類的未來，可以比地質學家所計算的過去的年代還要長一些的延續下去。今後多少億年之間，在地球的物質性質之中，找不出可以妨礙生物生存的理由」。據他說：人類開始發現自己的特殊能力，只不過在六千年前才開始。眞正值得注目的進步，應以希臘時代爲最早。可以與希臘時代相比擬的進步，不過是最近五百年間的事情。而過去的文明歷史，對於幾億年的未來而言，當然只能算剛剛在開幕。

但羅素緊承接着上面說：「未來的幾百萬年的人類命運，在現時的知識可以了解的範圍之內，完全在人類自己的手中。還是決定飛入於悲慘之中呢？抑或是攀登到夢想不到的高峯呢？這完全委之於人類自己。」換言之，人類正站在悲慘與光明的歧途之上，使這位哲學家也感到彷徨而沒有把握。但由前面所述，也可以了解問題不是出在物質上面，而是出在人自己的身上。五百年文明的進步，進步的只是物質而不是人自己。

說到人的自身，羅素認爲這是「神與獸的混合。有的人是面向著神，有的人則面向著獸」。但羅素更進一步的指出：史威夫特（Jonathan Swift，1667～1745）在他憤世嫉俗的《格列佛遊記》（Gulliver's Travels）中描寫的最可厭惡的「雅扶」（比擬爲最壞之人的一種獸），他並沒有知力；所以這種獸還沒有像近代人這樣的壞。所以他又說：「以爲人是神與獸的混合，這對於獸來說，還是不公平的。人應該認爲是神與惡魔的混合。任何獸，那怕連『雅扶』在內，它們也不能犯上像希特勒、史達林這樣的罪惡。……人憑想像描寫出的地獄，這是很早以前的事。但能把想像的東西加以實現，僅能靠最近的科學技術。人類的精神，在天國的光明，與地獄的黑暗之間，保持著奇妙的平衡。並且人類的精神，常以能眺望到兩方面爲滿足。但却不能斷定天堂與地獄的那一方面，對人類的精神更爲自然。」亦即是不能斷定人類到底會走向那一方面去。

羅素認爲在天堂與地獄歧途之上的決定力量，似乎不僅只是人的知識，雖然他一生的努力與成就，都在知識這一方面。他說：「若與天文學世界的偉大相比較，則人類的肉體是無意味、無力量的東西。然而人能反映出這個世界，能在想像與科學知識之中，對於無限地時間與空間作不斷的巡禮。」換言之，人靠了自己的知識，並不受渺小的肉體的限制，而能與宇宙相頡頏。並且今後知識進步的速度，還要一天大過一天。但羅素認爲人類最值得讚賞的，並不僅僅是知識。主要是除了知識以外，人類還能創造美……。還有對於全人類之愛與同情……。這便是未來命運之所寄。

羅素認爲「到現在爲止，知識太被人們所誤用了」。他覺得要從現在的危機中解脫出來，要靠最大的知識、想像力、與同情心。知識，大體上是不成問題的。目前人類所缺乏的並不在此。所以他最後呼籲著說：「要從苦惱中救出世界的人類，不能沒有勇氣、希望、以及愛。我不知道他們能否得到勝利；但撇開理由不說，我無法抑制住相信他們可以勝利之心。」

由羅素上面的陳述，不難了解要度過當前危機以開創未來太平之業，實際還是一個道德問題。再妥當點說，實際是要使人以道德來運用科學知識的問題。但羅素也和西方許多傳統的哲學家一樣，始終不能發現道德的主體，因而不能發現道德的眞實性，而只是在道德的邊緣徘徊不進。他甚至把道德比擬爲顏色，覺得這些不過是人類感情的假象。這樣，羅素便只能以其智慧提出了問題。却無法把握到解決問題的關鍵。這是羅素哲學的悲劇，也是西方文化的悲劇。

（一九六一年四月十五日《華僑日報》）

危機世紀的虛無主義

凡是留心現代文化的人，幾乎大家都會承認，目前正處於一個空前的危機世紀。危機世紀，可以有許多特徵；但最大的特徵，却表現在深刻而廣泛多姿的虛無主義之上。

爲了了解什麼是虛無主義，首先要了解，一切的生活，除了衣食住行的物質條件之外，還要靠辨別善惡、美醜的價值判斷，並對於這種判斷加以信任，才能得到精神上的支持，因而得到生活上的自信與充實。價值判斷成就各人的人生觀、世界觀，指示各人以生活的目標提供各人以生活的意義。價值判斷的總滙，即成爲歷史的目標，歷史的意義。人們不能離開價值而生存，也和不能離開衣食住行而生存是一樣。

何謂虛無主義，我覺得最好採用尼采在《權力意志》中所下的定義：「虛無主義是意味着什麼呢？是至高價值成爲無價值。是沒有目標。是對於『爲了什麼』也沒有答覆。」尼采上面的三句話實際可以包括在「至高價值成爲無價值」的一句話之內。至高價值成爲無價值即是人生觀的崩壞，即是世界觀的崩壞。沒有人生觀、世界觀的人，乃是喪失了生活目標、生活意義的人。這種人對於客觀世界的一切，都會感到是「無聊」，對於自然的日常生活，也都會感到是「無聊」。一個人，在精神上、乃係一無所有而只是「虛」，只是「無」。

從歐洲的歷史條件說，至高價值成爲無價值，首先是表現爲「上帝的隱退」。自文藝復興以來，一直到啓蒙運動，歐洲的許多市民階級，要求由「神的支配」，轉而爲「人的支配」；這便種下了虛無主義的種子。不過此時的市民，對於自己的認知理性，抱有無限的信心；他們的人生目標、人生意義，都安放在由理性所成就的科學技術進步之上。因此，在科學技術得到非常進步的十九世紀，被他們稱爲「進步的世紀」，由進步世紀的再進步，便可以達到建立天國於地上的美夢。這就是說，他們的至高價值，由上帝轉移到科學技術之上，所以他們的虛無主義的種子，在十九世紀末以前，給他們科學技術的光輝掩覆住了。

但是，科學技術進步的結果，是「機器的支配」，代替了「人的支配」。人在機器支配之下，不僅人是從屬於機器，而是人從屬於機器的零件；人的活動，也化爲機器零件的活動，而整年整月地隨着機器零件作永無變化的旋轉。這樣一來，機器固然給人以與過去不同的生活方式，但並不曾給人以目標，給人以意義，因而並不能由此呈顯出新的價值。人們在機器支配面前所感到的「無聊」，並不下於「上帝隱退」以前，在庸僧俗尼說教時所感到的「無聊」。把「上帝隱退」，「機器無情」，加在一起，歐洲的虛無世紀的訊號，便由尼采口中正式發出了。再加以貧富的懸殊，階級鬥爭的激烈化；再加以兩次大戰，以及核子武器對人類全盤毀滅的嚴重威脅，許多人便感到，人生的意義在什麼地方？人生的希望在什麼地方？「絕望」的「絕」字，實際便是形容虛無主義的深刻化。

著有《虛無主義的假面與變形》一書的拉烏陵格，把虛無主義的演進，分爲三個階段。

第一階段，是把虛無主義當作是一種解放，即是以對歷史文化價值的否定，爲向新價值追求的解放。例如尼采說：「我把人類歷史，一刀兩斷。人還是生於我以前呢？還是生於我以後呢？」第二階段，則將他們由虛無所爆出的破壞力，轉變而成爲「虛無主義的革命」。共產主義的革命，法西斯的革命，在思想上正由此而來。這可以說是虛無主義在其自身性格中的掙扎。第三階段，則否定一切價值，否定一切意味，而只是離開自然，離開社會，離開歷史，抱着一束孤獨而幽暗的生命，面對着不可測度的深淵。今日的所謂實存哲學、現代藝術、邏輯實證論，都是這一絕望的虛無主義的變貌。

這裏還得一提的是把nihilism譯作虛無主義，「虛無」二字，是轉用老莊思想中的名詞。但老莊的虛無，是向上昇的虛無，即是老莊否定了許多現實的人生價值，如仁義禮智等，但他們是由此而肯定在仁義禮智之上的「常道」的價值，因此，他們的否定，同時即是他們高一層價值的肯定。有了這高一層的價值肯定之後，再落下來，依然要肯定由高層價值加以洗鍊後的現實價值。這只要讀莊子的〈天下篇〉，便可以了解到這一點。魏晉時代的老莊思想，才是向下沉淪的虛無主義，與現代的虛無主義，有多少相同的性格。下沉向虛無主義，是下沉向中國之所謂「私慾」，下沉爲佛教之所謂「無明」，下沉向今日之所謂「深層心理」。這是人對自身完整生命的否定、對於時代的末日感。從虛無主義中的超剋，即是危機世紀的超剋。今後人類的前途，正繫於這種超剋的努力。

（一九六一年六月九日《華僑日報》）

西方文化之重估

每一時代，都有代表各時代特性的時代精神。這種代表時代特性的時代精神，常從各個文化現象。宋儒好用「理一而分殊」的話來說明本體與現象的關係。我現在借來說明文化精神與文化現象的關係。文化精神是「理一」，而文化現象則是「分殊」。要通過文化以把握人類命運的前途，則必須從文化現象追索到文化精神上去。

作爲現代文化精神特性的，從積極方面說，或者可以稱爲極端的技術化的文化；除了技術成就外，便不算學問。在另一方面，或者又可以稱爲極端的官能化的文化；除了官能的享受以外，便沒有人生。這兩點，實際只是一個事物的兩面。以技術來滿足官能，以官能去推動技術。但若從消極方面來說此一現代文化精神的特性，則或者可以稱之爲這是沒有人類愛的文化精神的時代。

人類愛，乃是不受私人情欲所限制的愛，也卽是不附帶任何條件的愛。其性質相當於中國傳統文化中所說的「仁」。男女的愛，當然也是愛，但這常常是以私人情欲爲動機，並以能得到對等的報酬爲條件的愛，所以這不是「人類愛」，而只是情欲之愛。假定從一切情欲和報償中超拔出來，而成爲無條件地愛一個男人或愛一個女人，這便可以稱之爲偉大的愛情。此時是在不知不覺之間，把情欲之愛，接近向人類之愛。在親子之愛中，包含這種可能性最大。孟子說，「老吾老，以及人之老；幼吾幼，以及人之幼」；在「老吾老」之愛中，本含有「以及人之老」的同質的可能性，即是含有人類愛的同質的可能性在裏面。

導源於希臘文化的西方文化，本以眞、善、美爲其最高目的。眞、善、美、不僅是三個最高的目標，實際也是相得益彰，不可分離的統一的人生的三個方面。不過希臘的所謂善，以「正義」爲主的意味特重。而其所謂「愛」，則常是局限於情欲之愛。純潔高深的人類愛，並沒有顯現出來；這便成爲西方文化中的致命傷。

西方人類愛的理念，是由耶穌傳佈出來的。但耶穌基督，是宗教的存在。任何宗教，對現世總存有厭離之感。於是由耶穌所顯示出的神愛世人，常遊離於現實世界之上，而只能由教會所描畫出的天國裏面碰頭。加以「原罪」的教義，不容許愛苗在每一個人心裏生根，以發生直接融合滙通的作用。於是在信基督與不信基督者之間，信基督者的新與舊之間；同爲新，同爲舊的各派教會之間，常劃定些不可踰越的鴻溝；而這些鴻溝，大家不說是由各人的情欲之私所劃定的，各人都主張這是由上帝對撒旦所劃定的。換言之，對於此種鴻溝的撤除，除了上帝之外，人的自身是無可爲力的。爲了貫徹上帝的意志，常不能不作血的淸算。因此，本是降下偉大人類愛的福音於人類的宗教，從它取得了歐洲的支配地位以後，却經常成爲各種鬥爭的中心。而近代宗教的和平，並不是來自宗教的自身，却是來自文藝復興以後由人類理性覺醒所堅決要求的民主自由的限制。此一偉大理念與歷史事實的強烈對照，教徒的本身不會加以反省；但肩負人類命運的文化工作者，是不能不加以反省的。

由上面簡略的敍述，可以了解近三百年來所謂世界文化，實際便是西方文化；而西方文化的擴張，是在缺乏人類愛的情形之下進行的；亦即是在侵略的情形之下進行的。西方文化，對於人類有貢獻的部分，即是民主科學的部分，已經無國界地爲全人類所承認、所吸引。共產黨只能在實質上反對民主；但在口號上並不能完全反對民主；這即說明共產世界，不僅不能拒絕科學，在某一限度之下，也不能反對民主。但全人類正在承認吸收西方的文化；而西方以外的世界，甚至在西方以內的某些部分，却以各種不同的程度與方式，起而打擊作爲擔負西方文化實體的西方勢力。揭穿了說，這是缺乏了人類愛的文化所必須接受的報應。

西方文化在現實上，只是把文化作爲一種力量，壓在他人頭上。他人一旦得到這種力量時，當然會以牙還牙地反壓轉來。假定三個世紀以來，西方是以人類之愛來推廣他的文化，則今日的世界，將完全是兩種面貌；而西方所得的報酬，也將完全是兩種情形。操西方現實政策的人，應當從這種地方去了解亞非集團。而美國人，更應該從這種地方去了解南非的情勢及國內的黑人問題。西方的學人，則更應當從這種地方反省自己的文化，改建自己的文化。

（一九六一年九月二十三日《華僑日報》）

一個生物學家看人性問題

美國的生物學家西諾特，在其《世界展望叢書》的序文中，呼籲現在應當有一個世界性的文藝復興運動；而此一運動的目標，簡單的說，希望由人類道德的改造，精神的改造，使道德能與知識並進，以挽救當前所遇到的空前危機。

《世界展望叢書》的第一部，即是西諾特的《人、精神、物質》。此書的性質，正如其副標題所示，是「人性的生物學」；即是以生物學的立場，來了解人性。而其第十一章，則正談的是人性中的精神問題。以下簡單加以介紹：

「精神」，不僅是一個非常古老的問題，並且由對精神問題的了解不同，而形成不同的宗教與哲學，甚至形成對人類不同的態度。現代有的人，認為隨着自然科學的進步，而擴大了物質與因果法則的領域，已經把一般的所謂「精神」消解掉了。不過正如西諾特所說的，把現實的人生現象中，不能用自然科學加以解釋的問題，例如在生物素材中，如何設定各種目標；及精神的各種願望，究係如何產生出來的等等問題，故意加以抹煞，而僅假定為簡單的東西，「這完全是自欺的勾當」。

西諾特認爲原形質對目標的追求，是生物學的基本概念。就人來說：這種目標追求，影響於人的行動的指向性，而成爲心的活動的基礎。在人心之中，潛伏有多數的目標；這些目標，決定我們的思考與動作；也成爲各種價值的基準。當目標不能用行動獲得時，便在心的深處，成爲一種欲望、願望。這種欲望、願望，含有目標追求及指向性，但常超出於單純的理智判斷之上，而產生愛、惡、恐懼、抱負、愛美、敬神等的情緒。情緒才是使人不同於機械，不同於一切野獸，而給人以生活的熱情與豐富。動物也可能有感情，但動物沒有高次元的感情。

這裏的所謂精神，包含有躍動於人心內部深處的各種感情與情感；而更具有超越於感情、情緒之上的某種東西。沒有感情，便無所謂精神。但若假定在感情中，沒有一種方向，不誘導我們走向一種目標，也不使我們擔當一種抱負，這種感情便不應稱之爲精神。

精神的目標追求與其指向性，在生物的原形質的「制御」中，有其根源。在此一意味上，柏格森主張肉體生命與精神生命是一致的，應當予以承認。原形質，有其特定的內在之力。生物素材的性格與組織，在其內部設定諸目標。這些目標，不斷的前進、發展；其中許多是由於進化論所說的自然淘汰。但有一部分，「却可以看作是得力於原形質自身所特定的諸傾向」。

西諾特覺得「應當着重之點，是諸目標前進的方向。其顯明的表現，在人的方面，則這些目標，發展到創造美、正義、眞理、敬神等的高度理想。這些理想，正是可以稱爲精神的東西」。

因爲人的精神，實際卽是人的理想。所以人並非完全是從屬於其環境，而「對於自己所應作的事情，能下價値判斷」。在任何事物中而能判斷其價値，「這是人的特性中最大的特性」。

再把西諾特的看法淸理一下，卽是，在生物的原形質中，含有目標追求及定向性；人由其原形質的目標追求及其定向性而表現爲感情。由感情的目標性、定向性而成爲人的精神。精神的高度表現，卽是美、眞理、正義、敬神等的人生的理想。人生的理想，形成人對事物的價値判斷。由此而可以說，人生的諸理想，人生的諸價値，實內在於人的原形質之中。亦卽內在於人的生命之中。西諾特以爲「假若這些價値，是能從外面加到人身上，則人沒有自己眞正的性格，而成爲不過是僅由環境所壓成的模型」。「若價値是生於人自身之內部，則這些價値才富於生殖力」；「對於人的未來，也能提供以保證」。由此，我們不難聯想到孟子之所謂「性善」及「義，內也」的意義。

西諾特自己是一個出色的科學家；並且他的思想也通向宗教，尊重宗教。但他知道「把精神的基礎，假作是生物學的東西，會受到自然科學和宗教兩方面的責難」。但他在本文中對於由達爾文的進化論所作的解釋；對於心理學者由物理、化學的作用所作的解釋；對於宗教把肉體與精神分而爲二的教義；都有很簡要銳利的批評，而認爲「今日應當是自然科學者和宗教，同樣捨棄其便宜的獨斷的時代」。

我想西諾特是由生物學的分析，人類生活的體認，而誠實細心地，肯定其由低次元向高次元發展的若干事實。在高次元的事實中，有的是無法了解其所以然的。他說：「人的精神，是由人具有的自己創造的特性所獲得的；有如風那樣，順其活動之自性而活動；我們並不知其從何而來，向何而去。」正因爲如此，在我們過去，稱之爲由天所命的天命；一般科學家便因其無從解釋而消納於低次元的簡單公式之中。西諾特則將其彰顯出來而加以肯定。所以他在這一章的結尾，引用了一位專門研究大腦的烏爾達・彭佛多下面的一段話作結束：

> 神經的衝擊，以某種方法變成思考；而思考更成為神經的衝擊，這是沒有懷疑餘地的。但是，此一知識，對於此種不可思議的變換的本性，並不能投以任何了解之光……，這種研究，今後不論我們的後繼者怎樣繼續努力，但我相信機械不能徹底說明人類；機械論也不能明瞭精神的本性。

（一九六二年四月三十日《華僑日報》）

印度人看印度文化

對於一個有悠久歷史的民族文化，可從各個角度去加以衡量。有的關係於衡量者的學問態度，乃至對某一民族的感情。同時這種衡量，更可以反映出某一民族升沉的氣運。站在現代的觀點，整個東方文化，是處於落伍狀態之中。但在落伍之中，還有沒有其不可磨滅的價值，這是東方人所一致關心的問題。中印兩民族的文化，應當算作東方文化的代表。然則作爲一個對自己民族前途，有深切責任感的一位印度人士，對自己的文化，到底抱一種怎樣的看法呢？

拉達克里修蘭，是印度的一位哲學家。關於印度的宗教、哲學，有不少的著作。從一九五二年起，成爲印度的副總統。這裏所簡單介紹的「印度文化」，是一九四六年，他擔任聯合國教育、科學、文化組織的印度代表團的團長時，在該組織有計劃的講演會內所作的講演。

他在此一講演中，從兩方面來說明印度文化的效用。第一、是站在世界的立場來說。在他講演時聯合國剛成立不久，世界兩大陣營的分裂還不顯著。所以他說「現在，世界是在形而下裏面成爲一體。但在心理上並非如此。世界之一體化，只能在世界是一個共同體的想法之上，才可以成立。而且這種想法，只有各國民相互間，交換其心情與想像力，彼此眞正能理解不同文化不同藝術傳統的價值，才能夠發達……由形而下的接近，引起精神的接近；可以說，現時正在準備一個『世界的』文藝復興。印度文化的根本思想，對於將來世界，可以提供以很大的組織的影響」。

第二、他站在印度的立場來看，認爲「印度是一個古代文化的發祥地，但這又是依然活着的，與西洋大大不同的文化。埃及古代文明，不過是對於考古學者才是存在的……而印度文化，現在依然在我們面前開花；今日正存在於約佔世界人口五分之一的三億五千萬人口的生活之中……因爲它對於印度全體是支持其根本統一的共同基礎。假使沒有此一文化，則印度不過仍舊是許多語言不同，分裂爲許多國家的一個亞洲大陸而已」。

印度文化，在吠陀時代已達到了相當高的階段。接着有佛教的興起。佛教衰亡後，便是一直延續到今天的印度教。所以它是純宗教性的文化。但據拉達克里修蘭的意見，希臘、羅馬、乃至全歐美，同樣有宗教。但這些宗教，「只不過是作爲人生的一種補助手段」，因此並沒有把宗教之所以爲宗教的精神性完全發揮出來。

印度的宗教，一開始「便相信精神生活與社會生活的一體性」。「精神不是一種固定的概念」，也「不是活動於虛空之中，而是貫徹於我們的家庭、社會、經濟的諸活動之中」。精神是人所經驗到的內在世界。「精神的經驗，較之邏輯理性，更是深邃而光明的源泉」。在印度教中，有四大目標。一是包括法律、習慣、道德的達磨；二是規定經濟力與政治生活的阿爾薩；三是建立家庭生活的卡馬；四是超越社會各種束縛，以得到精神自由的摩克薩。「後者才是最高的目標」。

前面所說四種目標，也可以說是生活的四個階段。「生活的每一階段，都有其地位與價值，但常是指向精神自由的這一最後目標」。「規則與儀式，文飾與戒律，祭典與象徵，都是爲了最高目標之實現，爲了調整各種人們的靈魂，所實行的一種功夫」。「全存在的最高的眞理，是超知性、超物質形式的實在；對於這種實在的眞理，不是由哲學的假構所能認識的；而是一切的人，適應各自的能力，可以探求得到的精神的實在，才能認識的。所謂神，並不是單純的邏輯的概念，而是精神的實在」。印度的傳統，「對於精神的經驗與闡明，常給以最高的地位。違反了可以證驗的精神經驗的任何哲學，都不是健全的」。他認爲印度文化中的精神自由是尅服危機時，勇氣與靈感的最大最深的來源。甘地卽其一例。

拉達克里修蘭，並不認爲印度的文化，完全是好的。他說「人類的思想，決不是澄清的流水，而常含有許多泥沙。今日在印度，須除掉許多泥沙」。他在這裏，指出了種性制度，及迷信的流行等等。因此，印度有些人，主張應當按照蘇聯、英國、美國、或日本的樣子，來改變印度的生活。這在他看來，是「爲了救濟肉體而失掉靈魂」。他認爲印度文化中的泥沙，與印度文化中的本質及其理想，是不相干的。並且因泥沙的澄清，才可使其本質及理想更爲顯著。印度當然要工業化。但他認爲在印度的村落共同體中，有充分自覺的社會責任感。在這種社會基礎之上使用機械，機械才是幫助人，而使人不失去人的價值。不要因機械的出現，而破壞了生活道德的平衡。凡此，都要印度傳統的精神給人以在機械中的提撕、教養。

他認爲印度文化的價值「是應當由其本質的精神，由其精神的成就，由其革新之力，由其適應於新物質生活之樣相及人性不斷的要求之力，而加以判斷。不應由暫時衰微時期的貧困、混亂，組織的崩潰等現象來加以判斷。歷史幫助我們集中注意力於承認的價值，並且把我們從迷入於一時的、過渡的東西之中，拯救出來。承認精神的東西是第一義的東西，承認倫理的優越性，承認抱有純粹而銳敏的對眞理之憧憬，是神聖的生活，這是給印度文化以堅韌與持續之力的諸原理」。並認爲諸等原理對於克服印度的困難及世界的危機，有其巨大的價值。

（一九六二年五月十三日《華僑日報》）

大學中文系的課程問題

最近有位常常代表政府出席國際學術會議的人士，發表了改革大學中文系課程的高見。改革的旨要，即是大學的中文系，完全不讀中國的古典，而只讀他們自己的文藝創作，和寫作的技巧。有人說，此一主張，會得到胡適學派的贊成；我認爲假使眞有所謂胡適學派，也未必眞會贊成的。

因爲胡適雖然反對中國文化，但他並不曾反對大學的中文系念中國的古典。他有《中學國文的教學》一文，其中假定的中學國文的四項標準，有三項是以讀古典爲前提條件。並且他還認爲「一個中學堂的畢業生，應該看過下列的幾部書」。他所舉的是：《資治通鑑》或《廿四史》，《孟子》、《墨子》、《荀子》、《韓非子》、《淮南子》、《論衡》、《詩經》或陶潛、杜甫、王安石、陳同甫。這種想法，當然太偏重在古典方面了，所以他又有《再論中學的國文教學》一文，把古典的分量，大大地減輕。但他主張的「古白話文學選本」是自唐代的詩、詞、語錄起，至晚清止。而他所主張的「古文選本」，是從《老子》、《檀弓》到姚鼐、曾國藩。他所主張的學生自修書目，除去掉了《廿四史》外，與前文所列，均沒有多大分別。並主張把經過整理以後的古典，編一套《中學國文叢書》，其內容從《詩經》、《左傳》一直到元曲、明曲選，凡三十一種。胡適對中學國文程度的期待，在今日看，還是太高了。但由此可以推斷，他決不會反對中學國文課本中，合理地選用古典的材料。更不會主張大學的中文系，完全不讀古典。由此可知，在這一問題上，沒有人能打上「胡派」的招牌。

那位人士所以如此主張的理由，是認爲大學的中國文學系，應以訓練文藝創作爲目的。現在許多中文系畢業生，多不能創作，便是因爲把時間花費在古典方面去了，而沒有花費在當前作家所寫的作品上面。這裏我不涉及古典文學、哲學等，與創作的關係問題，也不涉及當前作家的成就到底如何的問題，而只指出下面兩點：一點是大學的中文系，其主要目的是在於古典知識的傳承傳播，以資於一個民族的敎養。任何民族，假定它不是非洲的土人，而實有它自己的古典，則每一代活着的人，對於自己古典的傳承，是一個民族所應盡的文化責任之一。大學裏的中文系，是在大學許多學系中，專以盡這部分責任爲目的的學系。臺灣每年大學畢業的學生，約六千人；內中由中文系畢業的，約一百人左右。這在比例上尚說佔得太多嗎？而今日中文系畢業生的程度，只能給他們一點讀古典的門徑，作他們自修或進研究所的起碼基礎。若連這點基礎都去掉，則中文研究所又從何辦起？這樣一來，在這一民族的精神中，完全和他自己的歷史割斷了，這豈不比過去法國人統治安南還殘酷嗎？

我想指出的第二點是中文系裏當然希望能產生文藝創作的人才。但文藝創作，固有賴於一般性質的知識；可是知識與創作，並沒有必然的關係。寫作技巧的訓練，對創作可能有幫助，但並非受到這種訓練的人即能創作。任何國家的文藝作家，不可能都是出身於他們自己的文學系。中文系訓練出來的學生，只能希望他們在文字工具上，能達到相當的水準；課程不論如何安排，也不能期望每人都能成爲詩人、小說家。因爲這多少要靠各人的天賦。中國今後沒有像樣的作家，主要關係於有這一份天賦的青年，會不會受到組織性的壓抑，及會不會得到社會上正當的鼓勵。憑藉組織力和政治關係的作家，經常壓在青年的頭上，便永遠出不來像樣子的新作家了。

主張大學中文系不讀古典的人，還有他們自己所恃而不恐的從外國來的理由。一是他們看了美國有些大學所辦的中文系，只研究中國現代作家的作品，而不讀中國的古典。美國既然如此，我們怎麼可以不如此？但是，美國的中文系，是政治性的，根本不是學術性的。並且他們也爲閱讀能力所限，還沒有進步到讀中國古典的程度。難道英國會仿照其他國家所辦的英文系去辦他自己本國的英文系嗎？

另一點是他們覺得西方國家的國文系，多只開本國十六世紀以後的課程。但根本忘記了歐美現代民族國家的成立，都是十六世紀前後的事情。因此，他們自己的古典，多是由十五、六世紀才眞正開始。再追上去，便只有接上希臘、羅馬、希伯來。而古典之所以爲古典，指的是經過一段時間的考驗，得到一般人承認其價值的著作。所以西方的許多古典，可以近到十九世紀。哥德的《浮士德》，達爾文的《物種原始》，難道不算古典嗎？我們的不幸是：以「民族國家」的性格而論，比西方近代的「民族國家」，早成立了二千多年。因此，即在文學範圍之內，英國在八世紀有一部以神怪故事爲中心的***Beowuef***敍事詩，而我們在二千五百年以前，即有一部內容豐富，可與日月常新的《詩經》。英國在十六世紀出現了托瑪斯·摩爾（Thomas More,1478－1535）的《烏托邦》（*Utopia*），但我們在二千四百年前已出現了一部《老子》。英國在十六世紀末出了一位莎士比亞；但我們在兩千二百年前，已出了一位屈原。這有什麼方法可以把我們的歷史剪短呢？現在我國大學裏的英文系，尚且有英國古典的課程，爲什麼我們的中文系，不可以學學自己的古典？就臺灣今日一般的文化氣氛而論，某人士的高見，很有實現的可能，但蔣總統健在一天，大概還不至於馬上實現吧！

（一九六二年七月十二日《華僑日報》）

美國人與中國文化

據說：美國人對中國文化的研究，現在頗爲積極，最近有三十多位美國的漢學專家，到臺灣私立東海大學來，作四週的講習，也是此趨向的一種表現。

美國是今日的強國，其影響直接間接及於全世界。以這樣的一個強國，而肯積極研究中國文化，當然是可喜的現象。不過，研究的成果，常決定於研究者的動機。我在這裏，試對此略加分析。西方人研究中國文化最先的動機，可以說是爲了個人的興趣。他們大多數是因爲私人的職業關係，在中國住久了，發了中國人的財，有了財富的蓄積，便以玩古董的心情，在中國文化中，尋找一種適合他們興趣的古董，加以收聚、欣賞；回到本國家後，誇示於國人之前，便由此而慢慢成了漢學家。這些人多半是與中國的藝術品及民俗中的某一部分事物發生關係。美國人中的漢學家，當然也有若干人是由此而來。此種動機的好處，是單純而沒有其他副作用；由興趣的深入，可能眞正得到某一部分業餘的知識。因此，外國漢學家，對中國藝術方面的了解，恐怕要居於文化其他各部門之上。不過，興趣是以研究者個人爲尺度。個人興趣的尺度，與中國文化自身的尺度，常有很大的距離。由個人的興趣所作的研究工作，對整個中國文化而言，可能是並不相干，或者是微不足道的。不僅研究皮影子戲及楊貴妃之類，不一定能沾上中國文化的問題；卽僅以玩古董的心情來看中國的藝術品，而缺乏對中國文化一般的知識，這在中國人方面，也只能成爲章實齋所說的「橫通」；在外國人方面，便常常只能停頓在梅蘭竹菊這類的排列次序之上了。

西方人研究中國文化的另一動機，是爲了在中國傳教，許多美國人也是如此。爲了傳教而感到需要研究中國文化，這是屬於知識水準較高又稍具遠大目光的傳教士。在這一方面，我的印象，天主教似乎比基督教做得認眞一點。基督教在臺灣傳教的人，有的中國話說得不錯；但他們在中國話中間，很少接觸到中國文化；也等於許多會講英文的人，並不了解西方文化是一樣。

但卽使是在認眞研究中國文化者之間，因爲他們的動機是在傳教，這便容易形成一種強大的成見。於是他們在研究中國文化時，無形中便採取兩種態度：一種是希望在中國文化中發現出隱而不彰的上帝，等待他們來加以彰著。或者認定中國文化，是信仰低級的宗教，等待他們來加以提高。另一種是希望暴露出中國文化的弱點，證明中國人的犯罪性，非待他們來加以救濟不可。上面的態度，自然把他們的研究，導向兩個方向，一個方向是存心附會，把中國文化的某些部分，順着他們所希望的加以解釋，而不順着中國文化自身去解釋。另一個方面便常流於惡意的中傷。不過，在我的印象中，歐洲小國傳教士的態度，多比英美傳教士的態度爲好；而一般外國信徒對中國文化的態度，比中國信徒對中國文化的態度，又常好得多。在這種地方，便只能從傳教與信教的深層心理的分析中，才能加以解釋。因爲中國信徒的深層心理，本只是信「洋」而不是信「教」的。

上述的情形假定完全是活動於宗教層次上，彼此都忘記了國界與種族的界限，那便只是關於神與人的爭論。假定無形中把現實政治夾雜到裏面去，則共產黨說傳教是帝國主義者所作的深刻的文化侵略，便無法不承認這一分道理。我常想，若是傳教者能承認神是完全的，但通過人所記錄、所解釋的教義，却會受到時空的限制，並不能像神一樣的完全。於是爲了發現在自己教義中所無、所缺的東西，以不斷補足神的意旨，以此動機而研究中國文化；也如講中國文化的人，以此態度去研究基督教義一樣，那情形便完全不同了。但這樣一來，便完全失掉了他們傳教的目的。

上述兩種動機，是美國與一般西方人所同的。現在另有一種幾乎是爲美國人所獨有的，是形成目前美國人積極研究中國文化眞正原因動機的，乃在爲了對付中國共產黨；不論是妥協或戰鬥，這是美國當前吞不掉、放不下的大問題。爲了對付中共而研究中國文化，是在探索中共的背景及其生長的土壤。這是以政治性實用爲目的的研究，所以研究的重心，是中共的本身及與中共關連最密的近代史，現代史。這不能說是沒有道理的。不過這裏也會使美國人感到迷惘的是：在中國近代史、現代史中所能找出的背景，多是負號性的背景。這種負號性的背景，曾在中國歷史中不斷出現過，但中國過去歷史中，並不曾出現過共產黨。因此，可以推斷共產黨一定是滲雜有近代的、西方的因素。認爲中國中共的壯大，是來自與西方緣遠的農村。在中國代表西方文化的知識份子，如以北大、清華爲例，他們在共產黨之前，只能在逃跑與改造的兩條路中，選擇其一。正牌的西方文化代表者是如此的膿包，由此又可以推知中共的文化背景，一定是在近代的、西方的因素以外，更有其中國文化的背景；而這種背景，不會僅是負號性的，同時也必定含有正號的意義。構成在這種正號意義的文化背景，在長期專制之下，常常是潛伏於廣大社會之中，並不經常浮現在社會政治經濟的上層，乃至也不表現在知識份子的文字之上。八股文，官文書，固然與此無關，乾嘉以來，學人的高文典册，也和這種廣大的潛流，同樣的是風馬牛不相及。所以這不是抄直趕近的近代史研究工作所能把握得到的背景。因爲要對付中共而研究中國文化，很容易走上以爲對付中國文化即是對付中共，這更不會有結果。美國對中國文化研究的能力，沒有方法可以與日本人相比。在中日戰爭期間，日本人爲了贏得戰爭，動員了很大的力量來研究中國文化。但這種研究，不僅無裨於日本人的目的；並且在此一動機、目的之下，研究出來的結果，絕對多數，只能算是日本學人的恥辱。因此，我便痛切感到，文化工作者與情報工作者，恐怕要劃一道更清楚的界線。只有對現實、對實用保持一點距離，爲中國文化而研究中國文化，爲人類文化而研究中國文化，或許是了解中國文化，了解中國人的一條正路。但這是與美國的實用主義的觀點，頗有距離的。

（一九六二年七月十二日《華僑日報》）

人類文化的啓發

史賓格勒在其《西方的沒落》一書中，首先打破西洋中心史觀，認爲西洋文化正面對着由衰退而滅亡的階段。本文是他所提出的三個主要論題，概略地分析它的啓發性之所在。

德國的史賓格勒（Oswald Spengler,1880～1936），只在高級學校中當過兩年教員，可以說在他的一生中，沒有受過學院式的思想訓練。但他從一九一一年到一九二二年的十年之間，寫成一千二百頁的《西方的沒落》一書；儘管在此書中，充滿了牽強附會臆說獨斷，引起許多人的非笑；但第一流的史學家社會學家及人類學家有如湯恩比、韋伯、索羅金、克諾巴、史懷哲們在文化批判方面，無不直接間接，受到他的影響，並且這種影響，在今後還會持續的，這到底是因爲什麼？是因爲在他直觀的綜合中，含有深遠的智慧，因而在他不正確的敍述與結論中，依然富有很大的啓發性。

在《西方的沒落》一書中，史賓格勒首先打破「西洋中心史觀」。同時，他否定人類文化的同質性，而認爲世界有八個不同質的文化類型，西洋僅是八個不同質的文化類型中之一。其次，他根據過去人類歷史盛衰興亡之跡，而認爲文化也和有機物一樣，是走着誕生、興盛、衰退、滅亡之路；而西歐文化，正面對着由衰退而滅亡的階段。下面對他所提出的三個主要論題，很概略地分析它的啓發性之所在。

古代的以色列，把其他民族的文化當作異端，視同蛇蝎。而中國過去則自稱爲「華夏」或「中華」，視其他民族爲「夷狄」。這都是以自己爲世界中心，以自己爲歷史中心的看法。近代的歐洲，挾其經濟、軍事的力量，征服世界，自然更容易形成「西洋中心史觀」；以西洋文化爲世界最高的標準；以西洋的存在，即是世界的存在；於是歐洲人所說的世界史，並非眞正的世界史，而只是西洋史。史賓格勒則貶退了這種西洋中心史觀，而代替之以世界中心史觀，有如哥白尼貶退了地球中心的天體觀念，而代替之以太陽中心的天體觀念。所以史氏把自己的發現，比之於哥白尼的發現。

近代的西洋人，所以認定西洋是世界的不可動搖的中心，是來自一切文化，都是同質的觀念。因文化是同質的，便以自己的文化作爲衡量一切民族生存價值的標準。對於與西洋文化標準不合的民族，便斥之爲沒有文化的野蠻民族，因而不承認他們有平等生存的權利，而只能作爲西洋人生存的附屬品，乃至生存的工具。史賓格勒則認爲文化是異質的；每一類型的文化自身，都有其自律性與自足性，而不能以不同類型的文化作尺度去加以衡量。這便把西洋文化的優異性取消了；同時，即把西洋的中心地位也隨之加以推倒，而世界中心的史觀便浮現了出來。

史賓格勒，把世界文化分爲八個不同質的類型；他對於這八個不同類型的分類及其陳述，可以說是非常粗略。同時，他對文化的異質，也強調得太過，甚至認爲數學也是異質的；而異質文化之間，不可能有文化的交流作用；這都是不能成立的。但因他的啓發，使人不能不注意到科學技術以外的文化意義；而在科學技術以外的文化，即是形成某一民族的人生態度的文化，是不應根據某一個類型去加以衡量，而各有其內在價值，應當與以平等的承認，因此而豐富了人類文化的內容，加強了各民族文化相互間的調和作用，則是非常有意義的。

在現實方面，世界的中心點，正在不斷的擴大，連非洲也進入了世界舞台，這便說明決定各民族在世界中的地位的，並非僅是科學與技術；而西洋中心史觀的崩潰，在史氏的大著問世以後的三十年間，已逐步給以事實的證明了。

因爲歐洲認爲文化是同質的，於是便認爲文化是直線地發展，因而將歷史採用古代／中世／近代的三分法。在這三分法中，文化是一脈相承，向前不斷進步的。但在史賓格勒認爲希臘羅馬之與中世近代，乃是兩種異質的文化。希臘羅馬的古代文化，並非由中世近代所傳承，而是它完成自身的行程以後，已經死滅了。並且近代的文化，從十九世紀起，很像古代的末期。古代文化進行到了它的末期，便開始沒落。由此類推。他便得出「西方的沒落」的結論。

史賓格勒的結論，實由歷史現象的過分類推，而將人類安放在定命論的格局之下，這便取消了人類由自覺而自救的主動性，我們當然不能承認這種說法。不過，事實上，假定沒有新大陸——美國的一股新興力量，則在兩次大戰中及其以後，西歐是否依然存在？恐怕任何人也沒有信心，則我們不能不欽佩史氏這種銳敏的預感能力。

更重要的是，史氏認爲西洋從十九世紀起，有似於古代文明的末期，乃是指大都市的集中，帝國主義的囂張，人間能力向海外的傾注，重量不重質，權力欲的無限追求，階級鬥爭之激烈化等現象而言。即是就人自身的行爲價值而言。在他這一觀點中，人是由其自身的行爲價值而決定其命運。在第二次大戰以後的十多年中，科學技術，得到了非常地進步；並且就科學技術的本身而言，它的進步是會沒有止境的。但今日爲什麼舉世感到惶恐不安？爲什麼當前的思想家，絕沒有僅因爲科學技術的似錦前途，而便感到人類的前途有了保證？所以史氏在這一點的啓發性，更有待於人們的深思熟慮的。

（一九六二年七月二十三日《華僑日報》）

文化中產階級的沒落

亞里士多德的政治論，已經認爲支持民主政治的社會勢力，應當是不太窮、不太富的中產階級。從十九世紀末，一直到二十世紀的現在，自由主義的危機，也可以說是由經濟發展的兩極化而來的中產階級沒落的危機。中產階級的自身，是非常不穩定的階級；但它始終是支持歷史正常發展的主要力量。

近三百年來的進步，在文化上也產生了「文化中產階級」；由進步而來的危機，也表現爲文化中產階級沒落的危機。

經濟的兩極是大資本家與無產階級；介乎二者之間的小資產階級，一般人便稱之爲中產階級。勒滿在他所編的《五十年代的文學》序文中，他以文學爲標準，指出所謂文化中產階級，對於文學的情形是：這是知識的讀者團體；他們認眞把文學當作生活的一部分；在五本叫座的流行著作中，能看出其中有四本是虛有其表；對於另一册，則能作公平的價值判斷，這只有不受無聊的社會氣氛的牽制，也不受學界高僧們的支配；在二者之間，能獨具隻眼的人，才能作得到。此卽所謂「文化中產階級」。他並感慨的說：「這種讀者，才是建立健康文學的基礎。若是這種讀者的立場受到了侵害，那才成爲最不吉祥的可悲嘆的日子。」

若就一般的情形說，文化中產階級是介乎「專技知識」者與「社會大衆」之間的文化階級。此一階級對文化所追求的不是深而專的專門知識，而是要從文化中得到人生的教養。這種人的成就，不是「學者」、「專家」，而是健全的人生態度。健全的人生態度，並不妨礙人去當「學者」、「專家」；但「學者」「專家」的人生態度，並不一定是健全的。因此，這一群人，是健全的輿論，健全的社會活動的中堅分子。由他們所表現的進步，乃是和平中正性格的進步。

文化中產階級的沒落，也可以從寫作這一方面去看；這從報、刊裏文章的篇幅表現得很清楚。英國當前的文學藝術批評家李特（H. Read），在他的《文學批評論》的序文中，非常感嘆英國已經沒有「雅文」乃至「高雅」的評論了。季刊、月刊是雅文及這種評論的園地；但目前已經把這種地位讓給報紙了。而報紙中尚能保持這種「雅文」及「高雅的評論」的，只有泰晤士報的〈文藝副錄〉及〈批評軌範〉。此外的報紙，便不易維持這種水準了。

據李特說，上述的雅文和評論的字數，大約從三千五百字到五千字。少於三千五百字，便成爲「社論」或「小品文」；現在並減少到一千字到一千五百字左右。超過了五千字，便會受到篇幅的限制；並可能爲一般讀者吃不消。從作者的立場說，能驅遣五千字，可以完成一個主題所應獲得的形式；可以從各個角度檢討主題；可以引用有關的證據，導出必要的結論。高雅的評論，對於人類所永恒關心的問題，應當表示出此一時代的見解。一方應由新知識之光加以照射；同時對已經有的意見，不能不加以修正。換句話說，這多半是融和新舊，不偏不激的文章。他認爲若是這種文章消滅了，社會便失掉了吸收文化的正確手段。可是，李特很感慨的說：在目前，寫長文章的「學者」可以存在；寫千把幾百字的雜感家的文章更爲流行；但爲了提高國家文化水準所不可缺的有教養、有興趣，能寫「雅文」及高雅的評論的人，因爲失掉了支持而日歸消滅了。

然則文化中產階級，何以忽然消滅？綜合他們的意見：第一，從整個歷史看，這種階級的出現，須要廣大的社會背景。近代此一階級的興起，與市民階級的興起，有不可分的關係。市民階級的兩極化，在文化上也自然而然的兩極化。其次，因印刷機的進步，印刷的速度增加，只有「急就」的東西，才可以餵飽印刷機的饞舌。雅文，高雅的評論，不是一拿起筆來就能寫出的；不僅要經過思考，還得要經過醞釀。文章和酒一樣，醞釀得愈久，味道便愈深愈純。現在那裏有這種既有文化修養，又有時間閑暇，並且又不怕餓肚子的人士呢？

不過，進一層去追溯主要的原因，是在現代的人生理想性的消失，而一切只抓住現在。談利害，只需要了解最現實性的利害；談娛樂，只需要最刺激性的娛樂。而雅文、高雅的評論文，總是把人生帶進更高更深的一層去加以反省充實的。它的作用，不是順着現實向前滾而是批判現實，以非現實的理想去修正現實。由此可以了解爲什麼有思想的批評家，認爲這種文化階級的沒落，乃是時代的不幸。也可以這麼說，適應現代生活的過分現實性的文章，排擠了帶有深度的批評的理想性的文章。但是，這種情形，只有在自由世界才是如此。若是在極權國家，尤其是在低級的極權國家，現實性與理想性的文章，便一齊被驅逐；滿坑滿谷，都說的是不痛不癢，無是無非的一堆一堆的廢話。用盡心思去寫廢話，推銷廢話，那更是文化的刼運，人類的刼運了。

（一九六三年二月十四日《華僑日報》）

面對傳統問題的思考

在近百年來的中國，把傳統與科學化，現代化、看作是兩個絕不相容的東西。中國當然要科學化，要現代化。爲了達到此一目的，大家認爲只有打倒傳統。爲了打倒傳統，共產主義的范文瀾的中《中國通史簡編》，便用全力發掘傳統中壞的一面；自由主義的胡適之則用全力來抹煞、誣衊傳統中好的一面。

他們這樣作，並不是沒有道理。第一、傳統的本身實際是在不斷地發現、提鍊、揚棄。發現、提鍊、揚棄的情形停止了，某一傳統便要由殭化而死亡。第二、爲了接受新的事物，新的觀念，常常須要有反傳統的工作爲其開路。

但是，在現代化的國家中，爲什麼找不出一個絕對沒有傳統的國家民族呢？基督教，是西方的最大傳統。當西方各國進入近代的時候，曾與它發生過不少的鬥爭。不過，基督教並不曾因西方各國的科學化，現代化，而卽告死亡，這是什麼緣故？除了基督教以外，西方的每一國家，每一民族，都有他們獨特的文化傳統。假定他們現時內部也有觀念的衝突，現實的衝突，却主要是來自現代化中的衝突，而很少是來自傳統對現代化的衝突。例如英國的保守黨和勞工黨，他們有共同的傳統，而又同時都走向科學化，現代化。他們政策的爭論，不是傳統與現代化的爭論。

最反對傳統的莫過於共產黨。但日本中央教育審議會會長森戶辰男氏，因到蘇聯去參加「國際大學協會理事會」，在六月十三日的〈讀賣新聞〉上，發表了一篇〈改變了的莫斯科〉的文章，內中分三點來說明蘇聯正作百八十度的轉變，正在把修正主義來加以正統化。他所舉的三點中，最後一點，是他發現蘇聯對它自己的歷史與傳統的尊重；並且把「沙皇時代的文化遺產，也加以保存、修護、宣傳」。沙皇專制的罪惡，蘇其和他的人民，是知道得最清楚的；今日蘇聯這樣作，森戶氏當然要追究其原因。「或者不過是把這些作爲觀光的資源，而加以利用。但大部分的觀覽者，不是外國人，而是蘇聯的民衆。而蘇聯的民衆，看到這些文化遺產時，是受到怎樣的印象和感動呢？老實說，他們所感受的是過去俄國的國家、民族，及其偉大指導者的勳業和光榮。但能令這些文化遺產得與民衆接觸到的，則是革命政府的業績」。

「不僅保存展覽著沙皇時代的文化財產；蘇聯政府，在俄國史中，對他們的民族與國家及偉大的指導者彼得大帝等，都給以很高的評價。這乍看，好像與革命政權很矛盾的。對歷史與傳統的非常尊重，到底是什麼原因呢？我（森戶氏）的看法，是因爲困難重重的社會主義國家的建設，不能僅靠無產階級意識。爲了促成民族一致地團結與發憤，他們（蘇共）痛感到必須喚起愛國心與祖國光榮的意識」。

在上面森戶氏的看法中，可以看出歷史與傳統在現實中的一部分的意義，這意義即在推動建設，加強科學化、現代化。這便值得我們加以深深地思考了。現在再轉到我們自己身上來。

我們是保有最偉大、最豐富的歷史與傳統的民族。但在世界各國的統治階層與知識分子階層中，却是保持歷史與傳統最少的民族。

最近在亞洲影展中表演的「民族舞蹈」，歌是取自日本，舞是取自高山族。年前有一位美國音樂家到台灣來，當著台灣的音樂界大發牢騷的說，日本、韓國、都有傳統音樂，只有中國沒有。日本流行脫衣舞，台灣更流行脫衣舞。但日本還保留著從唐代傳過去的服飾，中國則連民初的也早經淘汰了。政府遷台後，全台灣大概新建立了五千個基督教堂，但新竹的孔廟拆掉了，彰化的孔廟，外面貼上了革命標語，內面作了臨時宿舍。有一位顏性商人在台中捐出一棟房子和地皮，作建孔廟之用，並還要捐建築費；但房屋、地皮，早給各統治階層有關係的人們，覇佔一空，誰也不願過問。假定說反傳統是爲現代化開路，則我們的路已經開得夠徹底了，難道拿生活在傳統中的農民的錢，來買現代化的生活享受，便是現代化嗎？

問題得再進一層去思考！在中國，反對傳統最力的人，却是一些最不懂西方文化，乃至是一些學術界中的游惰之民。胡適之二十年來未發表的遺著目錄，整理出來了，他二十年來，豈僅沒有沾過半絲半毫的西方文化，並且沒有研究過一個稍有意義的文化問題。受他影響最大的某研究所，只不過是養著幾個不知今世何世的村學究，既愚且陋。至於某大學中的幾個游惰之民，更不值得說起了。打倒傳統的人，自己却一點也不能現代化，這更値得思考了。

（一九六四年六月二十八日《華僑日報》）

一個自然科學家的悲願

人類的命運如何？人類到底走向什麼地方去？有關這類問題，眞正能用頭腦的人，決不會接受各種僧侶階級以神話爲根據的預定結論，這是今日大思想家們所苦心焦慮的問題。但一般的自然科學家因研究上的分工，愈來愈細，於是知識技術化的程度愈高，對人類自身的問題便愈離愈遠。所以一般的自然科學家，對上述的問題，多採不願加以思考的謹嚴態度。只有由知識的分析進入到知識的綜合的大科學家，才有資格思考此一問題。只有這種大科學家的人格修養，由個人主義超昇出來，以與全人類的憂戚相關，才會嚴肅地思考此一問題。愛因斯坦是一個最偉大的例子。這裏所談的朱利安·赫胥黎（Julian Sorell Huxley），也要算是其中之一。

嚴復譯有湯馬斯·赫胥黎著的《天演論》。朱利安·赫胥黎，正是他的孫子，以生物學中「相對成長」的研究而著名。他在第二次世界大戰後，擔任聯合國文教組織準備委員會的事務總長時，看到因觀念不同而來的國際上的衝突，引起了他對人類前途的憂慮。他想：「假定能建立意見一致的一般的觀念與原則，則聯合國的組織，將能作更有效的活動」。於是他寫了《爲聯合國文教組織的哲學》（*A Philosophy For* UNESCO）的小册，陳述此種基礎觀念的大要。但他立卽發現到，「在觀念混淆狀態下的世界局勢，想出現被聯合國代理者可以接受的諸觀念的單一體系，乃不可能之事」。

隨後他當了聯合國文敎組織的理事長，他更注意到「因爲沒有上述的哲學，遂使大量的知識，不能好好地利用而被棄置」。他當然順著此一認定而繼續思考下去。

他辭掉文敎組織的職務以後，更約集若干友人、同事，組成一個沒有名稱的組合，對此問題加以調查討論，因而寫成了他的《進化的人文主義》（*Evolitionary Humanism*）作建立諸觀念統一體系的嘗試。他在這一著作中，要使一切人間的活動，都與走向進化方向的標準相關連。使在「連續的心的作用」中，在社會的作用中，個人與協同體相關連。使精神與物質得到調和。使一切的現象，都能爲進化的過程所擁抱。並且能在兩個對立文化中架設一道橋梁，因而中止兩大對立陣營的冷戰。

在他的《進化的人文主義》一書中，他認爲可以增大人類所含的可能性之實現，可以更大的完成之形，給人類以總括的目的，在自然界中分配人以適當的地位，因而啓示出人眞實的運命。他特別申明，他所說的；不是頑固地一組獨斷說，而是今後尚能作無限定發展的開放的體系。特別在現代生活的衝激與雜亂之中，「對於探求信仰與道德的堅強根據的人們，提供以自信」。所以他認爲在他的觀念體系中所含蓄的意味，是很圓滿的。我們不難由此可以窺見他的心境，實由科學的界域，進入到傳統的哲學界域。

朱利安・赫胥黎，以上述的信心寫成了《進化的人文主義》之後，又覺得這又如何能得到一般人的了解、信任，而使其能眞正發生作用呢？於是他不能不期待着在有關學術各分野中的人文主義者的合作。他找了站在各學界的頂尖或前線的二十五位學者，請每人對此一問題，寫出自己的意見，合編成《人文主義的構想》（*The Humanist Frame*）一書；除他自己以外的二十五位學者，包括了思想家、神經學者、社會學者、倫理學者、神經分析學者、建築學者、音樂美術學者、文藝評論家、哲學家、心理學家、教育學家、經濟學家、法學家、醫學家、文學家等。這都是經過了他一番努力，才能提出此一集體的貢獻。

朱利安‧赫胥黎在上書的序言中說：「此書的要點，能以數行的文章說完。卽是：在過去進化之中，有兩個決定之點。所謂點，是指超越舊狀態，走向具有全新屬性的新狀態的過程點而言。第一是從無機學的階段，移向生物學的階段。第二是從生物學的階段，移向心的、社會的階段。現在我們正站在第三的進化階段的門口。有如鍋中的水，它沸騰起泡，乃是由液體移向瓦斯體一樣，在現代思想的鍋中，人文主義的觀念之沸騰，正是表示要由心的、社會的階段，進入於意識到目的的進化階段。」由此可知他是要由知識的統合以使人類把握自己的目的，把握自己的未來的運命。

他自己的觀念，乃至其他二十五位學人的意見，是否便達到了他的預期？人類是否會依照他們的觀念而卽可脫出目前的危機，開闢未來的遠景？我不敢相信。但他的對人類前途的一番堅定不移的悲願，已足夠使我們感動；而由此所產生的觀念，會有益於問題的解決，也是決無可疑的。

在這裏我還得提出另一點感想。我所看到的《人文主義的構想》，是從日本買到的譯本。他們的譯本是用「人文主義的危機」作正標題，用「新人文主義的構想」作副標題；負責翻譯的是日本聯合國文教組織協會聯盟中的「人文主義者組合翻譯刊行委員會」分工執筆的，從土居光知起，一共有十五人，不僅都是日本第一流的學者，而且其中有不少的人，是七十歲上下的高齡。他們能這樣地重視翻譯，積極翻譯，才有今日現代化的成果。這和我們幾十年來的西化派，只動口，不動手的情形相比較，太令人感嘆了。

（一九六四年九月八日《華僑日報》）

由一個國文試題的爭論所引起的文化上的問題

今年大專聯考，國文試題中出了一道《論語》上的「知之者，不如好之者；好之者，不如樂之者」的作文題目，引發了一連貫的討論乃至攻擊。平心靜氣的看，此題的難處，也或者可以說是不十分恰當的地方，在於「好」與「樂」的兩個層次，不容易爲考生分別得清楚。但這是要由選材、教學、與出題三方面所共同分擔的責任。在國文教材範圍以內出題，大體上並沒有逸脫出常軌。但許多發表批評意見的人，却把年來反中國文化、反在國文教材中有古典教學等特殊意見，又借題大發揮一陣。其中最突出的是某報什麼集上所說的，現在正是要現代化、科學化的時代，却還在古典上出題目，出題目的人「簡直是精神分裂」。這個題目是臺灣大學中文系教授戴君仁先生出的。這位現代化人士，不妨去和戴先生對坐二、三十分鐘，請心理學家根據現代心理學的知識，看對坐的兩方，是誰在心理上有了毛病。

文化上本來常會發生爭論。但因在高中國文教材範圍之內，出了一個以古典爲根據的題目，而罵出題目的人是精神分裂，實際是罵中學國文課程中教古典的人是精神分裂，這是稍爲有點文化水準的社會所不會出現的事情。去年有一位中央民意代表，發表高見，主張大學的中文系不應當讀古典，而只應讀他們的文學作品；這也不是稍爲有點文化水準的社會所能出現的言論。一個社會有關文化上的若干共許的常識——例如國文教材中應包含本國的古典教學這類的共許的常識——的形成，後面實含有許多文化裏面的相關知識，和人類所積累的生活經驗。這種共許的常識也會不斷地發現問題，而需不斷地加以改進；例如今日的中學國文教材，及大學中文系的教學方式，都有需要大加改進的地方。但改進之後，依然是在社會所共許的常識之內。今日要使我們社會中反對這類共許的常識的人，能了解他們自己的錯誤比要一個小學生聽懂高中的課程，還要困難。因爲這不僅須要把有關的知識，從頭說起；而且這種人，常常是當他口裏說出了「現代化」三個字時，便以爲自己業經現代化了。誰說他錯，誰便是反對現代化。但就我所了解，包括戴先生在內，是不會反對現代化的。

最近我看到某人從日本帶回了兩册經日本文部省昭和三十七年四月二十日審定完的中學國語教科書。一册是古文編（乙I），一册是古典編（甲）。兩册在目錄的前面，都附有京都廣隆寺的「半跏思維像」的佛像。而且材料中假使原本附有圖繪的，便也用上原來的圖繪，不再另請高明。古文編中列有十一個大項目。計：一、古典入門，二、說話，三、日記，四、《大鏡》與《平家物語》，五、和歌，六、能與狂言，七、隨筆，八、西鶴與近松，九、俳諧，十、《古事記》與《萬葉集》，十一、《枕草子》與《源氏物語》。書後附有古典文學年表；始於日本推古天皇十二年，卽西曆六〇四年，終於日本慶應二年，卽西曆一八六六年。次年爲「大政奉還」「王政復古」，這是明治維新的開端。明治維新以後，文學方面的發展，在質與量兩方面，實已超過了他們古文文學總和的若干倍；並且其中有不少的作品，也取得了古典的地位。因此，在他們的國語教材中，會取入不少的近代作品的。但可以斷言的是，他們決不會像我們的教科書一樣，選入活人的作品。這是古今中外選文的通例。更不會下流到以選文作爲追女人的工具。

另一冊的古典編，共分十四個大項目。計：一、古典入門。二、說話。三、中國的故事，內包括「螢雪之功」、「推敲」、「蛇足」、「矛盾」、「漁人得利」五則。四、隨筆。五，《大鏡》與《平家物語》。六、中國的詩，內選有孟浩然的《春曉》、蘇軾的《春夜》、杜牧的《江南春》王維的《鹿柴》、張繼的《楓橋夜泊》、李白的《子夜吳歌》、杜甫的《春望》，共七首。七、西鶴與近松。八、和歌與俳句。九、紀行。十、中國的歷史故事，選的是《史記・項羽本紀》中鴻門之會的一段。十一、隅田川。十二、《古事記》與《萬葉集》。十三、《枕草子》與《源氏物語》，十四、《論語》與《孟子》，《論語》中附有吳道子的孔子像，及影印有朱熹《集注》卷首的一部份，共選有六則。《孟子》中附有拓本的孟子像，選有四則。書後面附有同樣的古典文學年表。

看了這種教材後，可以提出下列的問題。第一、古典編中爲什麼不選入西洋的古典，而只選中國的古典？這並不是說中國的古典比西洋的古典好；而是中國的古典，早進入於日本歷史之中，成爲日本國民精神的重要源泉之一。第二，日本的古典，在中國人看來，多是中國古典的二手貨、三手貨，爲什麼要選得這樣多？這是因爲受教的是日本青年；青年的教養，只容易從與自己血肉相連的古典中獲得；這和看中國小姐，比看菲律賓小姐乃至美國小姐總覺得親切些，是同樣的道理。並且古典的意義，是要經過人們不斷地發現的，日本人正不斷地作這種努力。第三，世界還有許多重要古典，爲什麼他們不加以吸收？這是因爲大學中有許多與世界重要古典有關的其他的科系，在那裏等待着。而一個人修學的進程，也和一個人出外遊歷一樣，開始從自己的家，從自己的村，起步前進時，並非限制人此後的鵬程萬里。第四，現代科學、技術，進步得這樣快，日本人爲什麼要教這種古典？這是因爲學校中除了這一門功課以外，還有其他的數理化等功課；而由古典所得的人生教養，是作爲一個現代人的基本條件之一。第五，一個青年的興趣，假定根本不在古典這一方面，這又怎麼辦？這只有等他將來升學的時候，不要考入文史系。而過早的精神偏食，不一定是精神健康的現象。社會上有言論之責的人，不應助長這種偏向。日本中學國語課程中既有這種古典教材，則當考試時，若有人以古典爲試題，大概在他們的報紙上，不會有人狠毒地罵出題者爲精神分裂吧！這種違反常識的刻毒地人身攻擊，在以文化學術爲討論對象時，在我們社會上是經常地出現，正證明我們的教育，在人文教養上，是如何的缺乏。

談到大學的中文系，是存在有很多問題的。簡單地說，它的根本問題乃在講授的人，缺乏有關的知識訓練，因而不能以有關的近代知識作背景，致使古典的內容，不能整理爲「知識系統」，而讓它一直停頓在「原料」狀態之下。古典的「知識系統化」，即是古典的現代化，這才是研究中國文史，講授中國文史的人，所應作的一個永恒的努力。這種努力，就目前的風氣看，恐怕在我們的下一代還不能開始。例如日本的《萬葉集》《源氏物語》中所含的文學意味，年年都有新著加以發現；而我們只用「死文學」三個字交代清楚了。日本的「正法眼藏」，可以說是從我們禪典中所作的一種摘錄。在他們的大學研究院中，在他們有關的思想家中，對此正作不斷地講求研究；我們則用「這是和尚所說的謊話」，便交代清楚了。因爲我們的無知，所以一切古典，在我們的眼中口中，都變成索然無味，這如何能使受教者不倒味口。但近年來對中文系提出批評的，却不外下述兩點，一是不應讀古典，另一是不能教給學生寫小說。我曾經發表過一篇文章，說明今日大學中作爲許多學系中之一的中文系，它的主要目的是在於傳承並傳播自己民族的傳統文學及與文學相關連的思想，使一代一代的人能得到自己文化的教養。教授的方法，僅就文學這一方面來說，只能傳授有關文學內容與文學歷史及寫作技巧的知識，及訓練一般的文字表達能力。並不能教學生當作家。因爲有這種文史知識的人，不一定能成作家。而作爲一個作家，也不一定需要這種知識。例如有幾位朋友向我提到臺灣最近出了一位新作家；我看了他的一段小說後，覺得若從語文的角度去看，也可能不是一個好的中文系的學生，因爲他的語句還沒有成熟。但他有對自己周邊環境的反應力和想像力，並勇敢地把它表現出來，便不妨說他是一位新進的作家，這不是很明顯的例子嗎？對於中文系的目的及知識的傳授沒有興趣的人，最直捷的解決方法是不讀中文系。中文系的學生若有志於創作，中文系的先生可給他以鼓勵、幫助；但這不是課堂上的問題，也不是中文系的主要責任，誰能因爲一、二人的興趣，便取消這一文化整體中的一個組成因素呢？誰能因爲一、二人的興趣，便把中文系的目的和知識的傳授加以改變呢？我又曾介紹過一位生長在瑞士和法國的日本人士所談的法國大學中的文學課程，是如何以古典作教養作爲資藉的情形。我手頭有一本日譯的英國Arnold Cennett所著的《文學趣味》；作者是以《老妻故事》（一九〇八年）的大作而登上文學的王座的。他在這部書中說明「文學是人生的手段」（按卽指教養而言）；能由閱讀文學而得到若干的人生的手段，卽是文學的最大效用。

他又說明，每個人都會看時下流行的小說。但若要教給人以如何可以得到文學的修養，因而得到人生的手段，他認爲只能勸人讀古典的作品。因此，他特在書中專有一章（第三章）談「古典之所以爲古典」；另有一章（第五章）則專談「古典的讀法」；第十一到十三章，則是他爲文學愛好者所開的，分三期購買的一張古典文學的書單。莫爾頓（R. G. Moulton）的《世界文學》（*World Literature*），是這一方面的權威著作。他在第九章〈文學中的要害之地〉裏面，特別告訴有志於世界文學的人，應當先探求文學中的要害之地。他並列出從柏拉圖到拜倫們等十六位作家及中世紀的四個作品，以供人採擇。在一個健全的社會中，決找不出爲了推銷自己的貨色而反對一般人研讀古典的作家，何況是大學中的中文系。前不久，我和一位對西方文學很有研究，不聲不響地譯著了幾部很有分量的有關西方文學著作的先生（此指的是黎烈文先生。校後補記），談到這類的問題，他感慨地說：「沒有那一國的大學文學課程不是教古典的。也沒有那一國的大學文學系是文藝創作訓練班。但今日在臺灣，對這些問題不能開口，一開口，便有不三不四的人，和你糾纏到死。」但我想，中學、大學的國文教學，是關係到整個的青年教育問題，所以我忍不住，又冒這種糾纏到死的危險而開口了。

我在學問上是一無成就的人。但垂暮之年，漸漸了解人類的莊嚴，主要是表現在學海的淵深廣大裏面。更了解，在學海裏決沒有那一門知識，可以包辦其他部門的知識。何況今日在臺灣，還不容易發現出對某一門知識，是確有貢獻的人。凡對自己不曾下過若干功夫的問題，而因發表的便利，便信口開河的大發議論，結果都是測字卜卦的議論。最不幸的是，我們今日不斷地作這種議論的人，却說他是代表科學、西化，天下最滑稽的事，孰過於此。

《法國哲學入門》（一九四四年初版，日譯本係根據一九五一年的三版。）是目前在法國頗爲流行的一部書。著者André Cresson，在序言中指出明晰性、確實性、秩序性，爲法國哲學的三大特長。在談到確實性這一項時，首先引孔子「知之爲知之，不知爲不知」的話，以作爲求到確實性的起點。而「科學若不知道自己的界限，便不能發達」的名言，眞正有科學精神的人，不可能不加以首肯。我常感到，我們在文化學術上，「未卜先知」的言論太多了，這會混淆社會的進向，實際也阻礙了發言者自身的進步。我願借此機會，提供大家可資反省的一例。

（一九六四年十月五日《徵信新聞報》）

文化上的家與國

意大利因地理上的關係，首先能和阿拉伯文接觸，吸收了一點在阿拉伯文中所保存的古希臘文化；並因君士坦丁堡的陷落，而得到從君士坦丁堡逃出的古希臘的文士與文獻；所以在十四世紀，便開始了歐洲的文藝復興運動，而打開了走向近代之門。但近代的民主、科學、產業革命，却都是以英國爲母體而發展起來的；這可以說是他們能在忍耐中前進，在和平中前進的結果。而其基本條件，一是有賴於地理上的英倫海峽，便於進攻退守，少受歐洲大陸紛擾的牽連。一是由於英國人對家庭的重視，培養他們獨立而穩健的精神性格。

有位研究政治學的朋友，他極不喜歡「國家主權」這一類的觀念。有一次他問我：「英國政治學中不講國家論，爲什麼講國家論的都是德國人？」他的意思，講國家論便會走向極權主義。我當時笑道：「英國在近代，自己的國家統一，不會發生問題。而德國國家論的勃興，大概和它在普法戰爭以前，內部小國林立，因而希望能建立一個統一國家的情勢有關係。」最近我看到一篇文章，說英國人做禮拜的是面對基督教，但他們實際的宗教却是愛國主義。他們所以常常能從暴力革命的邊緣渡過去，即是靠着這種愛國主義。上面的說法，是不難了解的。政治中的右派，右到不要傷害國家的利益；政治中的左派，左到不要傷害國家的利益；當然可以避免暴力革命。我常常想，大英帝國的光榮，是永遠不能恢復了。但具有這種堅實而穩健的品格的民族，也將永遠不會失掉在歷史上存在的意義。而對家與國的珍重正是此種品格的內容，也是此種品格所由來的教養的源泉。

我們中國文化，是以家族爲骨幹而展開，我們的歷史，是以家族爲原動力而延續，這不應有什麼疑問。家族制度，在現實生活中，經過三千年之久，其中必會積累有許多由現實生活而來的沉澱，須加以洗滌。同時，當進入到近代的時候，人的社會關係，不能再和過去一樣的以家族爲中心，而須轉向以地方自治團體，職業自治團體爲中心，因而過去的家與族間的紐帶勢必解體，以迎接時代所需要的社會編織，這也是同樣不必置疑的。但五四運動前後却不僅完全否定了家的積極意義，並且有些人視家的本身爲罪惡的淵藪，這是應當的嗎？

家不僅是個人與社會間的媒體，不僅是像鳥雀孵育幼雛的鳥巢；而是每一個人爲完成自己人格所必不可少的正常生活之地。不僅一個人在社會上的身心疲弊，需要在家中加以補償、恢復。並且一個人在社會中的生活，主要是智能方面的生活。以溫情爲主的父子、夫婦、兄弟間的生活，是倫理與藝術融合在一起的生活。倫理與藝術，固然是人生不可缺少的生活內容；並且一個人的智能，也要能得到倫理藝術精神的灌溉。離開最現成不過的家以言倫理、藝術，那只是無源之水罷了。

但共產黨的人民公社，就我想像所及，把家的底子完全拔掉了。他們以爲能如此，便可以把人民消耗在家裏的一分力、一分心，完全交給他們了。但我以爲這樣下去，人民所能交出的，只是一具一具的沒有靈魂的軀殼；這是人民可以忍受得了的嗎？逃亡在海外的人士，多少還能保持一個破碎以後的家，這也就是逃難的最大代價。但是，有的朋友告訴我，每逢星期六，台北大概有四萬桌以上麻將。由此類推，家的意義，早已不存在了。早已變成反倫理、反藝術的場所了。可以說，一方面是以統治階級的暴政摧毀了我們的家，而另一方面，則是以腐敗墮落荒廢了我們的家。中國人今日眞成爲無家可歸的人了。

五四運動時代反對家，反對傳統文化的人，他們實際還是愛國主義者，這是維新運動以來的大傳統。但這十五年以來，在台灣自稱爲自由主義者，却認爲民族、國家，不僅是象徵著極權專制，而且在語意學上也不能成立。倡導這些說法的人們，在今日，已經盡其可能，去爲他國做廣義的情報工作，爲他人做愛國的工具了。這對此種自由主義者來說，也算是能行其所信。但影響所及，使一般上層階級乃至知識青年，有意無意之中，認爲自由中國的空間，仍是毫無價值的空間。認爲這是只能有所取，而不能有所與的空間。最近我遇到一位剛在美國住了兩年的朋友，談話之間，連台灣的空氣也非常討厭。我常常想，爲了求學而在美國捧盤子、揩死屍，那是值得萬分敬佩的。但爲了在美國混生活而在美國捧盤子、揩死屍，這種自卑自賤，還值得同情嗎？此無他，大家都認爲這是無價值的國土，在無價值的國土內，當教員不及爲人揩死屍，如此而已。這樣一來，大家除了在此國土上盡可能的吸血以去之外，誰也不會感到有半絲半毫償還的責任，則這塊國土的文化，豈僅必歸於荒廢，並且作爲一個有出無進的加油站，那有不枯竭以死之理。

有的人把此一原因歸到現實政治上去。但難說政府與國家是一而非二嗎？孫中山先生說他的三民主義是愛國主義，難說他愛國便要當滿清的奴才？他革滿清的命，便是不愛國嗎？

正因爲他是愛國，不忍此國土的文化、人民、山河、土地，受到摧殘汚染，所以他才不顧一切的要革命，要迎頭趕上西方的科學。今日，除了革命以外，總還有其他的效力於此一國家，而不當某種政治奴才的途徑。對於自己的國家而忘恩負義的人，不是以國家爲滿足私人欲望的工具，便是甘心以乞討殘羹冷飯爲光榮。其結果，求其當第三等的吉普賽人而不可得了。

（一九六四年十一月二十六日《華僑日報》）

歷史與民族

最近我和南韓來到某大學短期教韓國歷史的一位教授，談到韓國歷史的情形；他告訴我：「在日本統治韓國期間，不准韓國人研究自己的歷史。有關歷史的資料，由日本人集中管理，沒有得到日本人的許可，不許韓國人翻閱。所以我們對本國史的研究，不過只有戰後二十年的時間，成就還很少。」我聽後，發生很大的感想。所以寫這篇短文。

今日有若干知識分子，以爲只有倚賴外國的慈悲救濟，殘羹冷汁，始能生存下去，始能生存得有意義。對於這撮少數人而言，或許是如此。我們抗戰的結果，一直到今天，不是還有若干人，非倚賴日本人的寬仁厚澤而生活不可嗎？但對於我們絕大多數的人民而言，則在物質上，在精神上，必定要依靠自己的民族才可以生存下去，才可以生存得有意義。民族是大家共同生存的母體。在此一母體之中形成意識地、無意識地，各種協同、合作，以追求共同的利益，排除共同的毒害，維護人之所以配稱爲人的自由、尊嚴，發生個人乃至家族所不能發生的力量。有了自己的民族，才有資格談國際間的經濟合作，才有資格談國際間的文化交流。否則等於一個無家的流浪漢，既無資格招待客人，便也無資格在他人家庭裏作客，而只能當他人各種變相的門客乃至雇工。少數知識分子的利害，經常是與大多數人相對立的；

因此，這種人，便經常通過他們的文字來抹煞這種鐵的事實。

近三百年來的西方文化，是建立在個人主義之上。到了蘇聯的出現，而國際主義又正式登場。少數的知識分子，常常在這兩大潮流掩護之下，以伸張自己與大多數人民相對立的特殊利益。但是，只要稍稍有點歷史常識的人，便可以了解，西方進入近代的第一步，即是「民族國家的成立」。所以他們的個人主義，乃是生根在民族國家之上的個人主義。他們的自由，乃是生根在民族國家獨立之上的自由。過去在台灣有一批自命爲民主而又西化的人士，認爲「國家獨立」與「個人自由」是勢不兩立的，便從「人權」的觀點，從「語意學」的解釋，來反對國家獨立的要求。甚至認爲「民族」一詞，在語意學上不能成立，以至和我發生爭論。我當時最感到奇怪的是，爲什麼他們所說的自由、人權等等的內容，和西方人士所說的，恰恰是相反，而他們却口口聲聲地說他們是西化派？在現在，已經由事實說明眞相了，他們是爲了他人的國家民族獨立，來反對自己的國家民族獨立，以便一個一個的溜進他人的國家民族中去，享受他的人生的意義。

以蘇聯爲首的國際主義，在史達林手上，早成爲向外侵略的陰謀工具。蘇聯是要他人忘記自己的民族，以便擴張蘇聯自己的國家；這樣一來，東歐九個國家，便於轉手之間，淪爲它的附庸了。但是，給與共產主義及蘇聯的最大考驗，不是科學，甚至也不是民主，而是共黨圈內圈外的民族主義。

亞非地區的民族主義的火，燒掉了兩百年來帝國主義的枷鎖。這些落後地區，不是僅靠民族主義便可以站得起來的。但是，科學、經濟、文化的發展，必須以民族主義爲其先決條件，這是沒有懷疑的餘地。因爲只有民族主義始能發出由團結而來的巨大活力，並能忠實於自己所追求的目標。

顧亭林曾有「亡國」與「亡天下」的分別。他所說的亡國，指的是改朝換代。亡天下，指的是亡民族。一個民族亡了，在這一民族之內的每一份子算都一起亡了，所以他便說「天下興亡，匹夫有責」。

最狠毒的侵略，便是消滅他人的民族。過去消滅他人的民族，是訴之於直接地屠殺及奴隸制度的手段。古巴比倫、埃及、希臘、迦泰基、羅馬，都是在這一簡單手段之下被消滅掉掉。到了近代，手段不能這樣的簡單。於是常常是以消滅一個民族的歷史來消滅一個民族的意識；以消滅一個民族的民族意識，來建立新型的、大規模的奴隸統治。日本人過去不准韓國人研究自己的歷史，其原因正在於此。

但是遇着一個歷史很悠久，並且史學又很發達的民族，要採取日本式的方法，已經太落伍了。於是有人便想出以誣衊、誘騙的方式，使某一民族自己仇恨自己的歷史，自己侮辱自己的歷史，這比日本人所用的方式，便高明而徹底得太多了。例如今日流行的一種說法，說中國的歷史，除專制以外，更一無所有。這樣一來，沒有中國人不恨專制，便沒有中國人不恨中國的歷史。另一方面又說，民主、科學，因爲是中國歷史所沒有，所以是與中國歷史不相容的。這樣一來，沒有中國人不要科學、民主，便沒有中國人不拋棄自己的歷史。更以比日本人過去送「白麵」「嗎啡」遠爲進步的方法，是鼓動若干人出來，對於少數講中國歷史文化的人，加以痛駡痛擊，使這些少數人，龜縮不敢再出一語；再收養一批下流的歐僕，以的目治政國美爲曲歪，史歷國中把，」法方有才國美，料材有只國中「談，現出態姿的究研適宜於運用的工具；這樣一來，中國的歷史完了，中國的民族意識完了，中華民族的命運，也便任人擺在刀俎之上了。這是我們目前所遭遇到的最大的陰謀毒計。十多年來，在政治上，我只談民主，而不談民族，是認爲我們的民族，經過八年抗戰，在國際關係中不會發生問題。但目前事實證明，我們最大的危機，是來自由毀滅我們的歷史以達到分裂我們民族、奴役我們民族的大陰謀。所以我堅決相信，我們只有在民族主義基礎之上來進行科學與民主的努力，才不致落入於陰謀陷阱之中。而珍重我們的歷史，是一個忠誠的中國知識分子所必須盡到的一份責任。

（一九六五年四月十六日《民主評論》）

文化人類學的新動向

在近代許多矛盾中，個人與文化間的矛盾，也要算是重大矛盾之一。

由文藝復興所開始的「人的自覺」，開始奠定了近代的個人主義的性格。不了解個人主義，可以說便無法了解近代在經濟與政治方面的發展；甚至也不能了解所謂自由主義，民主主義。一直到現在，美國人還以嚴格地個人主義（Individualism）而自豪。這是以個人的完成為目標，以子女的嚴格教育為前提，重視個人的實踐能力，重視個人人格上的評價，所表現出的時代精神的支柱。

可是，從文化上看，不論在哲學方面，乃至在社會科學方面，個人都是無力的，沒有主動性的存在。在哲學的唯物主義者之前，個人消解為有機無機不分的某種微粒的一撮。在哲學的唯心主義者之前，個人又抽象為絕對精神的影子、傀儡。社會科學方面，在經濟學家的眼睛裏面，人是隨着支票而活動。在社會學家的眼睛裏面，個人在社會的集合表象之前，好像是風中搖動的燈火。

距今三十年前，西方社會科學家們，很少研究到個人在社會、文化中的作用；更很少關心到個人人格的構造，對文化的發展，有何意義。二十世紀初年風行一時的美國社會學者薩姆那，卽認爲文化並非由個人的智慧所創造，人是無意識中活動的自然力的產物；所以個人並不知道自己在文化發展過程中自己所演的角色。無形中把文化當作原始人所信奉的普遍存在的幽靈，與個人並無多大關係。這種情形，不能不說是個人主義與文化觀念上的大矛盾。

文化，本是由許多個人在社會的協同動作中所產生出來的。正因爲如此，所以便容易賦予文化以絕大的規定力，而忽視了個人的作用。這在文化人類學上，便稱爲「文化決定論」。儘管文化決定論與個人主義，是如何的矛盾，但在美國，由克諾巴教授開始，此一傾向，實居於人類學的主流的地位。在他們心目中，文化好像是一具龐大的戰車，輾在有如蘆葦一樣的個人身上而前進。

但是，自一九三〇年以來，上述的傾向，已在開始改變。美國人類學者，開始有人注意原始人的自敍傳，將其作爲從內面看文化的重要資料。有的則用心理學的方法，將文化型態與人格型態間的相互關係，作客觀地，實證地研究。這類從集團向個人的研究，或者可稱爲「微視的文化人類學」；把被忽視了的個人在文化中的作用，使其重新登場，以開拓新的方向。

另一方面，把人性和文化創造，作關連在一起的研究者，也一天多似一天。甚至有人主張個人與社會，在本質上，應當看作是獨立的東西，只不過是在相互之間，發生作用。

過去的文化人類學，忽視了創造文化的個人，忘記了使文化發展的人性。個人在文化之前，好像人在一架巨大的機器之前一樣，只能隨着輪帶的轉動而動作。現在則感到文化人類學者，不是單純的文化學者，而應當是追求文化與人性的關係，理解在文化中，個人的成果與作用，而成爲「文化與人類的學者。」

上述文化人類學由集團向個人的轉換，我認爲和精神分析學及實存主義的流行，有很大的關係。不過，他們會不會由此而便在個人與社會之間，打開一條通路呢？我想，恐怕還是很困難。個人與社會的是處於對峙狀態。在此對峙狀態中，顚來倒去，得不到眞正的和諧，似乎是西方文化永恒的命運。凡是從精神分析學及實存主義去把握「自我」的，總逃不出孤絕幽暗的自我，因而常發爲反社會，反文化的強烈傾向。「微視的人類學」如何能跳過這種陷阱，以自闢坦途，我覺得是非常可疑的。這主要是關係於對於如何去把握人的性，人的心的問題。

他們一般的傾向，是用調查統計的方法，去調查統計原始人的性或心，以此爲性或心的原始狀態，希望由此便能找出可作爲起步的基點。他們根本不了解「原始人的心」，與「心的原始狀態」，可以說完全是兩回事。原始人的心，好像是未開闢出的礦苗；並且在此種礦苗之上，同樣積壓着許多由欲望而來的汚穢的東西，恰與現代人無異。心的原始狀態，用中國傳統的話來說，這是所謂「本心」，這是所謂人的「本來面目」。此種本心，本來面目，不是在原始人那裏可以找到，而只能當某種文化成熟後，由有少數人經過一番向自己生命的開闢的功夫而得。原始人不能出現這種開闢工夫，西方人也不曾了解這種開闢功夫的意義。西方人窮究到最後，不是跪在神面前，或跪在變相的神的面前，即是跪在機器面前。越調查越統計，越不知道「自我」是什麼，人類是什麼？對自我的生命，經過一番功夫加以開闢，因而得使人的本心、本性，顯發出來，只有中國的孔孟系統，老莊系統，以及在中國才算成熟了的禪宗系統，才可以找到結果。只有在這種處所，才能發現出心的主宰性，心的涵融性。由此而可以了解心的獨體性，與心的共感性、普遍性，乃是同時存在的。由此所開出的路，不僅是某一門學問的路，而是保證人類前途的路。

（一九六五年五月二日《華僑日報》）

三民主義思想的把握

思想，或者可以把它分成兩種典型。一是以思辨爲主的典型；此一典型出自希臘有階級的冥想。在內容上常表現爲窮高極深，在形式上常表現爲體系完整。但作爲思辨推理的原始根據，常僅立足於人生、事物之一端，愈推愈偏，愈推愈遠，逐漸從眞實的人生，飄浮上去，以致成爲「觀念的遊戲」，現在實存主義的流行，正是這種觀念遊戲的反動。

另一是以體認爲主的典型；此一典型，出自中國聖賢對憂患的自覺與承當。在內容上常不過是庸言庸行；而在形式上又常表現爲單純素樸。但所謂「體認」，是由現實生命、生活中所得來的認識；所以它的根據是現實的生命與生活。當一個人，愈迫進於自己的生命之中，而發生深刻的反省時，便愈感到這種思想的親切及其吸之不盡的意味。「有一言而可以終身行之」，乃指的是這種由體認而出之言。

體認所得的深度廣度，決定於一個人對自己人格的開闢所能達到的深度與廣度。孔子「下學而上達」的開闢工夫，到了「五十而知天命」時，已經達到了完成的境界。因此，孔子所留下的語言，都是從他的「人格之全」中所流露出來的語言；孔子的語言，即是孔子的人格。《中庸》：「故君子尊德性而道問學，致廣大而盡精微，極高明而道中庸；溫故而知新，敦厚以崇禮。」這是對孔子人格之全的描述，也即是對孔子思想性格內容的描述。孔子思想之所以難於把握，乃因爲孔子的人格之全，難於把握。但由人格之全以把握孔子的思想，仍爲懸之萬世所應作的無窮的努力；他之所以能成爲盡人類有生之際的標程的原因，也正在於此。

近代三百年來，政治、社會的思想，風起雲湧，多采多姿。但這些思想中，依然是順著個人的生活環境、個性，特別各人所能接觸得到的外緣，以爲立論的根據，而逐步思辨推演上去，以形成各種體系。這些體系，各有所明，但也各有所偏，各有所蔽。倡導這些思想、主義的人們，都加上自己的熱情與活力，欲以其道易天下；事實上，是要以天下之全，歸於他們的思想之偏，眞可以說是名符其實的削足適履。百年來治絲益棼，不是沒有道理的。

《莊子·天下篇》有下面的一段話：

> 古之人，其備乎。配神明，醇天地，育萬物，和天下，澤及百姓。明於本數，係於末度。六通四辟，小大精粗，其運無乎不在，……天下大亂，賢聖不明，道德不一，天下多得一察焉以自好。譬如耳目鼻口，皆有所明，不能相通。猶百家眾技也，皆有所長，時有所用。雖然不該不徧，一曲之士也。判天地之美，析萬物之理，察古人全。寡能備於天地之美，稱神明之容。是故內聖外王之道，闇而不明，鬱而不發。天下之人，各為其所欲焉以自為方。悲夫，百家往而不反，必不合矣。後世之學者，不幸不見天地之純，古人之大體；道術將為天下裂。

把三民主義和其他政治、社會思想相比較，似乎可以用得到上面莊子的一段話。但我更應特別指出的是，理智思辨活動的過程，乃是一種抽象的過程。在抽象的過程中，必須將異質的東西排斥出去，以保持概念所必不可少的同一律。因此，任何由思辨而來的思想，都只能「如耳目鼻口，皆有所明，不能相通」。使耳目鼻口皆得其用以構成人體統一活動的，必有待於高一層次的心的作用。要使百家衆技皆效其用，以滿足人類之全的需要，這不是僅靠知識的統合可以做到；因爲知識的本性，不可能統合；勉強統合了以後，還是一種知識，還是不賅不備。在這種地方，必須以「人格之全」，把握到天下之全；由天下之全來決定各種知識的分位。

舉一個例來說明吧。由歐洲十八世紀到十九世紀的三十年代，可以說是倫理道德，與科學知識，齊驅並進的時代。十九世紀後半，科學知識，突飛猛進，在文化中幾乎把倫理道德排擠得消聲匿跡，這便形成今日西方文化的重大危機。也有若干思想家，看出了這種危機，要加以補救。但在科學知識的自身，本來找不出倫理道德的根據；所以由知識的統合，依然找不到倫理道德的根據。中山先生在這種地方，便乾脆指出對科學知識應迎頭趕上，對倫理道德應繼承、發揚我們的道統。中山先生的兩種主張，不是統一於思想、知識，而是統一於我們「民族之全」。在我們民族之全中需要這兩樣東西的同時並進；不如此，便是偏，便是蔽，便是對於我們民族之全的損害。其他的反對理由，對我們民族之全來說，都是無知妄作，蚍蜉撼樹。我以爲對中山先生的思想，都應以「人格之全」、「天下之全」的立場去加以把握。

這裏尚須補充一點是：人格之全，與天下之全，是不可分的。在孔子的人格之全中所呈現出的，自然是「天下歸仁」。而天下爲公，也正是中山先生人格之全的呈露。不健全的人格，不可能把握到一個健全的世界。百十年來，諸多以詭隨之術，偏激之論，求能譁衆取寵於一時，不顧貽天下國家之大患；深一層地去了解，多半是出自不健全的人格乃至變態心理。紀念中山先生，或者應從這種地方努力。

（一九六六年十一月十二日《國父百年誕辰紀念論文集》）

思想與人格

——再論中山先生思想的把握

當中國的自由主義者不肯談國家、民族、主權等問題的時候；在現實世界中，却正展開國家、民族、主權的鬥爭舞臺。當美國自由主義者以爲通過了民權法案，即可解決黑人問題的時候，洛杉磯等城市黑人的暴動，却證明了黑人除了民權問題之外，還有民族、民生的問題。從這些鐵的事例中，我們不能不驚嘆於三民主義的完整性。

當中國有人拿着雞毛當令箭，打着無知論的招牌以主張虛無的個人主義的經濟思想的時候；當中國共產黨，爲了充當史達林的孝子賢孫，而大力地反對修正主義的時候；不僅歐洲的兩種性質不同的政黨，二十年來都走的是互相接近的中間路線；連蘇聯和東歐各共黨國家，也都從共產主義的峻坂上，一步一步地滑了下來，向中間路線看齊。從這種鐵的事實中，我們不能不驚嘆於民生主義的中庸性。這是孔子所說的「中庸之爲德也其至矣乎」的中庸性。

當中國有人認爲道德會妨礙科學進步的時候；有人再三宣稱在政治中不需要道德的時候；我們試讀索羅金（P. A. Sorokin，1889— ）的《人性的重建》；試讀愛因斯坦的《晚年思想論集》；試讀史懷哲（A. Schweitzer, 1875－1965）的《文化的沒落與再建》；試讀薩東（G. Sarton, 1884－1956）的《古代中世科學文化史》；試讀西諾特（E. W. Sinnott）的《人・精神・物質》……他們都一致強調在科學中找不出道德；而世界的危機，不是僅靠科學，同時也要依靠道德力量的，始能加以克服。從這些偉大的科學家社會學家及哲學家的言論中，我們不能不驚嘆於中山先生將科學的迎頭趕上，和道統的繼承發揮，融合在一起的圓滿性。

康、梁以來，中國出現了不少的愛國志士，對國家提供過不少的意見；但與中山先生所遺留下來的相較，却都顯得是這樣地渺小。至於想用共黨對他鬥爭的文字來烘托自己的身分地位的人，在中山先生巨像之下，連一個小丑的地位也夠不上。中山先生，是思想史中的奇蹟。

然則中山先生憑藉了什麼，能出現此種思想史上的奇蹟呢？有天才的藝術家，沒有天才的思想家。知識統合的觀念，近二十年才提出的。提出以後，沒有一個人乃至沒有一個研究機構，除了一堆堆的資料外，眞能出現任何統合。朱利安・赫胥黎（Julian Sorell Huxley）年來特致力於此。但他的以進化論爲統合中心的觀念，已是一種偏執；因爲進化觀念可用於知識、技術；當它用到宗教、道德、藝術時，便應受到應有的限制。而他約集的英國第一流學者二十五位人士所寫的《新人文主義的構想》（*The Humanist Frame*），依然是不賅不備，沒有達到他們所要求的「超越分裂」以成爲「統一的網狀組織」的目的。我決不相信中山先生在五十年前所具有的知識，會在朱利安・赫胥黎和他們所約集的第一流學者二十五人之上。

另一解釋是：西方自柏拉圖到黑格爾的「體系哲學」，每一個人都把他們所面對的問題及其解決的問題知識，組成一個無所不包的龐大體系。因之，中山先生也應算是這種體系哲學中的卓越的一人。也有不少人爲了顯發中山先生的此種體系而努力。這或許也有其意義。但第一是體系哲學，常常受到知識進步的影響而紛紛崩潰。第二是，體系哲學，一落到現實之上，若不爲現實所否定，便在現實中發生流毒。黑格爾哲學與納粹思想的關係，固然是受了英國人兩次大戰後的渲染誇大；有些不能用自己頭腦來思考的人，也跟在英國人後面談虎色變。但把德意志當作絕對精神發展的終點，這只能代表在拿破崙佔領下的德國人的反抗精神，其遠離現實，因而在現實上會發生流弊，也是事有固然的。一切體系哲學，對現實而言，與黑格爾的體系哲學所發生的問題，都相去不遠。用嚴格的體系哲學的態度來處理中山先生的思想，處理得愈成功，可能與本來的性格和機能相去愈遠。何以故？體系哲學的基礎，依然是建立於知識之上。依然是建立於思維推論之上。知識、思惟的活動過程，與自然科學活動的過程，有相同之處，即是由抽象以建立概念（公式）的過程。在此種過程中，勢必將異質的東西加以排除；所以科學知識必然是專，必然是偏；體系哲學的概括，結果也同樣是偏是蔽。人是「異質的統一」，由人所構成的國家社會，也是「異質的統一。」站在知識的立場，只能順着異質中的某一質去發展。所以僅通過知識，不可能得到異質的統一，因而也不可能把握到一個整全的人，整全的社會、國家。因此中山先生思想的完整性、中庸性、圓滿性固然有知識的幫助，但最主要的，還是來自他的偉大的人格。

對於人自身的把握，對於人自身問題的把握，知識是第二義的；人格才是第一義的。此一觀點，一般人很難接受，我不妨舉一個簡單的事例。臺灣目前最嚴重地問題，無過於「學店」對青年的欺騙、毒害。現時受害者只是身受的青年；再過幾年；成批成批的一無成就的青年湧向社會，勢必釀成巨大的社會問題。但這些開學店的人，在知識上，遠超過求乞與學的武訓。武訓跪在老師面前，是眞正辦學；而這些現代知識份子却只能開店，這正說明這些知識分子的人格，沒有方法與武訓作比較。中山先生是熱心求知的。但將他的知識與各方的專家學者比較，只能說他的基礎健全豐富，而很難說在專精上會超過其他的人。知識是必然、也是應當趨向專精的。由此不難了解中山先生之所以能出類拔萃於時流之上，乃是他的人格而不是他的知識。

中國過去以人民的好惡，爲政治最高的準繩。現代的民主政治，則決定於人民大多數的同意。對於人民好惡的內容去加以科學分析、研究，是知識範圍的事。但是，一個政治家，並非要等這種分析、研究有了結果，才與以承認。而是無形中知道人民好惡的自身，乃是一種「存在」，而不是一種「概念」；「存在」便有要求信任的權利。對於此種客觀存在而不能把握、信任，乃是在自己主觀中含有排斥客觀存在的因素在裏面；換言之，是因爲個人的權利欲，壓低了自己的人格，因而人民的好惡，便無法進入於卑陋的人格之內。這並非由於知識發生問題。

臺灣有自命爲西化派的政治學者，不承認「主權」的觀念，認爲國家民族，在語意學上不能成立。在西方的政治學中，找不出這類的怪論。此種怪論之出現、橫行，乃是在這種人的生命中，完全被自己的利欲封閉住了；除了自己當下感官的利欲外，接觸不到國家、民族；接觸不到作爲國家民族生存保障的主權；於是只好以詭辯去掩飾自己的卑陋的人格。這樣一來，知識在被歪曲的人格中，反成爲這些人的根源之惡。

人格的超昇，必通過個人私利、私智的尅服。私利、私智多尅服得一分，客觀的存在，便在自己的主觀中，多呈現出一分。尅服得十分，以致於無我的狀態，則此時的人格，便與國家、民族，乃至人類，成爲一體的人格。中山先生「天下爲公」的揭示，及其自身的實踐，正是此種人格的表現，也是形成他的思想的基底。說到思想，當然要憑藉知識。但一般人是使知識與個人的名譽、金錢、利害相結合；中山先生則直接使知識與國家、民族的生死存亡相結合。一般人是以自己的名譽、金錢、地位，作知識的抉擇；使知識爲自己的名譽、金錢、地位發生效用；中山先生則是以國家、民族的生死存亡，作知識的抉擇；使知識在國家民族的生死存亡上發生效用。中山先生接受了傳統的思想，也接受了西方的思想。但在傳統知識方面，多過於中山先生的，並非絕無其人；爲什麼只有中山先生能揀取傳統的精英，並一下子抓住西方近代的三大主流——民族、民權、民生，以形成他的完整而圓滿的思想呢？這種分別，不是在知識上面，而是在人格上面。此種人格，是以仁爲體的；所以他接受了社會主義思想，而去其褊急，這便形成了他的行之萬世而不弊，推之四海而皆準的民生主義的中庸性格。這種人格的本身，即是深刻地道德的自覺，而「中國的道德自覺」，必落實於現實生活之上，所以他便自然而然地把道統與科學融合在一起。沒有科學，我們民族不能生存；沒有道德，我們民族又能生存嗎？許多反道德的人，是要隨時隨地的，在混亂中達到自私自利的目的的人。我悲夫數十年來，不從人格方面去把握中山先生的思想，以致把中山先生的思想，在事實上變成爲一大堆廢話，故特於此表而出之。希望談中山先生思想的人，不可忘其根本。

中山先生偉大的人格，還可從未十分被人注意過的兩件事情上表現出來。

第一、中山先生讓臨時大總統，接受督辦全國鐵路的任務，這固然是他天下爲公的理想的實踐。但另一方面的意義，是說明傳統的知識分子的性格，在中山先生這裏已經脫皮換骨。壞的傳統知識分子，固然是「有便宜必佔」，「有竹槓必敲」，寡廉鮮恥，有如朱元晦所說的，簡直是如同盜賊；這在今日更是橫行猖獗，固不待論。卽使好的傳統知識分子，也往往輕視了人生、社會問題的解決。道德、品格的提高，都有待於物質的建設。物質建設，才是推動一切進步的大前提，大動力。當中山先生除了大總統以外，可以選擇任何工作時，他却選擇了物質建設的神經系統的工作，正說明了中山先生眞正把握到了爲傳統知識分子所不曾了解的物質建設的意義。可惜他的信徒，乃至所謂自由主義者，都陷於傳統格套之中，一點也不曾把自己虛浮的皮骨脫換過來。在過去，是受了時代的限制。在今日，大家也根本不肯從物質建設上用力，是因爲大家只順其個人的自私自利去升官發財；由升官發財而來的詐欺所得，便可以得到一切現代物質的享受，還需要什麼建設？並且眞正從事於物質建設的人，不一定是自己享受物質的人。簡言之，中山先生的重視物質建設，是出自國家民族的要求。大家沒有這種要求，也卽是沒有這種人格，所以也只會想到享受而不想到建設了。

第二、中山先生因爲幼年的環境關係，成爲一位基督教徒。但在他的一生中，很少談到基督教。在他的言論思想中，可能有與基督教教義暗相符合的地方，但他決不曾標榜基督教，更不會想利用基督教。這是因爲他人格的超昇，乃出於自己生命中道德理性的自覺；所以他在這種地方，是與中國的道統，直相契合。更重要的是，由他的偉大人格所發出的崇高智慧，他了解基督教在東方的活動，有意無意的是與西方的殖民主義結合在一起；所以在東方所發生的作用，並不同於在西方所發生的作用。假定中山先生把個人的信仰擴張於政治活動之上，便會和民族主義相衝突，加深中國的半殖民地化。他對於基督教的自我制約，也正來自他與國家民族爲一體的偉大人格；這與基督教的眞正原始精神，反而更爲接近了。我沒有見過中山先生。但幾次由他所給予於我的感動，只有我在垂暮之年，重讀《論語》時所得的感動，可相比擬。這種感動，只能來自偉大的人格，而不可來自知識。

（一九六五年十二月十一日《徵信新聞報》）

知識與符咒

——做人做事求學要在平實中立基礎

我對現時若干大學生求知的態度，有時不免發生一些感想。這些感想，還沒有醞釀成熟，此時把它說了出來，只是爲了供大家反省的參考。一個人進入到大學，應當是意識地追求知識的開始。知識上的分工，愈來愈細；但只要能成爲一種知識，便應當有若干共同的特性。

第一、它是可以經驗得到的。

第二、它是合理的，因而也是有秩序的。

第三、它是客觀的；或可以客觀化出來的。

第四、它縱使極精極深，但可以通過一條路徑去接近、把握，因而是可以學習的。

追求知識的目的，不僅在積極地學到某些知識，同時也是訓練自己的思考，由混沌而進入明確，由雜亂而得到條理。明確、條理的思考能力，也正是攝取任何知識的必須條件。

我們當然不斷地遇著許多雜亂的材料；把雜亂的材料，加以處理，以建立某種秩序，這便是知識。我們當然也會遇到些非合理的研究對象；例如人的自身，即含有非合理性的一面；把非合理的對象作合理的處理，並予以合理的說明，這便是知識。有的是知識以外的學問，有如道德、宗教、藝術等，它們的自身並不是知識；但當我們把它當作研究的對象時，依然首先要通過知識去加以處理。由研究而轉移到將其實現時，才由知識的活動，轉移為實踐的活動。

任何時代，都會出現些特殊現象；但要以上述的知識，及通過知識可以了解的道德、宗教、藝術，為其常態。常態是支持人類生存、發展的眞正力量；也正是大學教育所走的正路。當然有的個人，可能有些神秘性的經驗；但在這種神秘性的經驗未進入到知識的了解以前，那只能算是屬於個人獨特的私產；旁人對它，惟有採取保留的態度。即是不輕易去反對，更不輕易去信仰。

上面簡單的陳述，應當可以了解，知識與符咒處於對極的地位。符咒在人類歷史上，曾發生很大的力量。培根說：「知識即是力量」，這是人類進入近代的大標誌。知識的力量是來自它的明確性、合理性、可知性、及共許性。符咒的力量是來自它的混沌性、雜亂性、不可知性及神秘的特殊性。知識是訴之於多人的認知理性和道德理性。符咒則訴之於特定人物的吸引力和律令、權威。人類由符咒走向知識，並不是一件簡單的事。我國古代的符咒，到孔子而清理得差不多了；但統治者須要符咒，於是而有陰陽五行及方士之術。民間也需要符咒，於是而有張天師這一類的以符籙為主的宗教。一直到現在，有的政治人物，使用各種方法、方式，愛把他們所說的不三不四的語句，逼著旁人念來念去，正如僧侶們的念經一般，這正是一種符咒運動。他們以為靠這種符咒運動而可以把自己變成是人神之間的怪物，因而發生不可測度的力量。但時代畢竟早已進入到以知識爲主的時代了。希望他人中魔的，結果只是證明自己中了魔。現代弄巫術的人，較之古代弄巫術的人，只有顯得更愚昧、更卑鄙。

最不幸的是，這種符咒的殘餘，在大學裏面，也會以新的面貌而出現。有的人並不懂邏輯、數學，甚至連英文也沒有弄通，却大談其邏輯實證論，科學方法；於是邏輯、科學方法，便變成了符咒。有的人，根本沒有讀過一部實存主義中的重要著作，沒有讀懂一句孔子孟子所說的重要語言，却大講其實存主義，孔孟哲學；於是實存主義，孔孟哲學，也變成了符咒。有的人，文字寫不通順，素描沒有入門，却大寫其白日夢的詩和大畫其抽象、破布的繪畫。於是現代的文學、藝術，更成爲符咒。因爲是符咒，必然會有符咒的信徒。符咒信徒的特徵，是不求了解，不用思考，而只是喊幾句連他自己也不知道到底是什麼的口號，有如「打倒孔家店」「全盤西化」「現代的感觸」「跳躍」之類，便自己恍惚起來，自己覺得已經在他人的頭頂上起飛了。這樣起飛上去，便永遠和知識、學問脫節。

做人、做事、求知，都要在平實中立基礎。作爲一個大學生，不是要信仰什麼，反對什麼，而是要知道什麼。但這樣便不容是出風頭。尤其是求知識，要一點一滴地前進，是一個很辛苦的長途旅行。在辛苦的長途旅行中，除了自己感到生命一天充實一天的樂趣外，很難有赫赫之名去轟動社會。因此，落不下心去求知，而又不甘人世寂寞的聰明人，常於不識不知之中，走進符咒的巫術中去，這是一個原因。

另外一個更大的原因，當社會、歷史大變動的時期，青年熱切地希望對許多人生、社會的問題，有思想性的解釋。並且希望自己，除了若干生活有關的技術外，也能成爲有思想之人；這是一個好的傾向。但目前臺灣在大學裏教書的人，對任何學問，最好也只能做到枝節的傳授；把一切有思想性的東西，都變成沒有思想性的死物，甚至以冥頑的態度排斥思想。學生既不能通過自己所修的課程，以得到他們迫切所需要的思想，於是只好以符咒替代思想了。所以目前這一趨向，是上下兩代的共同責任；而上一代的責任負得更大。不過上一代的，都到「以老以死」的時候了；下一代的，只有咬緊牙根，在知識的探索積累中，自己救自己。

（一九六六年二月《華僑日報》）

按此文乃對某大學學生的講詞。校後記。

個人與社會

從某一角度看，在人類歷史中最大的問題，可以說是個人與社會，如何能得到均衡、協調的問題。大體地說，在極端的政治自私、政治權力完全成爲滿足少數人的欲望的時代，人們由對政治的厭惡，擴大而爲對一切人的不信任，這便會流行極端的個人主義。極端的個人主義得勢，社會正常的關係解紐，秩序的混亂擴大，其後果又常引起帶極權性的全體主義。所以在極權性的全體主義的後面，即潛伏有極端的個人主義的陰影。而在極端的個人主義的後面，即準備着有極權的全體主義的殺機。如何從相反而又相成的兩極端中，找出一條個人與社會，能得到均衡、協調的通路，這才是爲人類命運負責的思想家的眞正任務。

目前在台灣所流行的一種個人主義，連國家民族的眞實性也被否定了。這是超極端的個人主義。假定它只限於私人情緒的發洩，也未嘗不可反映出另一面的時代眞相。但此種人却說：這是科學的理論，是前進國家的出品；並由此而要貫徹反國家，反民族，反歷史文化的目的；這便不僅是情緒問題，而是作爲一個人的基本條件發生了問題。對於這種人，是沒有道理可說的；我這裏只簡單指出他們所提出的立論根據，完全是他們自己編造出來的謊言。只要是像樣點的國家，決沒有徹底否定社會，徹底否定國家民族的理論。我下面提出美國耶魯大學林頓（R．Linton）教授在其《性格的文化背景》一書中有關的議論作一個例證。

林頓教授是專門研究文化人類學，因而特別注意到人的性格問題。他們研究的最大缺點，在於僅從沒有自覺的人羣中，作調查統計；由這種調查統計，以得出人的性格是如何的結論。而根本忘記了研究者的本身即是人，即具備了人的性格；要把握一般人的性格，應該先把握自己的性格，即是先從「自己知道自己」作起。沒有此一起點，則調查統計的工作，只能停頓在膚淺、混沌狀態之下。林頓教授此書，也承認這種工作方式所引起的困難及其不確定性。但在方法上並不曾有進一步的發現、自覺，所以在推動文化人類學的前進上，並不曾有進一步的貢獻。不過在個人與社會的關係上，倒還提供了健全的看法。

他首先指出，昆蟲也有幾乎不劣於人類社會般的複雜社會。但昆蟲是以學習能力作犧牲，尤其是以發明能力作犧牲，而只憑牠們本能的精巧發揮以經營牠們的社會生活。「牠們可以說是把最大限的本能與最小限的個性結合在一起的存在」。「過着社會生活的各個昆蟲，不是個人的存在，而只是被一樣化了的一個單位」。

人之不同於昆蟲，乃在於人有學習能力，有思考能力。我們的祖先，在達到「人的階段」時，已失掉了大部份的「自動的反應」，沒有與昆蟲同意味的本能。「人作任何事情時，不能不學習，不能不思考」；並且能忘却了過了時的東西，以認識新狀況，想出適合於新狀況的行動方式。所以人是順着個性化的傾向而進步來的。因此，「各個人的行動，能有無限的多樣性」。至於「通過全人類所能承認的行動的一致性，乃是起因於人類共同的經驗，共同的欲求與能力」。

至於人的社會，林頓教授舉出了四個重要特徵：「第一個最重要的特徵是：成為人類生存競爭的重要單位的，與其說是個人，毋寧說是社會。……一切人，都是作為組織集團之一員而生活；每一人的命運，是連結著他所屬的集團的運命。」國家民族，是由血緣、歷史、文化等所形成的共同生活的社會集團；反自己的國家民族，即是取消自己生存競爭的單位；其心理，其行為，乃是販賣人口行為的擴大化。

「第二個特徵是，社會通常遠較任何個人的一生，更長久地繼續存在。我們一經出生，即投入於已經活動著的一個組織之中。雖然有時由於情況而產生新社會，但大多數的人們，乃是作為舊社會之一員而出生、而生活、而死亡。給與於個人的課題，不是參劃組織新社會的過程，而是使自己適合於從很久以前已經結晶好了的集團生活之模型」。由此可知，凡是在新舊之間，劃出一條不可踰越的鴻溝，而把自己裝扮成打倒自己所屬的舊社會的打手的人們，十之七、八，都是為了出賣自己所屬的社會的一種掩飾。

「第三個特徵是，社會以它的機能成為實際活動的一個單位。社會雖由各個人所構成；然而社會是作為一個全體而活動。構成社會的各個分子的利害，常常是被安置於集團、全體利害的下位；為了全體的利益，社會排除某些組織分子，也無所顧惜。……所謂自由社會，也並非眞正有完全的自由；而不過是在社會所承認的極小範圍之內，其各個組成分子，可以得到個性發展的社會。這種社會中的每一組成分子，同時遵守著無數的規則、規範而加以處理。因為這些規則、規範，是很巧妙，很完全，所以幾乎使人不感到有這種規則規範的存在。……當然也不會意識到社會對個人所課的拘束」。

「第四個特徵是，爲了社會的存續，而把必要的活動，加以分工，以分配於各個組成分子之間。……另一方面。擔當分工後各種職務的個人，隨著這種分工的愈益進步，而向全體依存的程度也愈益增大」。

上面只是根據人類實際生存的狀況，加以健全而合理的陳述。以否定社會的眞實性，否定國家民族的眞實性，來掩飾自己出賣國家民族的意圖的人們，應當可以揭下他們的假面具吧！

（一九六六年五月五日《民主評論》十七卷五期）

日本科學技術發展的基本條件

我們最迫切的任務，是要使現代的科學技術，能在台灣生根，以支持經濟方面的發展。但幾年以來，負責促進科學發展的先生們所提出的辦法，實際和招來馬戲團、溜冰團到台灣表演的情形，沒有什麼分別。日本國際教育協會發行的「窗」的第二期，有一篇山內恭彥氏的《科學與國民性》的文章，對科學技術發展的基本條件，就日本的經驗，作一簡單扼要的觀察、敍述，我覺得可供我們的反省、借鏡，所以改用這個標題，作簡單的介紹。山內氏生於明治三十五年（西元一九〇二），曾任東京大學理學部（院）長，昭和三十一年受學士院賞，現在是東京大學的名譽教授，上智大學的教授，以下有的是介紹該文的大意，有的則引用該文的原文。

日本科學技術的發展，今日「成爲世界驚異之目標」。在這種驚異中，有的是由於覺得日本不是屬於西歐民族；而西歐民族才是適於發展科學技術的民族。其實，「包含日本在內的東洋民族，在文明、文化上，曾經有過遠遠凌駕西歐的時代。加之，科學技術，本是由人類的普遍的思考所產生的，並不像某種藝術、宗教那樣，由民族不同而發生優劣的差異」。

科學固然發生於西歐，「但這不是有什麼必然性的事情，而只是偶然的積果，這是美國科學家Walfe氏的主張」。「任何國家，在同樣條件之下，從小孩時起，即開始用功，大體上，都能產生與人口成正比例的優秀科學家」。

「但世界上，有的國家科學很發達，有的則否，這完全是環境的關係。說到環境，會馬上想到一個國家的政治、經濟。但我覺得重要的還是某一國家的國民性。即是，這是由國民對科學有何種理解關心？採取何種態度？所決定的；想由少數的有識者，去硬加伸張科學，是不會成功的。當然，審察國民的心情，以努力於科學伸展的有識者，會居於指導者的地位，那是不待說明的」。

接着，山内氏提出了能使日本科學技術發展的幾種日本國民性。

首先，他舉出日本人愛好學問，尊敬學者的傾向特別地強。他根據統計數理研究所關於各種職業的社會評價所作的調查報告，知道佔評價第一位的固然是總理大臣；但佔第二位的是東京大學的總長（校長）。第三位的是最高裁判所的長官（最高法院院長）；第四位的是衆議院的議長；第五位的是內閣各大臣；第六位，第七位的是原子物理學者，物理學者；一般的大學教授佔第十一位。而職業中評價最低的是第一百位。並且日本的風氣，正因爲學者多是貧窮的，反而受到社會的尊敬。因爲學者不爲自己作宣傳，所以有時也有很好的研究者在悲慘的生活中過日子。但這種情形只要被社會知道，立刻會伸出援助之手；這不是普通的慈善性質，而是出於對學問由衷的尊敬。「國民的溫情善意和尊敬，不可否認的，會給做學問的人以很大的勇氣」。我在這裏想補充一點的是：日本與台灣最顯明的對照是工商業者。日本越是像樣的工商業者，越尊敬學問，越尊敬學者，並不限於是自然科學。台灣越是大亨，越瞧不起學問，越瞧不起學者。

山內氏舉出的第二種適於發展科學的日本國民性，是好奇喜新，對於新的外國文明、文化的吸收，非常迅速。我想，這一點不要多加說明。他舉出的第三種適於發展科學的國民性，是日本國民由「自卑感」與「優越感」的混合，而想使自己成爲優秀民族的願望，非常頑強、熱烈。這和日本人的勤勉、堅強、追求理想等性格相結合，對科學技術的發展，有很大的貢獻。

山內氏舉出的第四種適於發展科學的國民性，是日本人的宗教心的薄弱。據統計數理研究所的調查報告，日本人信宗教的只有百分之卅一，這和西歐諸國有百分之九十以上的信徒，成一顯明的對比。「這一點日本或者和中國有點相像」。山內氏認爲「西歐民族，本來是非常人文主義的民族。中世紀才被異民族的宗教所支配。他們是在反抗神的權威的意味上發展了自然科學」。日本人「宗教心的薄弱，在吸收科學而加以普及時減少了障礙」。「這是科學得以浸透於日本的一個要因」。

山內氏接著說到日本國民性在發展科學上也有若干弱點。但他認爲「各民族的國民性，是由悠久的歷史、傳統所培養出來的，應當互相尊重。在不同民族之間，雖有彼此看不順眼的性質，但首先要了解，這是客觀的事實，不是能隨便加以改變的。還有，說自己國民性是如何低劣，要在短期間加以改變，乃是一種不可能之事。說外國是如何如何的這種言論，只會徒然引發自卑感、焦躁感，沒有什麼利益。倒不如很冷靜地、客觀地、考察自己的國民性，把握住對發展科學有利之點，而加以獎勵，這是非常重要的。……如屢次反復所述的一樣，科學僅僅由特定的少數人的熱心，是不可能在國內生根的；這僅止於盡力雜在先進國的學者裏面，在離開自己國家的場所，滿足自己的研究欲。另一方面，指導者僅高聲要從外國招聘學者，建立好的設備，也沒有效果。怎樣訴之於某種國民性，喚起民間對於科學技術的關心，在民間能有拚一生的精力於科學技術，發生由本國產生出來的研究，這才是第一重要的要點。印度的Both Dr. S. N. Bose，日本的湯川秀樹博士，他們的輝煌研究是於一次也未曾踏上外國土地之前，在自己國家內所完成的。培養到達那種特別成就程度以前的基本研究，這是發展途中的各國，所應最先努力的」。

山內氏又提到科學發展與語言問題，更值得我們的警惕。他認爲國民性與語言的關係。「因爲人考慮事物時，除借助於語言外，再沒有其他的方法。用從外面借來的語言，不能作十分深刻的思考。」

「用本國的語言以教授科學，這對於科學的發展，比什麼還重要。有人認爲日本語不適於用作科學用語……在今日，則不用日語來談科學的人，一個也沒有」。山內氏認爲應以本國語言講授科學，並不要像中國因爲沒有標音文字而將一切單語譯成本國語一樣。科學的術語，應盡可能地用各國共通使用的，較爲便利。英語單字的百分之六十以上，都是借用外來語（按英語的歷史短而文化在近代的發展特別迅速，這也是一種特別原因）」。「作爲國語的重要條件，在於決定文章構成的文化不變。語言的特質不在它的單語，而在連綴單語以形成一篇文章的構成法則的文法，日本有人用英語作學問，但實際還是要在腦筋中把英語譯成日語來思考，這便多了一層周折」。「語言以能成爲習慣最爲重要」，「初期用日語所寫的教科書，未成爲完全的日語，所以有的難念。今日則各部門的科學，都是用日語寫得很好的教科書，連歐美也少見到這種好教科書……作爲科學之普及和發達的第一步，科學的日本語化，可以說有很大的貢獻」。

日本科學家幾乎都用西歐文字，特別是用英文，發表自己獨特的研究成果。「這種事，從科學發達的歷史和現狀看，乃不得已之事。然而因此便以爲科學教育非英語不可，這並非所以推進科學。苦口的再說一遍吧，科學不是少數熱心家之力所能發達的，沒有國民全體的興味、關心，難望有健全的發達」。我想：台灣今日造成少數人表演，多數人搖頭；甚至弄到在台灣教科學、研究科學的人也由搖頭而憤慨，難說這批空心大老闆要實行科學的「絕育」嗎？

（一九六六年五月十五日《徵信新聞報》）

有關台灣的留學政策問題

最近自由中國政府的教育部，正式宣稱要修改留學辦法，這是早應採取的一項措施。但在這項措施中，據說，大專畢業生，若要出國留學，除服完兵役外，還要在國內服務兩年，才可以出國，我則期期以為不可。

台灣的大專教育，這些年來，完全成為幫外國儲才的教育；學生成績越好，越與自己的國家社會，毫無關係。所以我們的教育事業，幹的是為外國賠錢而又賠人的事業。我常常想，許多人在這塊小地方，爭權奪利，擾擾不休；却不想到他的一家，在自己的祖國已經沒有第二代而斷絕了種子，還要爭些什麼？此一風氣之造成，一方面是因為感到在台灣不能生根；另一方面又是攘奪成性，攘奪的範圍越小攘奪的競爭便愈演愈烈。以攘奪來滿足自己，更以攘奪來幫助自己的下一代搶快飄浮到外國去。搶得最早的，高中一畢業便走了。其次，則轉彎抹角的溜着走。這種影響不斷地擴大，於是整個社會，都以自己的子弟的一走為快，一走為榮。我們的留學政策，是在這種情形之下所形成的。這是向外國作無窮無盡的「捐血」政策；說不上是留學政策。所以今日以「楚材楚用」為目的，把過去只在賣弄人情上打轉的政策加以修改，可以說是應該作的。

但我爲什麼對大學畢業生除了服完兵役後，還要在國內服務兩年，才能出國的擬議表示反對呢？因爲大專畢業後的初期服務，還是在學習嘗試的階段，對國家社會的實質貢獻有限，但對於繼續深造所需要的基本課程，勢必生疏，甚至於荒廢，增加出國後的困難。尤其重要的是，據科學史家們的統計，學自然科學者的頭腦效能，以三十歲左右發展到最高峯；學社會科學的人，到了三十五歲左右，也發展到最高峯。因此，培養一個科學家，要在年齡與智力的關係上着眼。不能使每一個人在時間上稍稍有點浪費。服完兵役後留在國內服務兩年，這是時間的浪費，可以影響到一個人的成就。

但擬議中的擴大公費留學生名額，首先要做到公費留學生必須回國服務的這一點，則是非常切合實際的。我願藉此機會，向當局進一言，應當取消或開放中山獎學金的留學辦法。中山先生是「國父」，對一切青年而言，都會一律平等看待，爲什麼此一留學的獎金，只是國民黨的黨員才有機會呢？並且對國民黨而言，應當鼓勵自己的黨員站在社會上與社會作合理的競爭，以鍛鍊自己的志氣與能力。在溫室裏培養的花朵，是不能受自然氣候的考驗的。

還有達官貴人的子弟，也有不少在國外讀書讀得很好的，可不可以由達官貴人先來一個號召，先把自己學業有成就的子弟請回來爲國家服務，以移轉一下風氣呢。

要學業有成的青年學人回國服務，並不僅靠修改留學政策即可以收效。青年學人回國以後，須要有就業的條件，更須要有能夠繼續作研究工作的條件，這便關涉到許多問題須要加以改善。我在這裏只提出兩點。

談到就業的問題，首先便須想到各大專學校。今日公立的大專學校及其他學術機構，形成一個一個的小「飯碗圈子」。假定如小飯碗圈子沒有人事因緣，沒有不會威脅到他人飯碗的保證，則學問上的成功，反成爲就業的障礙。至於許多在學生人數上很有規模的私立學校，在教育方面，完全採取揩油主義，只肯廉價聘請兼任教員，增加他們的利潤收入。因爲聘請青年學人而減少他們的利潤收入，他們是決不肯幹的。台灣大專教育及一般學術機構的根本危機，主要是來自上述的飯碗主義與揩油主義。這兩個主義不能克服，則熱心回國服務的青年學人，只是回國來找氣嘔。

容納學人的最有意義的工作，當然是研究機構。政府自身當然要很切實充實自己所管轄的研究機構，那是不待說的。但各國最大的研究工作，多係出自私人企業。私人企業所拿出的研究經費，也遠在政府有關的預算之上。台灣的工業已有了相當的規模。我希望政府應向這一方面多下一番推動、連繫的工夫，使企業家負起發展研究工作的責任。如此，則不僅可以開擴青年學人回國作實際貢獻的機會，也容易解決他們生活上的問題。外國人在台灣投資，在這一方面更應當多出一分力量。

（一九六八年一月四日《華僑日報》）

「現在」與「未來」中的「人」的問題

一九六六年剛剛過去了。在過去這一年中，預測未來的專著，大約有十幾種之多。從這一事實說，去年可以說是人類特別關心到自己的「未來」的一年。這些預測，大約伸向兩個方向，一是科學、技術的發展如何？另一是由科學、技術的發展，到底會給人類生活以何種影響。

他們的預測，有一個共同的起點，即是以現在的科學、技術發展情形爲起點。這一起點，是有其必然性的。即是近三十年來，科學、技術發展的速度、深度、廣度，不是過去任何時期可以比擬；由此種發展所給與人類現實生活的衝擊和變革，也不是過去任何時期可以比擬。由現在的衝擊、變革，而引起對未來的關心，乃自然之勢。但他們也有一個共同的缺點，即是，僅從科學、技術着眼，並不能表現出「現在」所含藏的許多重要問題，雖然這許多問題，與科學、技術，有直接間接的關係。因此，他們並不是以對「現在」的正確把握去預測未來；因而他們的預測，對人類整個的命運來說，多近於威爾士所寫的小說的性質。

就對於科學、技術發展的預言來說，他們的看法也並不能一致。例如有關征服癌症的問題，有的書上說在本世紀之末，即可達成目的。但有的書上則以爲到了二十一世紀也還成爲問題。對於作爲「能源」的核融合的開發，樂觀論者認爲在本世紀末即可完成；但較爲謹愼的人，則認爲還需要五十年以上的時間。更重要的是：科學、技術的分野中，常保存有未知的領域。在過去，也有因爲發現了不能預測的變數而作過很多的科學、技術上的突破。今後也會有同樣的情形。因此，對科學、技術的預測，除了滿足一般人的好奇心以外，沒有更大的意義。

上述對未來預測的流行，有更重要的原因，是來自因科學、技術的發展所引起的對人類生活的影響。在這一方面，則並非僅僅出於人類的好奇心，而實來自人類對自己前途命運所抱有的不安之念。在這一點上，最樂觀的人，也不能寫出完全樂觀的預斷。

因爲科學、技術飛躍發展的結果，人類在物質供應上，不論質和量，都會不斷的提高；這是一個最可靠的樂觀因素。「使有菽粟如水火，……而民焉有不仁者乎？」依照孟子這句話的意見，則由上一樂觀因素，應當可以得出全面樂觀的結論。但問題並不會這樣簡單。

科學、技術發展的結果之一，是在交通上打破了空間的限隔，使人類互相交往的機會，大大地增加。但同時也可以想到，豈僅英倫海峽，早失掉了保衞英倫三島安全的意義；連大西洋、太平洋，也不能使美國像第一、二兩次大戰時一樣，可以處於不被攻擊的地位。結果之二，是人類的壽命可以延長。但人口問題，老人問題，會不會因此而更爲嚴重？結果之三，是大家只需要很少的勞動，即可滿足物質的要求，因而，人們會獲得更多的閒暇時間。但閒暇時間應當如利用呢？許多罪惡，多出自遊手好閒之徒；所以各國已經注意研究如何利用閒暇時間的問題，不僅迄無定論；並且即使有了定論以後，採用不採用，還得聽各個人的自由意志。上面僅僅隨意舉的例子，可以這樣說，科學、技術的發展，可以提供人類以更好的結果；也可以提供人類更壞的結果；好與壞之間，依然不是決定於科學技術的本身，而是決定於有能力發展科學技術的人類自己。

最嚴重地問題是：對「現在」而言，人類在科學技術之前，似乎迷失了自己。對未來而言，人類在科學技術之前，更會迷失了自己。關於由傳統而來的許多人生價值，這都是來自人的自我發現、把握的一種努力。但在時間上又都是在科學技術遠不如今日的時代所提出的。時代隨科學技術而變；人生的價值，人生的態度，當然也會隨科學、技術的發展而變。在今日而依然談過去的人生價值以建立合理的人生態度，許多人便認爲那簡直是復古、是反動。何況以此推之於未來。

不過我在這裏要提出的一個問題，即是科學技術的發展，是不是意味著人的生命自身，也起了根本的變化。假如生命的自身起了根本的變化，這種變化的事實，和由這種變化所產生的新價值觀、新道德觀，究竟是什麼？就我淺見所及，似乎還沒有人能明白指陳出來。如果生命自身並沒有根本改變，則以幫助他人爲「善」，以賊害他人爲「惡」，個人的幸福，不應建立於多數人的痛苦之上等道德價值判斷，是否發生了根本變化？最低調的說，是否以能合理地共同生活爲「好」。以不能合理地共同生活爲「壞」等的道德價值判斷，是否也發出了根本的變化？當然，有許多人站在純個人主義的立場，再加上所謂科學的立場，認爲現實中並沒有善惡好壞的問題。但我要追問，科學技術的發展，還是增加了人類共同生活的機會和要求呢？還是減少了人類共同生活的機會和要求呢？假定不能不承認是屬於前者，則在共同生活，不能不發生善惡的價值判斷問題。但科學技術的自身，能提供只會走向善而不走向惡的保證嗎？

人的生命自身，在可預見的將來，假定不會有根本的變化，則從生命所發出的行爲，當然也是可善可惡的。這種或善或惡，自古及今以至未來，依然會決定人類自己的命運。科學技術發展的結果，乃是把可善可惡的機會、能力，不斷加以提高、擴大。聖賢及哲人所提出的「爲善而去惡」的功夫、論證，在過去本來只是極少數人才會了解，才會實現。不論現在和未來，人類的命運，依然是操在人類自己身上。不過，過去是由少數人作決定，現在和未來，則憑科學技術發展之助，可以由多數人乃至每一個人共同作決定。因此，人永遠是人；聖賢和哲人們對人自身所提出的要求，爲了適應科學技術的發展，應當每一個人都能了解，應當「人人皆有士君子之行」。換言之，科學技術的發展，假定可以提供人類以最大的幸福，則伴隨科學技術發展而來的必然是人格的發展，必然是聖賢哲人的普遍化。有人認爲因時代之變而即認爲在文化問題中不必談聖賢哲人的做人之道，這是非常奇怪的事。

（一九六七年一月十一日《華僑日報》）

從迷幻藥的影響看中國文化

「迷幻藥」，是我用作LSD—25的方便譯名。這篇短文，想說明由提倡服用迷幻藥所反映出來的我國文化價值。馮友蘭的《中國哲學史》，在國際上頗爲流行。但縱然他對中國哲學，本有一副比較良好的態度；可是他的頭腦，始終對中國文化格格不入，所以根本不曾進入到中國哲學的門限裏去。他說中國缺少「近古的哲學」，而我在宋明理學之中，却親切地感受到它在「現代」中的重大意義。這裏也算是隨意舉二個例證。

LSD是Lyserg Saure Diethylamid 的略稱。它是從附着於顆麥上的一種麥角黴所取出來的一種生物鹼。首先是由瑞士的參都製藥公司的技師荷夫曼（A. Hofmann），在一九三八年五月二日所合成的。25是這一天所加的番號。荷夫曼對於他所合成的LSD，能引起精神的異常狀態，作過如下的報告：

這是一九四三年四月十六日的事情。我在研究麥角製劑時，眼睛一暈，陷入於精神無所著落的奇妙感覺之中。研究室的器具和同事們的顏面，看起來都是歪斜的。精神不能集中在自己的工作上。於是以如夢的心情，急於回家，像倒了一樣地躺下來。拉下窗帘，立刻陷入如醉的奇妙狀態，浮起被誇張了的幻想。變化無定的幻像如強烈的顏色，如潮一般地湧來。兩小時後，這種狀態漸次消退。

迷幻藥問世後，當然首先引起醫學上的注意。被試驗者所得的體驗，互有出入。但從根本之點來看，大約是：①爽快而好動；②緊張解除；③不安而緊張；④恍惚而虛脫；⑤麻木而鈍滯等五個狀態，混合在一起，一起一伏，隨時間的經過，而作多種的變化。桑德遜（Sandison）把迷幻藥所引起的變化，大別爲七種。第一是生理的變化（體温、血壓等），第二是知覺的變化（入耳的聲音特爲強大，及灼熱感），第三是感情的變化（想笑、多疑、見鬼等），第四是思考的特爲活潑（兒時記憶的恢復），或思考受到阻害，第五是身體的變化（嘔吐），第六是宇宙的體驗（時間的靜止，對宇宙的領會等），第七是行動的變化（成爲自閉的或攻擊的等）。其中以知覺障害最劇烈，錯覺幻覺特多。

服一次迷幻藥所發生的作用，要繼續七、八小時。一小時以內，發生空虛、戰慄、虛脫、出汗、熱感、冷感、煩躁、敵意、不安、多疑等情形。第二小時，則現實感稀薄、封閉於自己軀殼之內，而成爲無欲的，陷於強烈的睡意或錯亂。思考和說話，成爲支離滅裂。氣憤與奮、神態不安。第四小時以後，精神漸趨平定，又回到最初所看到的煩躁、敵意等。

洛杉磯加州大學的精神科醫師安格麥德及福霞曾發表報告說：「迷幻藥有急性和慢性的劇烈副作用。此種副作用的發生，不能加以預測。經過精神醫學的診斷和心理的實驗，也不能加以捉摸。最壞的幾種反應，常常對人格安定的知識分子，也表現出來。」可以說，到最近由服用迷幻藥所發生的鉅大毒害，愈爲清楚。並且可使染色體變形，作異常的分裂，而生出可怕的畸型兒。這種毒害，比服用市場上製造不純的出品（有如臺灣某藥品的出品），爲害更大。

迷幻藥所以得到特別稱讚，以致流行一時，是因爲在一九六二年的時候，本是哈佛大學的心理教授李阿里（T. Leary ），開了一個飲用迷幻藥的茶會，開始了可以稱爲「迷幻藥教」的運動。一時之間，僅加州大學，便有將近一萬人的學生，飲用迷幻藥。

此一運動之所以發生乃至流行，以及在此一運動中之所以有人把它當作人類的救世主，全能者，是和一九五七年，奧斯蒙多（H. Osmond ）開始創用的「Psychedelic」這一新名詞有其關連。這一新名詞的含意，指的是精神由開拓而其境界得到擴大。我在這裏譯作「精神拓展」。李阿里們是認爲在迷幻藥這裏，發現了開拓精神世界奧秘的捷徑。爲了堅持他的信心，他和最初皈依者的另一心理學家阿爾巴特（Alpert ），不惜宣佈服用迷幻藥並不發生任何障害。但這一點，正由他的弟子們繼續加以否認，因爲在這兩年之間，進入到精神病院的弟子，正在不斷地增加。即使選擇友好而溫和的理想環境，再加之以性情溫和的人格，並加以有經驗豐富者的指導，但服用的結果，還會受到嚴酷的副作用。在以前並不相信迷幻藥會引起精神病及自殺的傾向。但洛杉磯加州大學精神科的醫生們，提出了如下的報告：

> 一九六六年八月，七十人的被試驗者，都發現了危險的副作用。他們除了苦於幻覺，表現狂亂的不安，或企圖自殺之外，並陷入於抑鬱與恐慌的狀態……此種現象，美國許多地方也正在發現。服用一次的人，和服用六十乃至七十次的人所得的副作用完全相同。

在加大醫院住院的二十五人中，有十九個人住了一個月以上的醫院，還沒有治好他們由服用迷幻藥所引發的精神病。

由迷幻藥所發生的毒害，有點像魏晉所流行的「寒石散」。但李阿里們爲什麼會把它當作很神聖的東西來加以提倡，甚至是加以崇拜呢？因爲他們特別誇大了服用迷幻藥後所發生的如下的現象。

在迷幻藥的體驗中，可以使人與人的關係良好，能享受到與他人的共存。出席於迷幻藥服用會的人，在出席中，很強烈地感到與他人「同在」。於是馬斯塔茲（Masters）和霍斯頓（Houston）更誇張的說，愛的表現，除了迷幻藥服用會上之人以外，是不能發生的。在閉鎖的社會中，假定除開了愛服迷幻藥的人們，每一個人便從一切的人隔絕開了。這是說由服用迷幻藥而開拓出了「人類愛」的精神。更有許多人強調由服用迷幻藥所引起的幻想，可以拓展藝術精神的境界，加強直覺、觀照的效率。對於這一方面的問題，這裏暫時略而不談。

從近年來精神醫學實驗的報告看，服用迷幻藥的共同表現是「錯覺」，他們站在面臨大海的十丈高崖時，把海認爲是用絹所作的女人頭巾，硬想投身而下，要費很大的力量才能加以阻止。還有的，想到他沒有貢獻什麼犧牲作祭品時，硬要把他的女友從旅館的高樓上推下來。上面所說的「同在」的愛的感覺，都是錯覺中一刹那的現象。此一刹那的現象，不僅是不安定的，而且也是與對人的「敵意」常常混在一起的。尤其是服用迷幻藥以後所出現的情態，不僅與日常生活完全隔斷了，並且常須經過一番折騰，乃至住進醫院，作長期治療，才能恢復正常的狀態。法國實存主義者沙特（Sartre）也曾作過此種嘗試，也得到同樣的結果。

假定服用迷幻藥的情態一直繼續下去，此人便只有生活在精神病院裏面。爲了追求「人類愛」而要靠服用迷幻藥。無異於認爲只有到瘋人世界中才可以尋求到人類愛。可以說這是愚蠢荒誕的想法、做法。

但從上述的愚蠢荒誕的想法做法中，却反映出了三個重大意義，反映出了現代人在現代社會中，實潛伏著有另一種的重大要求。

第一、反映出了在以知識爲主的文化中，開闢不出眞正的人類愛；在過去便只有乞靈於宗教。但一般人對神的信仰，只是爲了個人的赦罪、恩寵；若非眞有由信仰而進入到修養的功夫，則「耶穌的博愛」，對於一般傳教者而言，只是不相干的一句空話。尤其是傳教成爲殖民主義者的工具以後。

第二、反映出了在現代文化中沒有眞正的人類愛，但在人的內心與相關的關係中，却感到非常地需要這種人類愛，所以才對於由服用迷幻藥而來的許多混亂現象中之一的，有似於人類愛的現象，不惜加以特殊的誇張。

第三、此事出現於心理學家之手，更有其特別意義。不僅作老鼠兔子乃至黑猩猩等的行爲實驗，其結論是與人的實際沒有關係；即使在兒童成人的日常生活中所作的調查統計，也只能得出在循環地刺激反應中所形成的心理狀態。這種心理狀態在中國文化中謂之「習心」；即是在生活習慣的積累中所形成的心理活動；這是現代心理學所能達到的極限。但中國認爲在習心的後面，還有眞正爲人的生命作主的「本心」，須要人以自己的力量，加以開拓而使其顯發出來。由服用迷幻藥所表現出來的精神，絕對不是本心，甚至是與本心相反的「無意識」。但提倡服用迷幻藥的人，承認了在日常生活中所顯出的心理狀態之外，還有一個常被日常的心理所封閉住了的一個內在的精神，須待開拓出來以提高人生的意義，這也反映出了在荒謬中的巨大意義及其眞實的要求。

儒家（此文暫不涉及道家）從開宗的孔子起，即通過一種反省與忠恕的功夫而發現出可以涵蓋一切，幷與宇宙關連在一起的「內在精神世界」；這卽是《論語》上所說的「仁」；他由此而感到人的本質（性），與天命是一而非二；此乃「五十而知天命」的眞實意義。此一道德性的內在精神世界，爲子思、孟子的愼獨和存養的工夫所繼承，而形容爲「肫肫其仁，淵淵其淵，浩浩其天」（《中庸》），及「萬物皆備於我矣」，「上下與天地同流」的精神世界。

宋明理學的最大特色，乃在於把孔孟的修養工夫，更作意識地，集約地努力；簡單的說，即是以「靜時涵養，動時省察」的功夫，開拓出人自身的道德的精神世界；這在他們稱之爲「身心性命之學」，其具體內容，不期然而然地也是「渾然與物同體」的仁（程明道《識仁篇》）。程明道自己描述此一精神世界是「滿腔子是惻隱之心」。此一精神世界的開拓，只能靠以自己生命的活動作爲反省與克治對象的涵養省察的功夫，而不能靠思辨性的概念；所以程明道說，「若不能涵養，只是說話」。「說話」指的是概念性的陳述，這種陳述，完全是不相干的。內在精神世界由功夫加以開拓的結果，是「致廣大而盡精微，極高明而道中庸」；使人現實的生活，可以得到更充實，更豐富，更健康，更和樂；且要使其具體實現於個人力量所及之地，使外在世界，由此內在世界而加以建立，加以價值的轉換。總結一句，由提倡服用迷幻藥所反映出的三大意義及現代的要求，只有在孔孟程朱陸王的學術中才可加以解決。中國文化的復興，是因爲在「現代化」中需要中國的文化，此正其一例。但臺灣目前却流行一種「中國文化現代化」的完全不通的口號，這實際是取消中國文化，還說什麼復興呢？

（一九六八年五月十八日、十九日《華僑日報》）

經濟保護與文化保護

不論經濟與文化，都是在自由競爭中得到進步。經濟進步的消極標誌，便是落後的東西受到自然的淘汰。爲了免於淘汰，便不能不在技術、管理、推銷等方面去力求前進。所謂自由競爭，是不把經濟以外的因素，尤其是不把政治權力的因素，介入到經濟的活動中去。反自由競爭的最大特點，是官商勾結。而落後地區的經濟活動形態，便常常是官商勾結。自由競爭最先的考驗和成果，當然便是消滅官商勾結。

但在落後地區的經濟發展過程中，爲了自己的幼稚工業品，不致立刻受到高度發展的工業品的壓迫以致無法生存，便有時不能不實行某一程度的保護政策。保護政策，是通過關稅政策去實行的。但臺灣則更有「內銷彌補外銷」的口號，把保護政策更推向前一大步。這口號的意思是以高價買劣貨，把消費者口袋裏的錢，榨取到工業者的口袋裏去，以作爲「落後者」也能大賺其錢的保證。消費者沒有組織，當然也沒有進衙門，擺酒席等等的活動能力，所以這一政策是容易推行的。推行得徹底時，便是把徵稅所得的金錢，通過政府銀行，而大量賠補到應當淘汰的工廠上去。但臺灣太小了，以高價用劣貨的能力，以稅金賠補劣廠的能力，究竟有限。而由反淘汰所發生的阻礙經濟進步的後果，則是貽害無窮的。所以不能完全抹煞經濟保護政策的意義；但我認爲若運用不得其當，不僅成爲少數人去剝削多數的不公平，並且也可以斷送經濟建設的前途。臺灣主持經濟政策的人士，若能擺脫幕後的官商勾結的困擾，便很容易注意到這一點。

在經濟史上我們可以看到許多國家在某一階段上實行某種程度的保護政策；但在文化史上，我們却發現不出近代國家，也實行與經濟保護政策相平行的文化保護政策，其原因我想不外下述兩點：

㈠經濟上大量輸入外國的消費品，即是大量消耗本國的金錢。這種消耗，除了滿足人們一時的享受以外，就整個的經濟情形來講，是沒有收益的負債。因爲享受高級工業成品的人，很少因此而引起製造高級工業成品的努力。文化上若能輸入外國研究的成果，一經消化，必然在本國文化上發生新的影響，而此種影響的收益，絕對大於金錢上的消耗。㈡不論如何落後的人，都樂於享受最奇最貴的工業製品，所以可以成爲大量的消耗。但文化品的消費，必定相應於消費者的文化水準。我於民國四十年在日本東京時，有位日本人士和我說：「貴國代表團高級代表者的寓所中，充滿了現代的家庭設備，只是很難看到一册書。」就臺灣的情形說，愈是有錢的人，在文化上的支出便愈小，乃至完全沒有嚴格意味上的文化支出。所以在文化方面，根本不會發生消耗資本，消耗資源的問題。因爲上述兩種原因，只要頭腦正常的人，決想不到在文化方面，必要實行什麼保護政策。

可是臺灣在電影方面却正鬧着要實行保護政策了，這固然因爲電影是文化的，同時也是商業的；其他的商業品有保護，電影方面爲什麼不要保護呢？但保護政策的不斷提出，一方面是我們電影過分落後的心理反映，同時也是我們電影業者決心繼續落後的心理反映。因爲這是不需要保護，更是不應當保護的。

抗戰勝利後，日本影片的水準並不比我們的水準高。但以《羅生門》一片爲轉機，而他們絕塵以去。這幾年，和韓國的比起來，我們也相形見絀，自嘆不如。更怎能和西方的影片比？所以想來想去，只好要求政府實行保護政策。

但在臺灣和星馬一帶，有國片的天然市場，是外片無法競爭的。也有西片的天然市場，國片只能用更成功的作品去爭取，而決非用現時的低水準所能保護得了的。我在臺灣的家，一共有四個人，我的太太喜歡看國片，我喜歡看西片。但梁祝一片以後連看了幾次國片，現在又縮回原狀。兩個孩子只看西片，不看國片。對我的太太而言，不需要保護也會看國片。對我而言，在保護政策之下，偶爾賠太太去看一兩次國片，但也可能看到中途開小差。對我的兩個孩子而言，沒有好的西片，他們寧願不看。我的家庭是如此，一般社會，也不會相差太遠。國片進步，可以把我這一類的人爭過去。不進步，青少年在保護政策之下，只有向旁的方面活動；保護有什麼用？在政府說要管制粗製濫造的武打片時，電影業者又說要尊重市場上自由競爭的法則。保護與自由之間，以少數人的口袋爲準，運用得眞夠靈活。

電影是最普遍而又最有效的教養工具。它在文化上的意義，遠超過商業上意義，更遠超過少數不求長進者裝滿口袋的意義。賺錢是要賺此一大前提下的錢。一部好電影在教養上所發生的效果，不是爲了買進一部好影片花掉的金錢數字所能比擬的。電影水準的提高，也等於對國民教養水準的提高。壞電影可以導引青少年走入其他的歧途。對於中老年人來說，把大家欣賞好電影的機會，也因爲保障不爭氣的電影業者而犧牲掉時，這未免太不人道吧。文化上的官商勾結，較經濟中的官商勾結，將更爲醜惡。文化上的保護政策，乃是愚蠢殘酷的結晶。假定臺灣，有懂得文化的人，大概不會河漢斯言吧。

（一九六八年六月二十四日《華僑日報》）

從裸裸舞看美國文化的問題

有位日本舞蹈專家，在本年八月一日的朝日週刊上，發表了〈美國現代文化與GO GO〉一文，介紹美國從去年下季新興的一種名爲GO GO的舞蹈；我在這裏把它音譯爲「裸裸舞」。（按現時台灣譯稱「哥哥舞」。校後補記。）

首先，對裸裸兩個字，不可望文生義。他們之定名爲裸裸，正與達達主義（Dadaism）之定名爲「達達」，不約而同，乃是以沒有意義爲其意義。頂多，也只表示年輕人的精力及其發聲。這是一種沒有舞伴的獨人舞。各人隨便地站着，向任意的方向，以任意的姿勢，想怎樣跳便怎樣跳；一切舞蹈的步調、禮儀，在這裏完全不復存在。

音樂強烈而簡單，是以吉他和鼓音爲主的搖滾舞的調子。樂手都是年輕人。對於年齡稍大，而又懂得一點音樂的人來說，不會把這種喧嚷而零亂的噪音當作音樂。

到裸裸舞場裏去跳舞的，以二十歲以下的女孩爲最多，但也有二十到三十歲的女人和男子。大學生，是其中最大的主顧。在服裝上，只要穿一件襯衫，一條褲子，便很神氣了，很少有打領帶的人。他們從晚八時入場，跳到午前二時爲止。大家獨自地，一面跳，一面舞；有的像演啞劇，有的像演滑稽戲；有的閉着眼睛，好像快進入到無我的境界；又忽然張開兩手，發揮自我的熱情。這完全是「即興地舞蹈」。

爲了把握裸裸舞的意味，那位專家簡單介紹了舞蹈的歷史。據他說，社交舞是由法國路易王朝的貴族開始的，種類相當的多，步調在歷史中也有變化。但不論怎樣變化，作爲交際舞的基本型態，總是保留着。當初興起時，若干成爲一組，大家在一起跳。跳舞中的各種禮節，乃至應當如何去握住淑女的手，都構成跳舞中的一部分。舞伴非僅一人，是幾個人連在一起。有時在一間大廳中，全體舞客，按着順序作輪流的舞伴。在這種情形下，每人當然要遵守共同的節拍，不可以隨意亂跳的。

法國大革命後，交際舞轉移到社會民衆手裏去了；在貴族時代的各種麻煩的禮節，自然會加以簡化；每組的人數，也隨之減少；個人自由活動的餘地，也因而增加。假定有人中途停止，也不影響全體的構造。

第一次世界大戰後，交際舞又發生了一大變化。由多數人一組變爲男女兩人對舞；只要兩人的步調相合，不必顧慮到他組的步調如何；這已暗示跳舞的社交性、社會性，正在不斷地減少。但是每起舞一次，都規定有相同的步調，即使數百人在一個大廳之中，實際仍是互有連繫。

交際舞的中心，由法國移到英國以後，加強了社交儀式的要求。在一個大廳裏的所有各組，在跳舞中，都繞着時鐘指針進行的方向而旋轉，這是一種規律嚴整的新的規則。此一中心移到美國以後，變化更爲迅速。開始是大約十年便出現一次新步調，接着每五年，每三年，每年，都有新的步調發表。到了「輪巴」、「恰、恰、恰」出現，男女成爲一組的原則，已開始被輕視。二年前流行的扭扭舞，則男女二人，可以不握手成爲一組。但依然是相對而扭，依然保持了「組」的感覺。裸裸舞，則將由人與人所成的「組」完全破壞了。

裸裸舞，已不再是交際舞。它沒有任何社交性，沒有任何社會性。它是偶然性的舞蹈，是反社會的舞蹈。在這種反社會的舞蹈中，流露出年輕的一代，正反抗着維持社會秩序的一切規律，反抗着他們的上一代。這是現代文學藝術整個的趨向，也是現代精神整個的趨向，不過在美國表現得特爲明顯。這位舞蹈專家敍述到這裏，認爲由此可以看出新舊時代的不同；認爲美國的年輕人都是理想家；這種舞蹈，表面是頹廢，但實際並不頹廢；表面上是胡鬧，但潛伏着有建設的秩序。

我很希望這位舞蹈專家的看法是正確的。但現代文化，尤其是美國文化，有兩點特別值得注意。第一是由機械之力，把每一個人都緊密地揉進於各種集團之中：但每一個人又都要求和他所屬的集團乃至整個地社會，完全解脫分離出來。這有點像一個人的精神和自己的軀殼，兩相游離，兩相抗拒，這是一種健康的現象嗎？此種現象反映到文學、藝術中去，便把使文學、藝術得以成其爲偉大的「共感」，完全失墜了。失墜了共感的文學、藝術，會有它自己的前途嗎？

第二是科學、技術的飛躍發展，使人們的生活方式也改變得非常地快。於是一般二十歲上下的年輕人，也認爲精神的遞嬗，應當是同樣的快；由此而反抗一切傳統，反抗自己的上一代。越是浮在街頭上的年輕人，越感到他們應當以奇特的生活方式，表現他們是在代表新的時代。但眞正使時代發生改變的動力，乃是在研究室和工廠中埋頭苦幹，質樸無華的一批人；而這批人的成就，大概的年齡也要從二十七、八歲到五、六十歲之間。然則那些碌碌紛紛的二十歲上下的「理想家」，在時代進展中到底居於何種地位？佔有何種分量呢？裸裸舞，快風靡到香港台灣來，而增加兩地的西化運動吧！因爲這是最便宜的西化運動。

（一九六五年十一月十八日《華僑日報》）

復性與復古

時下風氣，一提到以儒家爲正統的中國文化，輒一概抹煞之曰：這是復古。復古不是反動，就是落伍。我對此感觸既多，故假本刊紀念孔子誕辰的機會，稍稍陳述沒有成熟的見解。

文化是由歷史積累而成。沒有歷史，便沒有文化。不承認中國歷史中之文化價值，即等於承認中國現時根本沒有文化，因之，也根本沒有精神。中國文化，固然有偏差、有流弊，需要大的洗刷，需要大的接枝接種運動。但豈有本身無文化、無精神的一羣白癡，而能擔任接枝接種的任務之理。疏導中國的歷史文化，把他眞正精神提出來，使大家先能成爲一個有自覺之人，因之，也便是能成爲一個有生命力之人，才能說得上對於世界文化，加以抉擇，加以吸收。歷史上凡在頹廢中能復甦其生命力，復甦其精神力，以創製新的文化，或吸受新的文化的民族，無不首先係從其最親切之文化系統中得所啓發。幾十年來，證明凡是對自己的文化，沒有一種虔敬之心、親切之感的人，他對其他的任何文化，也不會有虔敬之心、親切之感。儘管他口裏翻弄許多名詞，但實際上只是假這些名詞來文飾他「順軀殼起念」的一股衝動。科學與民主，喊了幾十年，在中國至今尚無著落，從這裏不難看出其眞正關鍵之所在。

至於說到有些人以尊重中國文化爲達到個人政治上社會上之不正當目的之手段；乃至僅靠中

國文化，並不能解決中國現在的問題等等，都是可以承認的事實。但這只有把中國文化中好的東西體認出來，提鍊出來，才能對上述情形，加以清理，因而對外來文化，加以融和吸收。現在一般人，他不先從自己文化的根子上去找出好的來，使自己站得住脚，而僅從自己文化的末流上去找出壞的來，爲自己的墮落解嘲。試問世界上有那一種文化的末流沒有渣滓？西方人並不因中世敎會的許多殘酷黑暗，遂一筆抹煞耶穌。而中國人則因爲孔子不曾爲他造好電燈汽車，以至抽水馬桶，便要打倒孔家店，這正是證明中國人的精神，脫離了歷史文化的支持，而歸於荒廢。

但是我們之尊重自己的文化，不僅是上述的意義。現在世界文化的危機，人類的危機，是因爲一往向外追求，得到了知識，得到了自然，得到了權力，却失掉了自己，失掉了自己的性，即所謂「人失其性」的結果。人失其性，則人類的愛無處生根，因此，安頓不下鄰人，也安頓不下自己。所以現在文化的反省，首先要表現在「復性」上面，使愛能在人的本身生根。因之使愛能融和于現代文化之中，使現代文化能因愛而轉換其價值。中國文化是一種以仁爲中心的「復性」的文化。提撕中國文化的眞精神，是一種「復性」「歸仁」的運動。這不僅是中國文化自己的再生，也是中國人在苦難的世界中對於整個人類文化的反省所作的貢獻。我親切的感到這一點，但我的學力，尙不夠說明這一點。現在讓我在下面先引兩個例子。

羅素批評共產黨的唯物史觀，認爲他只看到階級的經濟利害在歷史中的作用，而忽視了民族間以及民族內的感情——超經濟利害的感情，在歷史中的作用。他分析馬克斯學說之所以會由人類最高的理想，墜落到最黑暗殘酷的罪惡之根本原因，一爲敎條主義生吞活剝的應用其公式；一爲在馬克斯的學說中，缺乏了愛的道德感。其實，缺乏愛的道德感，這一點何嘗又不可以用到墮落的資本主義方面去。羅素眞不愧爲一代哲人，他總算把現代文化機體中所缺乏的維他命——感情、愛，診斷出來了。但在他的數理邏輯的系統中，在他的新實在論的系統中，愛是無法生根的。

其次，我最近讀日本哲學家田邊元氏的《哲學入門》，而更加深這種感觸。田邊元氏是日本有名的科學的哲學家。他認爲沒有科學以外的哲學。康德的哲學，是把牛頓的自然科學的成果，從認識上與以理論的根據。這是因爲自然科學者在理論上的不自覺，於是使哲學能另立門戶。現在科學的本身已經哲學化了，所以只有科學的哲學。這當然是繼承近代西方文化的正統而來的看法。但日本戰敗後，田邊氏一方既感於戰禍之酷，一方面復感於共產黨殘暴之可怕，而深切體認到這是由於世界人類中「愛」的缺乏。乃於一九四八年十月，在北輕井澤的山莊裏，以口講筆記的方式，仿照黑格爾的《歷史哲學講義》的體裁，重行寫出他這一哲學的體系，想在他的哲學體系中安頓下人類的愛，因而也安頓下，馴和下馬克斯主義的一股暴戾之氣。這便是現在問世的三册《哲學入門》。田邊氏的著眼，與羅素正復相同。而其用心之苦，較羅素或且過之。

但他在科學的哲學中，怎樣來安頓愛呢？據他的說法，希臘是觀想的人生，觀想自然，將自然的形式，由理性加以統一組織，所以，代表希臘科學的是幾何學。近代則係工作的人生，或者可以說是制作的人生，代表近代學問的是力學。對於自然不僅在旁來觀想，亦是自己進入於自然之中，以肉體工作，一面服從自然的法則，一面又使自然服從自己的意志，這樣才產生力學，才有近代的文明。由此可知愛要在近代文化中生根，便必須在力學上生根。于是田邊氏由力的原動及反動的原理，以得出力與愛的關係。他認爲強者消滅弱者，是力的本性。但是沒有弱者的抵抗，力的本身便無從表現，也便因之消失。所以作爲力的存在，是要有自己，同時還要承認反對自己的對方。換言之，即是要容許抵抗，容許對方。容許對方的事。田邊氏便在這種邏輯之下，把力和愛結合起來，以使愛能在代表近代文化的力學中有其根據。至於力何以能意識到要容許對方，要愛反抗自己的對方，而不一往衝擊下去，則田邊氏沒有告訴我們。我們於此，不必譏笑他的牽強附會，也不必像日本有的人罵他走入了虛無主義，而這只是說明近代科學文明中，實在無法安頓得下愛。世界的危機，既是出在缺少愛的上面，則要在科學文明中把愛安頓進去，田邊氏也算盡了很大的苦心，盡了最大的努力。

不過近代西方社會生活中，不能說他完全沒有愛。歷史上不會有完全沒有愛的社會。法國大革命，博愛即是三大口號之一。可是西方原來把愛的根子，生在上帝身上。生在上帝身上的愛，是超越絕對的愛，但也可以說是凌空的、外在的、難以捉摸的愛。這種愛，在人倫實踐中，缺乏經常而普遍的性格。即是說，這是山珍海味，而不是市帛菽粟。於是西方人的人倫日用之愛，只有盡情的表現在男女之間的關係上面。但是，男女的愛，還是個人互相佔有的成份居多，很難把男女之愛，推廣爲社會人類之愛。這種愛，可以滿足熱情的發洩，他的根本性格，還是屬於力學的。中國文化上之不太重視這種愛，其原因或者在此。

大家都知道儒家的學說，是以仁爲中心的。仁的粗淺解釋，是一種感通，關切，融和的精神狀態。所謂「仁者靈也」，「痲木」即是「不仁」，都是表示這種意思。對於自己個體以外所發生的痛癢，無端的反應於自己個體之內，好像自己的個體上也受到這種痛癢一樣，這便是仁的感通。由感通而關切，由關切而融和，而成爲一體。這種情形，表現得最眞切的，莫如人倫親子之間。「孩提之童，無不知愛其親也」，這時孩提之童對親的愛，沒有知識的支持，沒有利害的打算，可以說是先天的，無條件的，與生俱來的愛。這種愛，實際上已打破了親子的自然個體，將親子融合爲一。黃岡熊十力先生解釋「未有學養子而後嫁」，是因爲母親不知其與子爲二，所以無俟乎學，可謂道出此中神髓。儒家從這種地方來肯定人性即是仁，沒有絲毫的玄虛，沒有絲毫的牽強。完全是從人生自身的體認中，也可說是由人生自身的實證中所得出來的。並且宇宙間若沒有仁的感通作用，則上天下地，只是羅列着一個一個的死硬不動的互不相關的自然個體，而成爲完全「物化」的世界，沒有生命力的流注可言。於是生生的現象，都歸停滯；而宇宙的法則，也無從成立。所以儒家說人性是仁，是人的所以生之理，更進而認定宇宙的本體即是仁，而仁即是宇宙生成的法則。這樣便建立起完整的人生觀和宇宙觀。落到具體問題上，則仁既是最先顯發於人倫親子之間，所以首先便須踐倫；踐倫即是盡性。於是「人人親其親，長其長而天下平」。同時，這種踐倫盡性，實際上是否定自己的自然個體，打破自己的自然個體的局限，以發揮其感通關切融合的作用；所以眞正能踐親子之愛的，就不會停滯於親子之上，而會「人不獨親其親，不獨子其子」以成其大同之治。這樣，仁便完成了政治上社會上最崇高的目的。

儒家的仁，是與人性爲一體，是在人性上生根，所以仁的根子才生得穩固，才生得現成。「我欲仁，斯仁至矣」，此其中既無待於外求，也沒有絲毫虧欠。只要人能不失其性，即可以行所無事的「利仁」「安仁」。所以孔門是仁學，也就是復性之學。不復性，則現世界所迫切需要的人類之愛，總是虛懸搖擺，而落不下來，安不進去。

歐洲的人文主義，也是立脚在人性之上，並且自希臘以至最近，也可說是源遠流長的，則何以見得「人性」爲中國文化的特色。這裏應當了解歐洲的人文主義，與中國儒家的人文主義，有一個大的分際。而其分際。即在兩者究係如何去肯定人性的這一點。歐洲人文主義，大體包含三個意義。一是肯定人的現實，尊重人的現實。二是純化現實，重視敎養，使人能更成其爲人。三是尊重儀節交際，以建立人與人的規律。而其所謂敎養，也多是指能力及其他設施——如美術等——而言；所以文藝復興時期人文主義者對人格追求的理想，是多才多藝的全能之人。由此不難窺見西方對於人性，總是從生理開始凝集而發爲能、發爲力的這一點去肯定。這與中國從透出生理的凝集、局限、以與其他個體相通感的仁去肯定人性，有一個很大的區別。所以西方的人文主義，雖然在他的第三種含義中，稍帶有一點社會性；但他的本質完全是個人主義的。愛的人生，不能是個人主義。而完全的個人主義，也無法使愛生根。所以人假定有一個共同成其爲人之理，則只能從相通相感的仁上面去認定人性，而不能從相隔相對的自然生理上面去認定人性。因之歐洲的所謂人性，歸根到底，依然是屬於自然生理的。愛不能在自然生理的人性上生根，也正和愛不能在自然科學上生根一樣。

中國既是人性的文化，是仁的文化，則中國的歷史，何以還是喪亂相循，生民的疾苦不絕。殊不知仁的實踐，還是要物質的支持。孟子說：「使有菽粟如水火，……而民焉有不仁者乎？」可見儒家和宗敎家不同，並不否認仁要物質支持的重要性。中國的歷史，因爲智性不擴展，技術不進步，不能造出足夠的物質，以支持一仁的文化，這正是中國文化的弱點，這正是今日要急起直追的。何況其中還有長期專制的問題。但即使如此，中華民族，畢竟能度過多少苦難，以綿延迄今。畢竟能不以經濟武力爲背景，而能將周圍的許多民族，於不知不覺之間，融合成爲一個整體的四萬萬七千萬的大民族，並在東亞形成一個龐大的中國文化圈，這都是仁的文化所發揮的融和凝結之力。中國常能同化其征服者，此中關鍵，並不在於中國文化比征服者高，而係中國的文化，本是與對立者以融和的文化，是人性所固有的文化；征服者一樣有人性，一樣可以在中國文化中，得到人性的啓發。所以這是對於征服者的融化，而不是對於征服者的同化。中國鄉下的老太婆，就他的知識說，趕不上都市的小學生。但就他不識不知的許多溫厚的人情味來說，則這種人情味的道德價值，恐怕要超過現代許多的政治家、洋博士很遠。中國最高的道德——如忠孝節義等等，常見之於未受教育的愚夫愚婦之間。而不識字的慧能和武訓，其人格上都能上躋於聖賢之域，此在西洋便爲絕無之事。這是當然的，中國的道德，是植根於人性而無待外求的道德，他根本不是從知識上去建立的。

中國的仁的文化，落到現實上，是由融合感通而發生安定的作用。其流弊則沉滯、臃腫，以至墮退，而終於迷失其本性。這便是中國文化對中國現在墮落不堪的人所應負的責任。歐洲的力的文化，落到現實上，是由追求、征服，而發生推動向前的作用。其流弊則尖銳、飛揚以至爆裂。而人類的各種努力，適足以造成人類的自毀。這便是所謂今日世界文化的危機。所以站在中國人的立場來說，一方面應該接受西方文化，以造成能足夠支持仁的文化的物質條件。一方面應該由對於自己文化的虔敬，以啓迪、恢復自己的人性，使自己能成其爲人。

更以此而誘導世界，使世界得中國復性的仁的文化的啓廸，而在現代歐洲文化中，加入融和安定的因素，以造出更適合於人類自己的文化。這是東西文化的融合，也是人性本身的融合；人性是無中外，亦無古今的。由此可見我們之推崇中國文化，推崇孔子，不是保存國粹，更說不上是復古。不過此種用意，還是要迷途知返的人才能領略得到。

（一九五〇年九月一日《民主評論》二卷五期）

按此文僅代表作者開始在文化中摸索時的一個方向。一九七〇年十月二十四日校後記。

今日中國文化上的危機

今天是第一次上課，我想和大家說幾句閒話。

文化上今天最嚴重的問題，即是人的地位動搖了。中國過去有一句話：「人爲萬物之靈。」這一淺顯觀念的出現，是說明人本來是與萬物並生，未曾感覺到有什麼分別；可是，由於人類文化發展到了相當程度，因而人的自身有了自覺，却感覺到自己能成爲萬物之靈了。這一個觀念的提出，確立了人在萬物中的地位。嚴格的說起來，只有在人自己意識到了他自己所處的地位和責任之後，文化才眞眞實實地生了根。

西方希臘詭辯派始祖普拉塔哥拉斯（Protagoras）說：「人爲萬物的尺度，非存在與存在，由人決定。」他這一論點，從知識方面看，發生了極大的擾亂作用；因爲，若一切以人之主觀去作衡量，以我之是爲是，以我之非爲非，結果，知識的客觀性便完全失去了。然而，從另一方面去看，普氏的論點，却有一點值得注意：在普氏以前，希臘哲人所追求的只是自然哲學，只是去了解自然，而近乎忘了人自己的本身。普氏却從自然中，發現了人自身的特殊存在，也可說，希臘文化到此時才開始從自然中來確立人的地位。從這一點說，它在文化發展的過程中，正有其進步的意義。所以蘇格拉底一方面是反對詭辯式；但另一方面，却是繼承此派的趨勢，而想將希臘文化，生根於人的自覺之上。文藝復興運動的內容，世人多稱它爲「我的自覺」，日本朝永三十郎博士，著有《近代我的自覺史》，以說明近代是繼承此一線索而發展下來的，我覺得很有意義。在中世紀，神的觀念籠罩了一切，神的觀念湮滅了人的個性；經過了這一運動，而人的地位和責任，才重新得到肯定。畢可密朗多拉（Pico della Mirandola）說：「由世界創造者所創造出來的東西，都給以一個限定的存在……僅僅人能破除這種限定。」因爲他認爲人的創造者，特賦予人以自由的力量，上可以昂揚到神，下可以墜落爲動物。可以說，近代我的自覺的開始，便是找出人與物的不同之處，來重新奠定人的地位和責任；這用中國的舊名詞說，即是所謂「人禽之辨」。

這幾十年來，尤其是第二次世界大戰以後，風行一時的行爲心理學，專從刺激反應來解釋人的行爲，邏輯實證論則否定認識性以外的一切文化生活的價值。於是，兩千多年來，經過多少艱辛努力所奠定的人的地位，開始動搖、顚墜；他們認爲凡是不能數量化的東西，凡是超出刺激反應之外的東西，都是來自低於一般動物的迷妄；他們要求把人釘住在一般動物的位置之上，以便他們好作實驗、演算。自由世界二十年來，由這種學說的神話而動搖到整個文化的價值系統，我認爲這正是自由世界走向沒落的徵候。不過，他們究竟是在實驗，演算；而這種實驗演算的自身，另有其某一範圍內的積極意義。並且現時的邏輯實證論者，也不如初期的狂熱，對於他們演算範圍以外的文化現象，有如道德宗教藝術等，多轉而採取保留的態度。

我國有些先生們，聞其風而悅之；不做實驗，不做演算，甚至沒有讀通一兩部有關的重要著作，却本著「風聞言事」的精神，大吹大擂的說：「人和動物的界限已經沒有了。」所有關於文化的價値系列的東西，有如宗教、道德、藝術等等，他們只用三個字便覺得已經輕輕的打倒，即是這些都是「情緒的」；「情緒的」三個字，在他們成了萬能的核子武器，遇着什麼消滅什麼；他們不知道只有人類才能在自己的情緒中，發生一種自覺，因而從情緒中發展出一系列的文化，以建立人類生活的價値、尊嚴，及安排人與人的合理關係。他們以爲人禽不分，是他們的一大發現。其實，孟子不也說過嗎，「人之異於禽獸者幾希」？可見他不是早承認人與物是大部份相同的嗎？但是，人和物之間，究還有幾希的不同。中國的文化，乃至世界的文化，都是要求從人與物的幾希不同之點，擴大上去。

中國過去從事教育人，是叫人先了解人與物不同的地方，由此而向上；而現在若干中國人，却要大力的去否定人與物的「幾希」的不同，而要求把人當作猪狗一樣的處理。由此所表現出來的特點，即是否定道德，否定屬於道德這一系統的傳統文化。有的人，如上所述，輕輕用「情緒的」三個字，便想把它否定掉了。有的人則比較客氣，提出「知識就是道德」的口號，以爲只要求知識，不必講道德。中國文化，主要是道德系統的文化；而他們說這種話的目的，正是要人不必講中國文化。要講，也只能和地下發掘出的古物，作一樣的處理。不錯，知識與道德，是有密切關係。然而，知識與道德能成爲正比嗎？事實上，有知識的人，不一定有道德；有道德的人，並不一定有很多的知識。這種明顯的經驗事實，他們爲什麼可以閉着眼睛不承認呢？揭穿了說，他們實際還是要否定道德；最低限度，他們要把道德這一門學問，從現在學問的範圍中，驅逐出去。西方有些人這樣的主張，是因爲這不是在實驗室中或邏輯中實徵得出來的。所以，在西方的人的地位的動搖，是來自某些實證科學者的誇張或性急。而在中國，人的地位的動搖，卻主要是由於有些人爲了要否定自己歷史文化的價值。因而否定「中國人」的生存的價值。

人和物的不同，有人認爲在於人有自覺，而物沒有自覺。自覺可以表現在認識方面，也可以表現在道德方面，這本是從人身的兩個根源發出來的。但因爲二者的關係密切，所以中國人過去常以爲有了道德即有了知識；而西方則常以爲有了知識便有了道德；當然，其中儘有特出之士，能將二者分別淸楚。不過，西方在近幾十年的努力探索中，對道德與知識的各別範疇，有了更明確的觀念。像薩頓（G.Sarton），他是專門研究科學史的人，是國際科學史協會會長；他在四千頁《科學文化史》的鉅著序論中說：「希臘文明的終於失敗，這並非它缺乏智性，乃是缺乏了人格和道德。」這是從文化史研究中所得到的結論。如果說，知識就是道德，那麼，希臘智性的發達，道德也應該發達起來。卻爲何得出此種結論？可見從知識上建立不起道德的尊嚴。他並且解釋說：「我們所指的道德，不僅是個人的；而應當是公共道德……古代最高潔的倫理運動的斯多亞主義（Stoicism），也以同樣的理由失敗了。因爲他們是個人的，而不是社會的。」他在指出了從希臘到羅馬，基督教以愛爲中心的文化的發展，便是塡補了這一空隙之後，接着又說：「說起來，眞是慚愧得很，大體上，一般人當他把握住一個理念之時，常常拋棄了其他的理念，而把他所把握住的理念加以誇張。所以此時覺悟到慈悲是非常必要的人，卻不停留在那裏，而一下子得出慈悲萬能的結論。因此，他們不僅認爲研究科學是無益的，而且認爲是有害的。……人們要了解無慈悲的知識，和無知識的慈悲，同樣是無價值的，是危險的，要經過一千五百年的歲月；可是大多數的人，一直到現在，還是不了解。」這裏所指的一千五百年，指的是從希臘到文藝復興前的一千五百年的歷史文化的經驗教訓。再看愛因斯坦的《晚年思想》一書吧，全書分爲六部份：一、我的信條。二、科學。三、公共的事情（道德宗教）。四、原子力社會。五、人物評論。六、我的同胞。一個偉大的科學家，對人類是有責任感的；當然，對他自己的同胞，也會有更深的感情。道德和宗教，愛氏把它放在論公共的事情這一部分，是因爲一個人孤立在一個地方時，是無所謂道德的；道德的根源在個人，而道德的作用却是在羣衆之中，所以說這是公共的事情。他說：「過去一百年，科學的發展有極大的成就；但是，此一思維方式，很顯著地把人的道德感情弱化了。」他覺得當前人類的災亂，便從這裏而來。在他的書中，又提到在第一次大戰後，有一個人，想使一位荷蘭某偉大科學家相信：「人類歷史中，權力總是優先於正義。」這位科學家的答覆說：「你的這一主張，我無法證明是錯誤；但果眞如你所說，我便不願生活在此世界中了。」愛氏還在一篇演講詞中說：「所謂科學方法，只是教給人以諸事實相互間的關係，或相互間是怎樣的互相爲條件；除此以外，什麼東西也不能教給人。這種追求客觀知識的熱情，自是屬於人類所能作的最高尚的事。所以，你們各位在此範圍內所得到的結果和英雄的努力，我決不輕視；但是，和上面同樣顯然的事情是：『這是如此』的知識，並不能打開通向『這應當如此』的門，即使能明白，而完全的把握到了『這是如此』的知識，並不能從這裏演繹出人類的目標『應當是什麼』。客觀的知識，爲達成某種目的，可以提供強有力的工具；但目的的本身，及想達到此種目的的憧憬，不能不來自其他的源泉。我們的生存活動，只有設定這種目的，及相應於此種目的價值時，才能有其意義。眞理自身的知識（按卽指科學的知識）是很有光輝的；但它不能對人生作指導者的活動，並且連想證明追求眞理知識是正當而有價值的事，也不可能。因此，在此處，我們遇着有關存在的純粹的合理概念的界限。」愛因斯坦，在這種地方，分明指出人所以爲人的意義，正因爲在科學知識系統以外，還有一個人生價值系統；而從前一系統中，演繹不出後一系統，而是各有來源的。關於後一系統的來源，他指出是宗敎。但他進一步則不能不指出這些價值判斷，只能作爲「強有力的傳統而存在」，亦即是只有在人類的歷史文化中而存在。除了歷史文化，沒有價值判斷的根源。所以否定中國人存在的價值的人，他一定否定道德，一定否定歷史文化，在這種地方，我們可以十足的承認他們的邏輯修養。

對醫學生理學有深湛研究，並得過諾貝爾獎金的卡勒爾（Carrel），他綜合了現代一切有關人自身的科學研究結果，而著成一書，他的結論即表現在他的書名之上，《人，此尙未知曉的東西》。我們中國有些先生們，誰也不能證明他們曾實驗過些什麼，便覺得對人的自身都已經知道了，有關人自身的一切學問都被他們打倒了。人和一般動物的區別，他們認爲已經取消了。當行爲心理學者說「思想是來自人的舌頭筋肉活動」時，他們便無條件的說舌頭筋肉運動以上的東西，都是不科學的，都已經打倒；在他們心目中所保存的人類文化和人的地位，比極權主義者認爲能保存的還要少，還要低；這才是今日自由世界文化中的大悲劇。根據我年來的觀察，凡是惰性而又加上破壞性的口號，最容易受到青年的歡迎。因爲是惰性的，可以不要聽的人費氣力；因爲是破壞性的，又可以使聽者覺得我所不必費氣力的，都是無價值的，這便可以惰性得心安理得，並且可以滿足青年人自滿自大的心理，因爲他人辛勤努力的都是謬誤的，因而是比我袖手旁觀的地位要低一層。有人提出「封建文化」，「資本主義文化」的口號，青年人由此而可感到一切皆已打倒，所以可以無所用心，而一切皆已得到解決，一切皆已得到滿足。我們現在有些先生們則把口號更簡單化，只提出「情緒的」三個字，青年也能由此而可感到一切皆已打倒，一切可無所用心，而一切皆已得到解決，一切皆已得到滿足。在此風氣之下，關於人自身的學問，是沒有方法講的。史學，正是關於人自身的學問。

我說的話不一定是對的；但是，我要大家曉得這一時代的艱辛。我們講西方的學術，要找西方的原著看；講中國文化。要找中國的古典看；講社會人生，要拿現實的社會人生作印證。我們不要人云亦云，不要一知半解。要從根本上去求，從深度中去看。要這樣才能得到眞的學問，要這樣才能得到做學問和做人的信心。

（一九五九年三月二日《東風》）

儒教對法國的影響

日本文學博士後藤末雄氏，在一九三五年譯出法人布留格（Plu-puet）于一七八四年所著之《儒教大觀》（Observations sur la philosophie morale et politique des legisateurs cninois ）。他為了說明其所以譯此書的動機，特在前面加上一篇〈譯者之話〉，小標題為「儒教對日本及法國的影響」，向讀者簡單扼要底敘述儒教傳入兩國的經過及其所發生的作用。友人莊遂性先生見其可以印證吾輩平日對自己傳統文化之意見，特熱心借給我看；因《民主評論》出孔子誕辰特刊，乃趕忙將其摘要譯出。前段關於日本方面者全部割愛。僅譯有關法國之一部分，而亦稍有删節，改用現標題刊出，以供社會參考。後藤氏在此文中流露其對中國文化不能自己之熱情，而出以流麗清新之筆，譯者深愧未能保持其原作文字之優美與其情感之深厚。而年來莊先生與吾人互相討論有關文化問題，情摯識遠，尤使人時發鷄鳴風雨之思，謹此致謝。

—譯者—

讀者諸君：

已經從十六世紀之末（按似應為十五世紀之末），羅馬法王亞力山大拉（ Alexander the Sixth ）六世，嘉許葡萄牙敎會多年之忠誠，並信賴其海外政策，乃把東半球的傳敎事業付託給它。於是葡萄牙隨着對印度之征服而想利用宗敎之力，以收攬新領土之民心。羅馬敎會接受葡萄牙的要求，選擇設立不久的耶穌會派之僧侶，爲傳道而派往印度。這樣一來，十字架與大砲合在一起，對於遠東的殖民事業，收到了顯著的進展與成功。葡萄牙政府於一五一五年（明正德一〇年），設總督府于哥阿（Goa），建立遠東經營之根據地。更於一五三二年（明嘉慶十一年），在同地設司敎管區，奠定遠東傳道事業之基礎。葡萄牙更想把它侵略之驥足，伸向不遠的日本與中國。於是以宣敎師爲殖民事業發展之先鋒，繼續派向中國和日本。在日本者此處不談。耶穌會派的宣敎師，携着時鐘，望遠鏡，鐵炮，與夫天文，數學，物理，化學，醫學等最新的知識，進入到明朝。

中國人由於照例的攘夷思想，總會排斥此種異敎的傳道僧。但因爲他們所携帶的歐洲科學文明之利器，魅惑了未受近代科學洗禮的中國人，遂把他們作爲學僧，允許其留住於朝廷之內。此等耶穌會士，因其係轄於葡萄牙之管下，所以葡萄牙得與明朝締結親善關係，把廣東省的澳門租借給他，開始了對中國的貿易。此一事實，係葡萄牙的勢力被明代所扶植的明證。

及明亡於清，清聖祖康熙，爲中國史上少有的明君，這是不待多說的。他熱愛西方文明，尤其是科學文明，就明代以來繼續留朝的耶穌會派的學僧，研究西歐最新的科學。所以葡萄牙能繼續其勢力之發展。

當時，西洋與東洋接觸，正熱中於東洋之研究；所以葡萄牙所屬的耶穌會士，於傳道之外，研究中國之文物制度，送其報告於祖國。其報告分別出版，很有貢獻於西洋對東洋之研究；而使偏在一隅的葡萄牙得到巨大的商業利益與無比之光榮，成爲歐洲列強羨望之的。其時，恰爲法國路易十四的時代。它是近代史上歐洲的雄君，這是史論所一致承認的。

法國自夫隆薩（Farncois ）一世起，歷代國王，都愛中國的美術工藝品，飾之於王宮或離宮。尤其是路易十四，特魅惑於中國陶器之美，常憧憬於此遠東之一角。他對於葡萄牙教士所報告的中國精神文明，發生了興趣與尊敬之念，遂命這些教士，翻譯孔教的古典。由 Gouplet 及 Intorcetta 等合著的《中國之哲人孔子》（*Confucius Sinarum Philesophes*, *Paris*, 1687）在巴黎出版了，這是最早西譯的《大學》、《中庸》、《論語》。時恰葡萄牙之勢力漸衰，其殖民政策，爲英荷兩國所壓倒，對於遠東傳教事業，也不能像往日那樣盡保護之力。所以路易十四，悍然侵犯葡國之既得權益，於一六八五年（清康熙二十四年）派本國的耶穌會士六人到中國。交給這六名宣教師的任務，一是宣傳福音，一是研究中國文化。他們傳教的工具，依然利用歐洲最新的科學。

路易十四所派的宣教師，於一六八八年（康熙二十七年）安抵北京，拜謁康熙帝。他們中的張誠（Gerbillon）及白進（Bouvet），作爲康熙帝之侍講，奉仕於君側。他們貢獻了法國製造精良的望遠鏡，進講天文學之理論。此外，更及於數學、物理、化學、醫學，乃至哲學，旁及基督教的教義。

根據耶穌會士之著作文獻，康熙帝對於西學的態度，概以愛弄詩文之情來愛弄科學知識。僅對製砲及編曆的知識，發現其有利用厚生的價值。康熙帝得西歐科學知識之利而享之。而君側的學僧，則浴特殊的恩寵。一六九一年（康熙三十年）浙江省發生第三次迫害教士事件，但康熙帝相信基督教之眞純，及宣教士無不軌行動，並認爲他們以科學的造詣，貢獻於國家，尤其是當訂尼布楚條約之際，耶穌會教士，有折衝樽俎的功績，遂抑壓漢官之異論，得禮部之承認，於一六九二年（康熙三十一年）宣佈了准許人民信奉天主教之上諭。這樣，不僅法國耶穌會士，達到了年來的宿望，而路易十四所賦與的任務之一，也完全實現。以此爲介紹，清朝與路易王朝的交涉，由此開始。路易十四的畫像，獻上於康熙帝之前；法國的國情國威，也直達於康熙帝之叡聽，不久，巴黎成立了「中國公司」，其商船直達廣東，開始互市。葡萄牙之勢力，僅在欽天監之一角保其殘喘。

最後，第二的任務，即是，對于中國地理歷史、文物制度之研究的任務，法國耶穌會士，也盡了精勤刻苦之勞。他們測了《皇輿全覽圖》。更不滿於間接從中國人方面聽取其國情與文化，自己研究漢語文字，涉獵古今書籍，直接研究中國的文明。其結果，在巴黎出版了下列書籍：

㈠《中國現狀新誌》（1696）

㈡《康熙帝傳》（1697）

㈢《中國現狀誌：滿漢服圖》（1797）

㈣《易經》（1634—39）

(五)《中國通史：通鑑綱目》(1777—785)
(六)《耶穌會士書簡集》(1703—76)
(七)《北京耶穌會士中國紀要》(1776—1814)
(八)《中國帝國全誌》(1735)

讀者諸君：

把中國日本的事開始介紹與歐洲者，爲十三世紀之末，來到蒙古，在元朝作事十七年的威尼斯商人馬可波羅，今更無多說的必要。他在其《東方見聞錄》中，對於中國的富庶，宮殿之壯麗，都市之殷盛及其他，都以讚美之口吻加以敍述。其後，約經過二世紀，來到中國的葡萄牙宣敎士，也都激賞中國的國情與文化。現在所列舉的法國耶穌會士的文獻，就中國的宗敎、歷史、道德、政治、學藝、風俗、習慣、工商、地理諸項目，作詳細的介紹，暗中與自國之文物互相比較，而非常讚賞中國的文明。所以，在這以前看作是狂言浪語的馬可波羅的中國遊記，開始由法國耶穌會士加以肯定了。要之，把中國國情與文化，開始正確介紹與西歐的功績與榮譽，當然應歸之於法國耶穌會士。

他們的介紹很廣泛。此處不能逐一詳述。現介紹他們對於孔敎及基於孔敎敎理而來的政治制度，所作的評價之一端。

他們先承認孔子的敎理，都是從苦難之體驗中得來的。並且，孔子之門弟，有三千人之多，其中，出了多數的聖賢人物；孔敎古來即作爲國敎，不僅得歷代皇室之尊崇，且得一般國民之敬慕，徵之以上這些事實，他們認爲不能不承認孔敎之價値。尤其是，孔子誕生於基督前五百年，孔子應作爲世界最古之聖人，有佔第一位的權利，乃自明之理；而歐洲之知識階級，對於孔子之教理、經歷，固不待說；連他的存在都不曾知道，眞可謂不勝痛惜。《中國現狀新誌》之著者路・孔特，認爲「從世界各國的蒙昧時代，中國已經有了孔子，所以中國之學藝，早完成長足之發達，以致有現在燦爛的文化」。此一耶穌會士，並承認孔子之神格，而說在歐洲野蠻時代，遠東之異教國，已經知道了「眞的神」。更認爲孔子是爲了中國大陸改宗而體得神意所誕生的，在此異教聖人之中，有與基督相同的神性與使命。其他的耶穌會士，也都以孔子之教理，與希臘聖人的教理及基督的教理相一致，而極力讚嘆孔子。

法國耶穌會士更介紹基於儒教的政治制度之特異性，家族制度，德治主義，民本主義，一視同仁主義，及人材登庸之門戶開放，一代貴族制度，教育上之機會均等主義，在司法上之人格尊重，及農本思想與其政策等；要之，他們認爲西歐的政治制度，係基於主人與奴隸之關係；而中國的政治制度，則爲基於父子相愛之關係，因而斷定這才是能產生此種金玉美果的原因。加之，他們驚嘆於中國的文物制度，遠開始於四千年前，一直到今日；他們甚至主張中國最初的立法家，或者係神之自身也不一定。還有，中國民族，再度爲韃靼民族所滅亡。但此等戰勝國即元朝和清朝，却皆承襲漢民族的文物制度；由此等史實，而論斷中國文明的優越性。這樣一來，儒教，尤其基於儒教之德治主義，及康熙帝之名聲，遂宣揚於法國，擴及於歐洲全土。

讀者諸君：

法國耶穌會士，是爲了宣傳福音而來到中國的。並且孔子之教，從他們的眼裏看，是異端的道德；可以說是邪門外道。然而他們把異端的聖人，與基督同視；尤其是斷言中國人知道眞的神，這在他們的立場說實毫無道理。若是中國人已經知道了「眞的神」，則他們有什麼必要，迢迢萬里，來到遠東來宣傳福音呢？他們這樣的放言，不僅否定了他們自身存在的理由，而且不能不說是冒瀆了神，汚辱了基督教。其次，他們激賞基於儒教的文物制度，讚美異教國的君主，這也是對於邪宗文明的讚賞；畢竟是毀損了基督教的價值。可以說，冒鵬程萬里之險來到中國的傳道僧，沒有使中國人改宗基督教，反由中國人與其文化，使他們改宗儒教了。原來，當時基督教僧侶，固不待說；即一般西洋人，都確信基督教以外無像樣的宗教；基督教文明以外，無像樣的文明。所以，他們由文藝復興而接觸到古代文明之全面，不由得不大吃一驚。並且在文藝復興以後，他們這種傲慢之情，仍深入於紅毛碧眼人之心裏。換言之，西洋人也和中國人一樣，有其獨特的，與中國人程度相同的攘夷思想。然而，東西文化一經接觸，法國的耶穌會士，即叩頭於遠東的儒教文明之前；而中國人也看到鐵砲和望遠鏡，在西方科學文明之前拋棄了「中國第一」的觀念。然而，在達到這種調和過程之前，異族文化，常會相撥相剋。

科學文明之進步，是眼前的事實，所以不承認不行。但精神文明，實關係於民族固有的古俗，於是異民族的精神文明，常常是很難調和的。精神文明交通之際，尤其是宗教接觸之際，常發生人心之衝突外，甚至招流血之慘。所以法國耶穌會士介紹儒教文明於祖國，並且以美詞讚語，將此偶像教文明捧於基督徒之前的時候，在祖國的宗教界與他們之間，再度引起宗教的爭議，乃當然的歸結。此即所謂「禮儀問題」。

如各位所知，中國自昔即有祭孔子與祭祖先的禮儀。中國人若改宗基督教，則不能參加這種禮儀。因爲基督教斥此爲偶像教的禮儀的緣故。但若禁止中國人參加這種禮儀，則中國人必不改宗天主教，乃明若觀火之事。所以最初來到中國的傳道僧利瑪竇（Matteo Ricci）對中國改宗者之祭孔祭祖先，皆置之不問，認其不含有宗教的要素。另一問題，則爲中國人之「天」與「上帝」。此兩語是含有「造物主」的意味？或僅指的是蒼天呢？利瑪竇認爲乃「造物主」之意，而使用「天主」之漢語。

但較耶穌會士約遲五十年來到中國的多米尼克派（Dominica）與法蘭西斯科派(Francisco），嫉視耶穌會派在中國之成功，認爲祭孔祭祖先爲宗教的禮儀，認爲「天」與「上帝」爲「蒼天」之意。基於此種解釋，詰難耶穌會派之態度，而將其干犯信仰之事，訴之於羅馬的法王庭。因此，在羅馬惹起了大的議論。耶穌會士聞之，常從中國派代表赴羅馬，努力疏辨。要之，此問題關係於法王之解釋如何，每隨法王之更迭而或被承認，或被禁止。即被禁止，耶穌會士因在萬里之遙，也常我行我素。一直到十七世紀之末，此一震撼羅馬巴黎之大問題始漸歸於平息。

但如前所述，從十七世紀末到十八世紀初，法國耶穌會士研究中國之書籍出版，其內容，皆係讚美異教文明，遂引起「禮儀問題」之勃發，不僅法國的索本大學（Sorbonne，舊巴黎大學的神學院，今爲巴黎大學的文理兩院）及羅馬法王庭而已，且變爲全歐天主教國的大問題，甲論乙駁，宗派之爭，達於極點。然而因此問題，儒教不僅與法之宗教界密相接觸，且亦成爲一般知識階級研究之對象，這可說是儒教望外之幸運。研究儒教之書籍，不僅拉丁語，並且以各國語出版。其主要者如左：

(一)著者無名：《論中國哲人孔子道德》(1688)

(二)著者無名：《中國之哲人：孔子之道德》(1688)

(三)M・D・S：《中國之政治及道德之概念》(1729)

(四)克勒爾(Clerc)：《禹大帝與孔子》(1769)

(五)諾埃爾(Le P. Noel)：《中華帝國之六古典》(1784)

(六)黑爾曼(Helman)：《孔子略傳》(1785)

(七)巴多明譯(P. Parrenin)：《孔子之詩：自然法典》

(八)勒非克(Lesvlque)：《孔子之道德觀》(1790)

各書暫不加解說。這裏所應注意者，爲第七種巴多明譯註的《孔子之詩：自然法典》的這一部書。巴多明是充康熙帝之侍講很久的法國耶穌會士，向康熙帝講自然科學，尤其是講醫學的名僧。並且在將中國文化報告於祖國知識階級的學僧中，是最有業績的耶穌會士。但據我的研究，他並沒有這部著作。當然孔子也沒有「自然法典」這樣的詩文。就此僞書出版的這種事實來看，則孔子之教理，當時是如何成爲法國知識階級研究之對象，也可以想像得到。

讀者諸君：

如前所述，歐洲的科學文明，由法國耶穌會士之手東漸到中國；中國的精神文明，也主要由他們的仲介而西漸到法蘭西。這樣東西文化之接觸，使東西發生了許多精神的現象，而達到怎樣的結論呢？我相信這是很有趣味的問題。

據我的研究，從明末清初傳到中國來的西歐的精神文明，因與攘夷思想和中華思想相衝突，又與中國之風俗習慣相抵觸，到雍正時遂發佈了鎖國禁教之令。同時，傳到中國來的西方科學文明，因僅供皇帝享樂之用，也沒有結利用厚生之實。反之，從十七世紀末傳到法國的儒教思想，和中國的美術工藝品一樣，受朝野之歡迎，不僅與當時的時代思潮一致，予以大的影響，他們並且想適用於制度之上。

路易十四時代，僅國王與其周圍之貴族及僧侶有生存權，視庶民如土芥。當然，由基督教的博愛說，也有君民一致，庶民安堵等觀念，這是由當時的政治學說可以證明的。然這也不過是一片空文。尤其是歷代的國王，以侵略戰爭爲其天職。路易十四，幾度興無名之師，營造宮殿，絞盡國民之膏血。遂失國民之信望，他死時，巴黎市民爲之歡欣鼓舞。路易十五，眉目秀麗，實係一婦人型的國王；開始雖得國民之愛敬，但因志行薄弱，嬖倖當權，秕政百出，晚年遂物情騷然，汲汲不可終日。當時的宰相伯爾坦，腐心於國民精神之轉換，一日，拜謁十五世，奏稱，對法國的國民，有「接種中國思想」之必要。聽說國王很贊成他的意見。然則所謂「中國思想之接種」，其意義到底是怎樣，在我所參照的文獻中，沒有進一步的揭載。我想，大概是當時法國政府，想把儒家主要的忠義觀念，注入於國民，以圖發現當時政治之經綸。還有，歐凡將軍，認爲有改革稅制之必要，著《十一之稅》一書，據說也是模仿中國稅制的。

法國政府，正要把中國思想接種於其國民，以防備革命之勃發的時候，攻擊政府最力的是那些啓蒙哲學者，他們是思想界的新人。日本幕府之新人，腐心於洋學之移植；而路易末期之新人，則努力於儒教之採用……這眞可說是東西異軌的天下奇觀。他們研究新興之自然科學，認爲一切事象，皆由自然法則所支配。此點，與承認天禮天則之儒教思想相接近。他們承認自然法則的結果，已經否定了「超自然」，即否定基督教之神；他們強調基督教之欺瞞人心，產生宗教戰爭等許多的慘禍。他們既已否定神之存在，因而也否定國王之神格，誠係自然的歸趨。他們在法制上也使自然法與古來之教會法對立，從自然法之見地提倡性善、自由、平等，強調民本主義，仁愛政治，反對壓制政治。碰巧此時，法國耶穌會士所介紹的儒教思想，政治制度，雖不與其主張完全相合，但在其根底，在其廣泛之範圍，則與儒教思想一致。所以他們利用此異教思想爲攻擊壓制政治之武器。一言以蔽之，朝野共想利用儒教思想，而政府與民間，各以不同的立場，共鳴於儒教思想之一側面。啓蒙哲學者孟德斯鳩、盧騷、基多羅、克勒、馬布里、勒拿爾等，都談到中國思想；但最傾倒於儒教精神與中國之德治主義者，爲伏爾泰（Voltaire 1694—1778），他奉自然神教，所以否定基督教之神，即否定「超自然」之存在。因之，他訕笑「超自然」作用的神秘奇蹟等，而主張由於基督教之信仰，却發生個人之不幸與人類之慘禍。然而他敬服孔子尊重自然法則，不語怪力亂神，僅以道德感服人心。他在自己的禮拜堂中，掛孔子的繪像，朝夕禮拜不懈。在繪像之旁，寫左列之詩句，比較孔子與基督，讚美孔子而譏諷基督。

孔子僅是道理之解釋者。
他不迷惑世人，

而啓人心之蒙昧。
孔子是以聖人而說道，
決不以預言者而說道。
然而人不信他的教，
卽在他的自國。

伏爾泰感激於以儒教爲基礎的中國文物制度，特別感激於德治主義，而極力主張中國的政治思想及則制度，爲世界第一之法制。

恰在此時，有位布魯格教授，擔任道德與歷史之講座，通讀當時流行的中國哲學書類，偶發現了諾埃爾的《中華帝國之六古典》，想將拉丁文譯成法文；因忙於教職未果。此《中華帝國之六古典》的著者諾埃爾，是德國出生的耶穌會士，一六六七年初到中國，中間僅一度返歐，一直到一七〇八年左右還留在中國。他把《四書》，《孝經》，《小學》等譯爲拉丁語，以上名在 Pluquet 出版，布魯格教授老而退職，終譯成此書，於一七八四年出版於巴黎，在其第一、第二卷，附錄《儒教大觀》一文。這是他讀了前述法國耶穌會士之中國書籍，而想將儒教加以系統化。

讀者諸君：

我先前說過（本譯文略去），德川初期，儒教成爲幕府的官學，其精神風靡朝野，遂達成王政復古之大業。約在同時期，中國思想經耶穌會士之手，西漸到法國，其德治主義，民本思想，平等思想等，與法蘭西之革新思想相接觸，終於援助了一七八九年之人類解放運動。儒教思想，在日本或在法蘭西。發揮了可怕的威力，參與了打倒壓制人民的政府，這在判斷儒教價值上，不能不說是最應該牢記的現象。明治維新後，日本大開國禁，歡迎歐美人士，並派視察使及留學生於歐美，專心於其文明及文物制度之移植；外來文化輸入之盛況，恰呈奈良、平安二朝攝收隋唐文化之同樣盛觀。不過當時之中國，到明治時代，與歐美相交代而已。其後，崇拜西洋文化之時代到來，日本遂得到現在世界的地位。這早已是各位所知道的。

這種時代之進步，換言之。日本之盛運，來自完全採取歐美文明之國民的聰明，這點，任何人當亦無異論。然則這種聰明，係由何種要素所構成的呢？我想，大別可以分爲儒佛兩大要素。而儒教之要素，我想是要佔大的百分比。

因爲如此，明治初期之先覺者，儘管如何倡導排佛毀釋，強調文明之開化；但因爲有了儒教文明，才能攝收歐美文明。蘭學之先驅，青木昆陽，是伊藤東涯之門下。前野蘭化，杉田立白，也原來都是漢醫出身。所以不過與漢醫換爲蘭醫一樣的，漢學者轉換方向於洋學罷了。換言之，古來之外來文明，雖讓席於新來之歐美文明，從社會之表面下降，却在其裏面，發生消化的作用。而最近，古代之外來文明，稍復舊時之勢，又抬頭到社會之表面了。（以下尚有三段，係敍述他個人崇拜歐化，研究外國文字，不了解日本的事情，自覺「這是一種畸型的存在」。乃回頭來再讀日本的古典文字，發現儒教之眞價值，以至提出「中國思想之向法西漸」的論文，而達到「儒教當我國歐化時代，是社會之後景，所發生的作用巨大」的結論，乃至譯《儒教大觀》之動機等經過，從略。）

（一九五二年十一月十六日《民主評論》三卷二十三期）

文化上的重開國運

——讀《人文精神之重建》書後

開國要有開國的規模，要有開國的氣象。此種規模氣象，可以用《中庸》「博厚，所以載物也；高明，所以覆物也；悠久，所以成物也」幾句話作代表。博厚、高明、悠久，不是僞裝可以得來，必須出自內在的精神的自然流露。這種內在精神，在《中庸》指的是成己成物的「誠」，是來自最高德性的仁與智。仁是由物相通而與物同體；智是人物並成的能力。一個人的精神能與物相感相通乃至與物同體，自然會博厚、高明、悠久。博厚、高明、悠久，只是一種無限的生機生意，在上下與天地同流的流轉，使枯萎者得膏沐以復榮，萌蘖者得和煦以更茂。這種精神若在剝復之際，而落實爲具體的事功，便會重開國運，乃至重開世運。

現實的政治人物，不可能具備這樣的規模氣象。這種規模氣象，只能通過知識分子的文化思想中表達出來。現實的政治人物，但能以其稟賦之厚，天才之高，意識的或無意識的，與這種文化精神相承接，最低限度，不與此種文化精神相違反，便常可開百數十年小康之局。所以中國歷代開國的史實，常是由一種「豁達大度」的英雄與質樸的書生相結合。由這種結合所形成的氣象，縱然說不上博厚，也會比較篤實而寬和；縱然說不上高明，也會比較融通而了解；縱然說不上悠久，也會比較條理而從容。這就可化暴戾爲祥和，歸混亂於寧靜。

我們面對的變局，爲過去歷史所未有；所以若不能具備過去歷史上開國條件的，要想重開國運，固然是緣木求魚；即使僅僅具備了過去歷史上的開國條件，也未必能與當前局勢相對應。自抵抗日本侵略以來，我們在苦難中的掙扎，文化方面，不是沒有苦心的人，也不是沒有若干成就；但面對此一時代來說，總覺得知識分子所表現的心力和成就，沒有足夠的擔當力量。這不是從知識方面着眼，而是在由人格、精神生發出來的規模氣象上使人感覺和重開國運的要求不相配稱。因此，唐君毅先生近著《人文精神之重建》一書之刋出，不能不說是近年來在文化上的一件大事。

唐先生此書的目的，正如此書第一章《宗教精神與現代人類》所指出：是要「宗教精神，擔負時代之苦難，以求中西古今人文理想之會通，以解除此苦難」；並因此而「返本」「開新」，以達到一「創世紀的理想」。他寫此書的中心信念，是拿「人當是人；中國人當是中國人；現代世界中的中國人，亦當是現代世界中的中國人」這三句話來包括。第一句話是代表人的自覺，第二句話是代表中國人的自覺，第三句話是代表中國人對現代世界的自覺，並由中國人對現代世界擔當責任的自覺。誠如唐先生自己所說：「此三句話有說不盡的莊嚴、神聖、而廣大深遠的涵義。」其所以有這樣的涵義，實因這三句話的後面，蘊蓄著唐先生對古往今來無限的仁心，及由此仁心而來的無限責任之感，這是唐先生此書的基本動力。凡是虛心平氣來讀此書的人，都隨處可以接觸得到的。

唐先生此書的第一步工作，是在「疏導百年來中國人所感受之中西文化之矛盾衝突，而在觀念上加以融解」。第二步工作則在將西方文化最注重之「自由」與「民主」，中國文化最注重之「和平」與「悠久」四大人文的理想，加以融通陶鑄，以爲「返本」「開新」的具體內容。唐先生說得很清楚：「今日言學問，當不限於聖賢的仁義道德之學。科學、藝術、文學、哲學，皆是專門之學。」「皆可分別成一純粹的文化理想，與自由民主、和平悠久等併列。」「但只就社會人文之理想來說，則民主、自由、和平、悠久，便已足夠。人類社會有民主自由，和平悠久，然後個人宗敎藝術科學文學哲學之創造，乃可日進無疆。而個人之宗敎藝術科學文學哲學之創造，亦即所以成就社會人文之民主、自由、和平、悠久。」唐先生所採用的方法，不是演繹某一既成學說、原理、主義以推出結論的演繹法，也不是排比事實材料而抽出原理的歸納法，而是「直就吾（唐先生）之生此時代，居於中國，上承數千年歷史文化之傳統，外感世界思潮之流注，吾所親身應受之若干人生文化觀念上之衝突，而在情志上有所不安不忍；自覺此中問題所在，使此心沉入問題之中，甘爲諸矛盾衝突之觀念的戰場；再進而即於此戰場之中心，求修築縱橫交會之道路，以化除諸矛盾衝突之觀念，使之各還本位，和融貫通」。據我的了解：演繹法與歸納法，都是在建立概念，運用概念。概念是由具體的東西抽象而來；但任何觀念也不能是具體事物的完全表現。因此，凡是知道唐先生的人，都知道他有概念思辨的天才；並在唐先生此書中，實際也表現了極豐富的概念性的思辨；但當前由文化衝突所形成的人類災禍，決非僅僅是概念上的問題，而是有血有肉的廣大人羣的生活。概念不僅不能完全表達出有血有肉的生活內容，並且完全以概念來看問題的人，實際上對問題總是出之以觀照的態度，其精神不能和問題的血肉連在一起；於是對於問題的曲折、甘苦，始終是隔着一層的去測度猜想。這是處理人的問題與物的問題之不同的所在。唐先生的方法，是把自己的心，直接沉浸於問題之中，不是去觀照問題，而是在體驗問題，使具體問題的血和肉，與自己的血和肉相連；凝結千萬問題於一身之中，融解一身於千萬問題之內，這是自己入地獄以超渡地獄的精神與方法。他對每一問題之能曲折盡致以表達問題眞實之全貌；他的文章不僅是理智的陳述，而且是人格的呼喚；他希望中國人「能自作主宰，激昂向上」；而在他的文章中，正貫注著以自作主宰，激昂向上的力量，都是從這種地方來的。

以我的學識、修養、決不能在這篇短文內將唐先生此書的精神面貌，向讀者介紹於萬一。我只有再引《中庸》「故至誠無息，不息則久，久則徵，徵則悠遠，悠遠則博厚，博厚則高明。博厚所以載物也。高明所以覆物也。悠久所以成物也」這一段話來形容此書所流露出的規模氣象，而向世人指出唐先生在文化上已盡到重開國運乃至重開世運的責任。此一書的出現，不僅表現中國在最苦難的時期也並不曾絕望；而且是表現在苦難中的中國人能向世界表露一種「世界精神」，以貢獻於人類之創世紀。

四月三十日於台中市

（一九五五年五月四日《華僑日報》）

中國的虛無主義

虛無主義，可以說是危機時代的必然。人類歷史，是通過無數次的危機而前進。因此，在人類歷史中，也必然出現過各種型態不同的虛無主義，通過對各種虛無主義的超剋，而才使歷史的命運得以延續、發展我們的歷史也不會例外。

就現在可以看到的文獻來說，我國第一次出現的虛無主義，應當是西周的厲王幽王時代。此一時代的政治危機，及虛無主義的暗影，在《詩經》的變風變雅中，保留了不少的面影。其內容，則表現爲對傳統宗教的否定，亦即是對天的合理意志的否定。其政治上的結果，便是周室的東遷。而文化上的結果，則由春秋時代對於「禮」的信賴，以塡補宗教所否定後被留下的空虛，亦即是以「禮」來超剋了厲幽時代的虛無暗影，而把歷史的中心，由「王室」擴大向由諸侯所代表的「中國」，以繼續向前發展。

中國古代歷史上最大的變動，當然是由春秋進入到戰國的時代；而老莊的虛無主義，也正產生於此一時代，並在思想上發生了很大的影響。幽厲時代的詩人，只有虛無的情緒；到老莊，才使虛無的情緒，形成了有系統的思想。他們否定了作爲春秋時代精神的「禮」的價值，也否定了儒家所提倡的整個道德價值。不過，他們是上昇的虛無主義；把自己的精神，由現實社會中上昇到作爲萬物根源的「道」那裏去，以把握無是非、忘生死的整全世界，這即是莊子所說的「獨與天地精神相往來」的世界。在此一世界中，一方面，超脫了世俗的是非利害得失的價值之爭；但另一方面，因爲此一世界，是萬物的根源，所以同時即將萬物涵融於此一世界之中，而承認萬物有平等的價值。因此，在老莊的虛無主義中，即含有超尅虛無主義的因素，甚至他們之所謂虛無，同時即是對一般所謂虛無的超尅。《莊子・天下篇》裏，提出了內聖外王的道術之全，並對詩書禮樂法制等價值系統，重新加以肯定，這決不是偶然的。這是老莊的虛無主義與現代西方的虛無主義，徹底不同的地方。也是今日談老莊的人所不曾了解到的地方。

西方實存主義中上昇的虛無主義，或者可以齊克果作代表，他是由「無」而上昇到「神」。實存主義中下墜的虛無主義，可以沙特作代表，他是由「無」而下墜向幽暗的「深層心理」。在先秦，有老莊的上昇的虛無主義；同時也出現了受老子影響，却是向下墜落的虛無主義，這即是《莊子・天下篇》中所說的田駢愼到這一派。這一派的思想，從表面看，與老莊，尤其是與莊子，並無分別；所以傅斯年們，便以爲現時《莊子》中的〈齊物論〉，是出於愼到之手。殊不知他們雖然同樣的要去掉分別性的知識作用（去知），但莊子是從分別性的知識中，超拔上去，以成就一種「統觀的直覺」；這種「直覺」，不是知識而是智慧。愼到們則並不是由「超知」而「去知」，乃是硬要由「去知」以後，使人成爲像土塊一樣的「無知之物」，所以他說「塊不失道」；而莊子便笑他是「死人之行」。由他們的徹底「去知」，可以說是完全同於現代西方徹底反理智的虛無主義。但在兩點上，又與西方的不同。西方是以工業不斷變動的社會爲背景，所以西方的虛無主義，乃是激流中的虛無主義，其中含有很濃厚的火藥味，而常流爲恐怖主義。中國則以農業的社會爲背景，所以愼到們乃是靜態地，靜到像土塊一樣的虛無主義。其次。西方的虛無主義，是個人主義的極端化，極端到與社會絕對無法相容。愼到們則依然是立足於社會之上，而主張隨順於社會；並要求有一個均齊平等的社會；這即是他們的「齊萬物（社會）以爲首」。在這種地方，愼到們與莊子不同之點是：莊子是從高的地方含融社會，在超世俗中隨順世俗；而愼到們之隨順世俗，只可以稱之爲「尾巴主義」。其次莊子是上昇到「道」的地方去「齊萬物」，而愼到則下墜到「法」的上面去「齊萬物」。這便爲以後道家與法家的結合，搭上了一道橋樑。

在愼到以後的法家，如申不害，韓非之徒，逐漸向「古典的法西斯」前進；並且把自己的刑名思想與老子的虛無思想相結合。他們結合之點有二：一是把「虛無」說成人君運用權術的基本方式，使人君在臣下面成爲不可測度的「權力意志」。另一是反對人文價值，反對人文建設。但道家反人文，是要回到自然；而法家的反人文，則意在加重統治權力及刑法的效用。由此不難了解，在法家裏的虛無主義，不僅是下墜的，而且也是變種的。以變種的虛無主義，掩飾並加強古典的法西斯主義，通過秦國而進入於現實政治之中，取得在政治中的支配地位，這是中國歷史的不幸。所以商鞅李斯們在秦的大行其道，實在點像拉烏陵格所說的第二階段的虛無主義，即是「虛無主義的革命」。

西漢的政治制度，尤其是作爲重大的統治工具的刑法，完全是繼承秦代的，亦即是法家思想的結晶。自從曹參受到了蓋公的影響，而黃老之說大行，於是虛無主義與法家思想，又出現了第二度的結合。許多人以爲西漢初年由黃老的清淨無爲，而給社會以休養生息的機會。不過，天下之大，不是以清靜無爲作外衣，以刑法爲骨幹，所能休養生息得了的。漢文帝的休養生息，實際是受《管子》一書的影響。《管子》一書，包含儒、道、法三家的思想，其中很重視人文的價值；作爲漢朝立國根基的「孝弟」「力田」政策，漢文帝是取之於管子，這是一般人所忽略的。換言之，西漢初年政治的成就，是由對虛無主義的超尅而來，並非如一般人所想像的是來自黃老的虛無主義。接着便是董仲舒的推明孔氏，主張以仁義代替刑法，以學校施行教化，這才把一度中斷了的儒家道德性的人文主義，慢慢地延續下來，以形成此後歷史發展的支柱。

在中國歷史上，虛無主義取得了支配地位的時代，即是一般所說的，魏晉「玄學」的時代，這也正是歷史上重大危機的時代。東漢士風，個人砥礪名節，政治主持清議，可以說是從虛無中，完全超尅出來以後，重視實際，對現實負責的士風。但黨錮之禍，一時天下的善類幾乎被宦官殺盡了。繼之而起的又是漢魏政權嬗替之爭，是魏晉政權嬗替之爭，接著又是八王之爭；每爭一次，名士便受到一次慘戮；這便逼得當時的知識分子，由現實逃向虛無，以爲苟全之計。於是《老莊》、成爲當時最高的經典。

不過，正始（二四〇—二四六）時代的玄學，是以老子爲中心，與老子的本意也大體相吻合；並且把《易傳》及《論語》，也與老子的思想，會和起來，這大體可以說是上昇的虛無主義。到了元康（二九一——二九九）時代，則以莊子爲中心，但並不眞正同於莊子；他們所反對的是「名教」、「禮教」，這大體可以說是下墜的虛無主義。加以此時的門第已經形成，講玄學的多是屬於新貴族階級。於是他們從虛無的下墜，下墜到放任縱欲這一方面去，與老莊所張的「無欲」，恰恰相反。因此，可以說，老莊的虛無主義，是向內沉潛，向上超拔的性格；而魏晉的虛無主義，却是向外漂浮，向情緒上發洩的性格。

當時，自然也有不少的人，對此種風潮，加以反對，這可以裴頠的《崇有論》作代表。但這一部分努力，發生了文化中的制衡作用，並未能眞正發生超剋的作用。而《晉書・王衍傳》所述他被殺時的幾句話，正說明了此一虛無主義的歸結。他說：「嗚呼，吾曹雖不如古人，向若不祖尙浮虛，戮力以匡天下，猶不至今日。」

佛教從西漢末傳入中國，但到了魏末朱士行出而中國人對之始稍有理解。接著便是玄學佛學的會合；再接著便是佛學大行，玄學消解於佛學之中，佛學成了南北朝及隋唐的思想中心的勢力。但中國對於佛教的消化，實際是經過天台以至華嚴、禪宗，而始完全成熟。我們假定從另一角度看，從玄學向佛學的發展，可以說是從下墜的虛無主義，從情緒的虛無主義，走向上昇的虛無主義，走向向內沉潛的虛無主義。而華嚴、天台的出現，也可以說是在老莊之後，貫徹以宗教實踐之力的上昇的虛無主義的完成。「出家」的本身，即是虛無的徹底。我當然不相信華嚴及禪宗思想是出於莊子；但其中互相符應之處，明眼人亦斷難否認。

如前所述，上昇的虛無主義，依然可以含融若干現實中的人生價值；所以禪宗經過「截斷衆流」的否定以後，依然要回到「隨波逐流」的「平常心是道」的上面來，即是對現實的人生價值，要有某程度的肯定。但這只是消極性的肯定，不能由此以創立人文的世界。所以唐代佛學極盛，國力亦強，但在文化上，除了詩文以外，再沒有出現一個像樣的思想家，且終淪於唐末及五代的黑暗時代。當然，在唐代文化中，還有由《五經正義》所代表的系統，及韓愈們站在民族與人倫的立場，對佛教所作的反抗。這在當時所發生的效果雖然不大，但對以後的歷史的意義却是重大的。

宋代理學興起的重大背景之一，可以說是在對禪宗的超剋，亦即是在對上昇的虛無主義的超剋。是可以用程伊川爲程明道所作的行狀中的兩句話作代表。伊川說明道的學問是：「盡性至命，必本於孝弟；窮神知化，由通於禮樂。」孝弟是道德實踐的基礎；禮樂是羣體生活合理的方式與精神。本於孝弟以盡性至命，通於禮樂以窮神知化，則性命神化，成爲現實人生價值的根源及動力，不再是佛老的虛無的性質。使人生要立足於現實之中，在現實中實現人生最高的價值，這便把佛老的虛無性格完全超剋過來了。

中國還有爲大家所不曾注意的一種虛無主義，這是由孔孟所指斥的「鄉原」，再接上老子的末流，氾濫於政治社會之間的「唯官主義」。所謂「唯官主義」，是指把一切當作換官做的手段，犧牲一切以達到做官目的的人而言。這種人的口裏對於仁義道德、科學民主、歷史文化，無所不談；但在他內心中，清清楚楚的知道自己所談的，決無眞實意義，而被自己早已看穿了；他認爲眞實而不能看穿的，只是升官發財兩事。這是在表面上什麼也不反對，而在實際上却除升官發財以外，什麼也不相信，且什麼文化，都在他們手上被糟蹋淨盡的虛無主義。這不僅是下墜的虛無主義，而實際是爲西方所少見的最下流的虛無主義。陸象山曾說：「隨世而就功名者，淵源又多出於老氏。」這種老氏末流的變種，完全說明人性墮落的一面。程明道說：「不哭的孩兒，誰也抱不得。」從唐宋以來，一天猖獗一天的唯官主義才眞正是死了心的不哭的孩兒，比任何其他形態的虛無主義，更爲可怕。

中國從愼到以後，虛無主義的特性，常是有意或無意的附麗在另外一種事物之上，把虛無的本質，掩蔽了起來。淸代的乾嘉學派，內心都潛伏着虛無的暗影，靠餖飣的據訂，及標榜的聲名，來掩飾內心的空虛黑暗。而緊承五四運動之後的科玄論戰，却以吳稚暉的「黑漆一團」的人生觀收場，取得科學派全般的讚賞；而吳氏本來便是一個無政府主義者。這裏我不願進一步去分析，只簡單指出，中國悲慘的局勢，是「虛無主義的革命」與「虛無的唯官主義」，兩相結合的結果。而這種結合，是在歷史墮落時代非常自然的結合。

（一九六一年六月十九日、二十日《華僑日報》）

西化與色情

今天（七月三日）下午我接到來自中等教育界的一封信，前面是照例的恭維，恭維之後，出了「從翁林事件談到文化之破產」的題目，要我按照他的題目寫一篇文章。理由是：

> 近日報載彰化中學校長翁某之罪行，使我們文化之聲譽，掃地無存。更……運用其金錢的惡勢力（報載翁有千萬以上的財富），想顛倒是非，淆亂黑白，冀圖擊敗伶仃悽慘可憐的一弱女子——林翠松……翁林兩人的糾紛，我們無須多管閒事。但我們要伸張正義，抑制奸邪……以喚回今日之人心……就我所知道的，現在就有六七個校長，比翁某更壞……所以我們希望先生出而伸張正義，發為言論……

翁某與林翠松由姦情演變為傷害的事件發生後，彰化地方人士非常憤慨，發動簽名運動，支持女方林翠松。但臺北某大報發表評論，說「校長對女教員下手，何只一人」；意謂這是一種極尋常的事情，大家不應大驚小怪。這當然是針對上述簽名運動而發。接著翁某的小姐帶著律師招待新聞記者，轉而向社會採取心理攻勢，說林翠松把翁某與其未婚妻的私情，說成是與她（林）的姦情。接著報上發表翁某的未婚妻李某是六月三日訂的婚，却是五月三日在嘉義結的婚，這便增加了事件的神秘性。接著是翁某向法院提出控訴，說林翠松是自作多情的單戀。而報紙上的報導，似乎也漸漸接受某大報評論的指導。這是到現在爲止，事件發展的簡單經過。

臺灣前幾年，發生過一件似乎有點同樣的案件。有位男明星的太太與人發生了姦情，這位男明星便在氣憤之下，通了奸夫一刀，轟動了社會。當時表現在報紙上的輿論，都寄與這位男明星以同情。後來傷害罪雖然成立，但量刑則從輕。我的內心，也同情這位男明星，認爲不能完全忽視法律以外的因素。

翁某和林翠松的行爲，都是道德所不許。但社會心理，總認爲林是弱者。她對翁某的澆毒毀容是犯法的；可是在與翁某行爲對照之下，社會認爲這是弱者的反抗。法律上對林的判罪，並改變不了社會對此一案件的根本看法。因此，我便想到，翁某從訴訟中所得到的，是在法律上犧牲林翠松；但這種犧牲，並補償不了翁某自己臉上的瘡痕，只加深社會中的敵意。所以我不同意向我寫信的這位人士的觀點，認爲翁某可以「奪取不義的勝利」。不義總歸是不義，有何勝利可言。「多行不義，必自斃」，我勸這位寫信的義憤塡膺的人士，不妨冷靜下來，看看歷史爲一切人們所作的結論吧！

我對翁林事件的本身雖然認爲不值得評論；但也不免因此引起一點感想。

我曾經說過，決定國際形勢演變的，除了科學技術以外，還有人與人的關係問題。同樣的，決定一個國家的興亡，更必然地，要歸結到人與人的關係上。有的認爲維繫人與人的關係的是靠法律；但羅馬法未曾亡，而羅馬亡掉了。有的認爲維繫人與人的關係的是組織與宣傳，但現代極權主義自身的危機，正來自他們的組織、宣傳的流毒。我不否定法律的意義；甚至也不完全否定組織與宣傳的意義。我只想指出一點，歸根到柢，道德是在人與人的合理關係中成立的；所以維繫人與人的基本關係，只能是道德。

歷史上，不斷出現過反道德的時代。先是由統治者的行爲來反道德；接著便是社會風氣的反道德；再接著是知識分子在理論上的反道德。而反道德的開端，大概是先破壞男女的正常關係。因爲這是最容易迎合大衆的深層心理，並且又覺得這是無關宏旨的勾當。但一則是男女關係是人與人的關係的基點，所以中國古語便說「夫婦爲人倫之始」。在關係基點上的混亂，勢必影響到全面關係的混亂。再則是道德不道德的決定點，是在於一個人的心。心的活動有如在堤防之下的長江大河。男女關係的堤防點潰決了，在心理上也勢必引起全面的潰決。所以從中國歷史看，「荒淫」總是亡國滅家的重大原因之一；而追究古希臘、羅馬等民族的滅亡，又何嘗能離開「荒淫」二字。

二十世紀文化的特點，除了科學技術的突飛猛進外，便是反道德的性格。西方文化的根本危機，也正可從這種地方去把握。中國自命爲西化派的人士，忘記了西方由十八世紀到十九世紀，乃是科學倫理，齊頭並進的世紀；而以爲要發展科學，便須打倒道德。於是這些人的提倡科學是假的，因爲他們中間沒有一個人懂得科學；而打倒道德是眞的，因爲這是他們躬行實踐。並且打倒道德，更在無形中可以得到有力者在行爲上的支持，於是臺灣的西化運動，實際上便成爲向色情世界的昇進。「校長向女敎員下手的，何止一人」，旨哉斯言呼。西化在這一方面總算是成功了。

（一九六五年七月九日《華僑日報》）

成立中國文化復興節感言

一、從屈辱中的奮起

近數十年的學術，是向多方面發展。其中重大發展之一，靠考古、及碑碣、文獻等考證之助，對於人類湮滅已久的歷史文化，也得以重新發掘出來，作適當的評價，以滿足現代人的求知欲，充實現代文化的內容。日本去年文化活動的方向，有人稱之爲「歷史年」；即是：他們在這一年中，一面盡量擴展世界史的知識；一面把日本自身每一角落的傳統文化，都精益求精，詳益求詳地，從研究內容，到印刷裝訂，都提高到前所未有的水準，以與西方各國，爭一日的長短，藉以提高他們國家的地位。但臺灣數年以來，以一個書店和雜誌爲中心，對自己的文化和研究自己文化的少數人，展開了史無前例的誣衊、陷害。把孔子比作西門慶、魏忠賢；把讀中國書的人說是義和團。風氣所及，凡是以客觀態度研究中國文化而得到平實結論的人，都成爲社會嘲笑指摘的對象。毫無知識，毫無品格的人，只要罵幾聲中國文化，或加以冷嘲熱諷，便立刻成爲現代化的風雲人物。我可以這樣說，在人類所有的文化系統中，沒有任何其他文化，受到中國文化這樣的寃屈侮辱。沒有任何國家的文化人，受到中國文化人中誠誠懇懇地研究自己文化者這樣的寃屈侮辱。我常想，一個有長久歷史的民族，在國際上認爲這一民族的傳統文化，是一錢不值的；難道說屬於這一民族的各個人，在國際上還能值得半文錢嗎？所以用罵自己文化來出風頭的人，他所出的乃是漢奸的風頭，而決不是一個具有獨立人格的風頭。

在我們少數研究中國文化的人被臺灣的一種特殊勢力圍攻、誣陷、困擾的時候，現在因大陸上利用紅衞兵徹底破壞中國傳統文化，而激起此間的反省，由 總統蔣公決定以中山先生的誕辰爲中國文化復興節，其意義的重大，和我們私人內心的慶幸，是難以形容的。文化復興民族復興不可分。我希望眞正能由此而走上民族復興的路。

二、我想向政府講幾句話

第一、復興中國文化，不應當看作是一時運用的手段，而應當眞正當作我們的一種責任，一種目的。這種責任、目的的達成，必須要有堅實的文化政策，長期地貫徹下去。

第二、復興中國文化，要尊重中國文化中現實的批判精神。要承認中國文化的研究工作，有客觀的標準。對現實沒有批判精神的文化，是死僵了的文化，復興不起來。不承認中國文化在研究上有客觀的標準，認爲用欽賜翰林的方式即可達成利用的目的，這是把中國文化擯棄於學術範圍之外，這實際是毁滅中國文化。

第三、中國文化，不是孤立地可以復興的。它須要在整個文化努力中構成健全地、有機的一部分。同時、民主、科學，正是我們追求的大目標。我們在生活上所要復興的中國文化，一定是補民主科學之所不足，並進而成爲追求民主科學動力的一方面。一窩風的作法，必定成爲一時冷，一時熱的結果，這對文化而言決沒有結果。而誤認中國文化是與科學民主相對立，那更是一種不幸。

第四、應當認爲文化上的要求，重於私人酒肉的酬酢。尤其是在經濟中，不可有特權階級；在文化中更不可有特權階級。因爲特權階級的橫行，必然破壞眞正的研究工作，敗壞學術文化的風氣。

第五、現時中學的中國文化基本教材，意義重大。但在教材選擇方面，把許多可作明確解釋，並有現代意義的不選，却偏偏選擇些難作明確解釋，及沒有現代意義，或不易爲兒童青年所了解的東西在裏面，這似乎是容易改正的。

第六、文化復興的工作，是埋頭研究的工作；這種工作是許多人一點一滴的積累起來的。文化上的盜竊，乃是文化工作者的恥辱。例如對於王鴻緒們所修的《明史》，我們可以出《明史補》《明史糾謬》，乃至《新明史》。如何可以在原書上加一點什麼東西，便變成了張其昀們的著作？這種盜竊之風，在復興中國文化中，應一致加以聲討。

三、學術界的病根是在懶惰與取巧

我再要向學術界講幾句話。這些年來反對中國文化的，有許多藉口，例如它妨礙科學，助長專制，不可復古，不合時代精神，阻滯現代化等等。這些藉口的提出，追究到底，乃是來自懶惰與取巧的心理。因爲懶惰，不肯做嚴肅的研究工作，便經常以自由的聯想，代替學術中的眞正問題。因爲是取巧，便以反對中國文化的手法，掩飾他之所以不研究中國文化，是因爲中國文化一無價値。更使社會大衆，幻想凡是反對中國文化的人，反對傳統的人，必然是代表西方文化，代表現代化。其實這些人對任何文化；都是一無所知的。

在現代，任何事物都可成爲學問研究的對象，何況一個偉大的傳統文化。在文化發達的國家，只看你研究的結論，夠不夠知識的水準，而決沒有復古與現代化等問題。一個考古學上的發現，一個原始部落的精密調查研究，和經濟學、數學等一條新原理、公式的建立，會發生復古和現代化的爭論嗎？復興中國文化，首先是要把中國文化的每一部門，作夠知識水準的研究。離開知識水準而高喊「要適合現代化」、「要適合 時代精神」的人，是根本不曾沾過學術工作的邊的人。

至於傳統文化在現代生活中所能發生的影響，嚴格說來，是由某種知識後面的精神所發生的影響。而決不是具體事物的問題。難道說現在會有主張恢復手搖紡車，恢復獨輪手推車的人嗎？在精神上，只有自覺的深淺，並沒有古今的界域。一個人爲了塵勞暫息而欣賞一張古畫，或參加某種宗教儀式；和一個人去跳阿哥哥舞，乃至參觀一次現代畫展，難道說這裏便有復古與現代化之爭嗎？每一文化系統中，都有正負兩方面的因素。例如中國的倫理道德，在根源上是可以成爲民主的動力，也可以提供追求科學的動力。但在各個具體事象上，則有的是會妨礙民主科學的進展的。這種抉擇，完全要靠嚴肅的研究工作來作判斷。說到對人生的深刻啓示，不論中外，必然是來自古典的爲多，來自現代的較少，這種事實，更值得進一步去研究。

說到中國文化的價值到底在那裏？研究中國文學的方法與態度應當如何？有我們一部分的著作在，應當可以供有誠意復興中國文化者的參考。

（一九六六年十一月）

中國文化復興的若干觀念問題

中國文化復興的號召，一是由大陸上要徹底消滅中國文化所激起；一是因中國文化，百十年來，一直是在衰落之中。有不少的人，認爲中國文化，妨礙了對西方文化的吸收；則這種衰落，毋寧是非常可喜的現象。但是，在中國文化衰落的另一面，並沒有看出對西方文化的認眞努力；連嚴肅的翻譯工作，也停頓多年了。由此可知，我們文化的衰落，是整個地、互相關連地衰落。其次，在文化發達的國家，假定它有傳統的文化，斷乎沒有把自己的傳統文化冷置一旁之理。並且對人類歷史悠久的傳統文化的研究，與自然科學的研究，於不知不覺之中，形成了齊頭並進的形勢；自然科學研究的範圍，一天一天的擴大；對人類傳統文化研究的範圍，也一天一天的擴大。以西方歷史爲世界歷史的中心或「範本」的趨向，已開始動搖，正是研究擴大的必然歸結。總之，不論從那一方面說，中國文化的衰落，站在中國人的立場來說，不應當是一個好現象；因而中國文化復興的號召，也不能不承認它是一個有意義的號召。

中國文化之所以衰落，主要原因之一，是因爲文化界中許多有地位的人士，常常以個人「勇敢的態度」，代替「埋頭研究的成果」。風氣所及，社會只流行著不負責的口號，而看不到認眞的研究。這類口號，初聽好像很響亮；但稍加思考，便多是恍兮惚兮的自設陷阱。我在這篇短文裏，想對這類的口號、觀念，作若干檢討，不讓它絆住我們前進的脚。

中國文化衰落現象之一，不僅在世界的「漢學」研究中，中國的學者失掉了主導的作用；並且對於中國文化的看法，不能根據自己研究的結論，而只是想在西方人的結論中討便宜。研究自然科學，可以排除私人乃至國家民族的主觀作用；研究人文方面的東西，尤其是關係到不同民族、不同文化系統方面的東西，事實上不可能完全排除主觀的作用。莫爾頓（R.G.Moulton）認爲人們對於世界文學的把握，是「展望」式的，而不是「測圖」式的；這可以說是自然的、無可奈何之事。再加以西方人對東方人的優越感，和文字語言上的障礙，以及現代美國人的浮薄習氣。雖然他們可能由角度的不同，而提出若干新的觀點，但不可能要求他們能作堅實而深入的研究。日本原是屬於中國文化系統的，他們對中國文化的研究工作非西方漢學家所能比擬；但一深入到文化精神的內層時，他們同樣地無所措手。所以我們應當隨時留意世界對中國文化研究的動態、方法、結論，但不可以討便宜之心，無批判地信任他們的結論。這是我想首先提出來作爲共同的策勵的。

西方人士對中國文化的結論之一，是認爲中國宋、明、清的文化是同於歐洲中世紀文化的性格。著有《古代中世科學文化史》的薩頓（G.Sarton）在他大著的第一卷中，便堅持此一說法。若僅從自然科學和技術的觀點來看，此一說法，或有若干意義。但若從整個文化的基本性格來看，則歐洲中世紀是對神的信仰爲中心的文化；而宋明則是以理性爲中心的文化。與其說它是同於歐洲的中世紀，毋寧說他更近於歐洲的啓蒙運動的時代。所以西方的宗敎進入到中國來，不斷受到知識分子的抵抗；而西方的科學民主，進入到中國來，最低限度，並沒有受到知識分子的抵抗。以傳敎爲主要目的，却披著西方文化外衣的大量傳敎工作，阻滯了中國的科學進步，這是一種不幸的事情。

另一種是由唯物史觀、經濟史觀而來的說法，認爲中國文化是封建社會的文化，或農業社會的文化；不僅封建文化，應當歸於淘汰；即係農業文化，也會擋住工業化的進程，在目前也應處於被淘汰的地位。上面的說法，當然都有一部分道理。但是：⑴什麼是封建社會？中國是不是繼續了兩千多年的封建社會？首先要加以解答。⑵農業文化的社會組織，早在解體之中；農業文化的精神，凝縮的說，可用「孝慈勤儉」四字加以概括。此種精神是否在工業社會中便一無是處？目前社會的各種墮落現象，我以爲是來自農業文化者少，來自人類自身的弱點者多。我早就根本懷疑由農村而來的十大罪惡之說。⑶不管是封建文化也好，農業文化也好，都不能作爲否定研究工作的理由。今日的學術界，不論研究的對象爲何，或者以自然對象，或者以歷史文化、或現代社會爲對象，皆有一共同的特點：即是在研究者之前，只是如何發現問題，如何解決問題；並不要先問對象自身的價值。對象的價值是在發現問題，解決問題以後，一任讀者自由評定的。

除了上面所說的以外，更重要的是：中國文化的基礎，乃是由憂患意識所引起的人自身的發現，人自身的把握，以及人自身的昇進；這是由孔孟老莊以至宋明理學乃至中國化了以後之佛學的一條大綱維之所在。此一大綱維的性格，可以說是實存主義的性格。它不同於現代風行一時的實存主義，是在西方的實存主義，反省到了人的「下意識」，亦即是反省到了儒家之所謂私欲，佛家之所謂無明；而沒有反省到在人的生命的深處，更有良心、天理、道德、佛性，可將私欲、無明，加以轉化。所以他們便以私欲、無明，認定是人的主體之所在，而感到不安、絕望。這用中國文化的境界來說，他們還在「認賊作父」的階段。他們要眞正貫徹「實存」的自由解放，只有更沉潛下去，於不知不覺中和中國文化的大綱維接上頭，才可打開一條出路。否則除了反映西方文化、社會的危機以外，便不過像一陣風樣地飄走了。但對西方文化而言，他們總是提出了新的問題，新的方向。從這種地方，爲什麼不可對中國文化作新的評價？

還有一種流行的說法是，中國文化，是維護專制政治的文化；復興中國文化，會影響到民主政治的推行。專制政治，是人類歷史的共同過程。中國在統一的專制政治出現以前，中國文化已經形成了深厚的基礎。在統一的專制政治出現以後，雖然有一部分爲了適應此種政治形態而被歪曲；但二千年來，主要的文化動向，都是有意無意的，想在此一政治結構之下，能實行非專制政治之實。關於這一點我只舉兩事作例證：一是大家只要好好地讀懂董仲舒的《天人三策》，便不難承認他是想使專制政治的內容，作質的轉變。其次，韓愈曾經說作史的目的是「誅奸諛於既死，發潛德之幽光」。奸諛是眞正擁護專制的，潛德是專制下的犧牲者。韓愈的話，不僅是他個人的志趣，乃是孔子作春秋以「貶天子，退諸侯，討大夫」的史家的一貫方針。中國歷史上吃盡了專制中的暴君汚吏的苦頭，所以也寫盡了專制中暴君汚吏的醜惡。這是對專制體認最深，磨折最慘，掙扎最苦的一支文化。了解到這裏，才能解釋韓非爲什麼要痛恨詩書之敎，仁義之言？大陸上爲什麼要動員他的槍桿子和兩千萬的小孩子，來和衰微已極的中國文化拚命？中國文化的復興，必然地即意味著向民主自由的邁進。現代的兩大極權政治形態，都是來自西方而不是出自東方，這是鐵的事實。

還有人說，中國文化是泛道德主義的文化；復興中國文化，便會引發泛道德主義；在這些人的心目中，隨便什麼，加上一個「泛」字，彷彿覺得便對它宣佈了死刑。現存的人類五大文化系統，在它歷史的發展過程中，常有所偏重。這種偏重的情形，進入到近代，便不知不覺的以自然科學爲主流而受到了制約，受到了修正。今日復興中國文化的號召，決不是放鬆對西方文化的吸收、移植。並且文化的活動，在今日也受到有如市場供求法則的決定；活動的方向，必然是由市場供求的法則而形成一種分工狀態；因號召中國文化的復興而認爲即有偏中遺西之患，這是根本不了解現實的說法。

再就道德問題來說，假定承認道德即生根於每一個人的生命之中，而且是一種存在；便不能不承認「道也者不可須臾離也」的話。不過有時是「日用而不知」，有時則在不發生道德不道德的問題時，便隱而不現。但一遇發生道德不道德的問題時，立即由道德的主體——良心來加以判斷，這有什麼泛不泛的問題？又爲什麼害怕它的「泛」，而希望自己逃遁到黑暗的角落，不敢現形於天日之下呢？

最後要說到復古的問題。有許多人一談到文化復興，便聯想到復古上面去了，因而心存戒懼。對這一問題，應分作三方面來討論。

第一是知識方面　中國文化的復興，首先是要對中國文化的每一部門能得到一種確切的知識。這種知識，只應問它確切不確切，根本沒有復古不復古的問題。難說對甲骨金石的知識，便又到了甲骨金石的古代？許多人的頭腦，以爲研究了什麼，便會變成了什麼，這未免太可笑了。

在這裏可以引發另一問題，即是，在此種號召之下來研究中國文化，必定挾帶有民族感情在裏面，因而導致研究工作的不夠客觀，甚至導向「國族主義」，豈不很危險？何謂國族主義？國族主義有什麼危險？我都不能十分理解，這裏不去討論。我在這裏須要指出的是，據布爾克哈特（J.Burckhardt）在一八六〇年所刊出的《意大利的文藝復興》一書中，曾說明意大利初期的文藝復興，與其說是回歸向古代的希臘，毋寧是回歸向古代的羅馬。因爲對於意大利人來說，古羅馬文化，是他們祖先的文化，是他們的傳統；文藝復興，與意大利人的民族自覺，國民精神的自覺，有不可分的關係。所以他說「眞的文藝復興，是從意大利民族最深的生命核心所覺醒出來的」。此一時代潮流，表現在日耳曼民族，則由他們的神秘主義而直通向希臘的形而上學，結果則以路德的宗敎改革的形態來完成。由此可知，沒有民族感情，便沒有文化復興的動力。此種感情，乃人類所以能生存、延續、發展的基本條件之一，也是人之所以爲人的基本特徵之一。研究工作，理解能力，實以此種感情爲導引。而此種感情，在研究工作過程中也自然得到平衡。此種感情的橫決，必然是來自政治野心家的一時的煽動，而決非來自文化工作者之手。世界只有「同情的了解」，很難有「敵意的了解」。對本國文化懷有敵意者之不配談本國文化，較之對西方文化懷有敵意者之不配談西方文化，不僅是情境相同，而且其不配談的程度，只有過之。

第二是具體事物方面　過去與生活有關的具體事物，一遇到新的事物進入市場，便自然發生淘汰現象，任何力量也不能使之復古。在我十三、四歲以前，用手來紡紗織布，是我們故鄉的主要農村副業。但到我二十歲前後，已經被紗廠布廠的出品淘汰了。抗戰發生，對都市的交通隔絕，紗布的手工業又復活了起來；但抗戰一結束，交通一恢復，便又很快的湮滅了。這種淘汰，不是經過任何人宣傳的。但是在過去的事物中，若是屬於藝術方面的，或者是在日常用品中被淘汰，却隨時間之經過而成爲紀念品，或昇進爲藝術品的，則將隨國家的進步而必然要設法將之「復古」。我舉一箇簡單的例子吧！日本京都的皇宮，及少數寺廟，是用草和樹皮來代替瓦的；他們這幾年的修復工作，便費很大的力量，使能保持草和樹皮的原樣。花上一大筆錢，把紀念物修得面目全非，使它現代化，只有臺北市的文化人才想得出。同時，日本把已經絕種了的幾種手工業，尤其是織絹這一方面的，特別找到殘存的老工匠，把它重新製造出來，當作藝術品；並由國家特別加以獎勵。由此以推，我們應當復古的眞是太多了；但我們在知識上和經濟上能做得到嗎？這種古之不能復，還是說明我們的有出息？還是說明我們的沒有出息？請大家低下頭來想想！

第三是精神方面　眞有文化自覺的人，他的精神狀態應當是「古今同在」的；並且由古今同在的程度，來決定他的精神的深度和廣度。所以復興中國文化，在精神上，必然是復古的，同時也必然是開新的；復古與開新，從精神上說乃是同時存在。當愛因斯坦說今人的智慧，不及猶太敎的先知們於萬一時；當他在一羣科學家的面前，宣稱科學知識，對人類的行爲而言，是無能爲力，決定人類合理行爲的，還是靠不以人格神爲限的宗敎精神；他接著舉出了老子、釋迦等等。此時愛因斯坦的精神狀態，還是復古呢？還不是復古呢？我們譯爲文藝復興的Renaissance，是來自法文的re-（再）naitre（生）。十五世紀的一個收集古玩的意大利商人，曾說過「我要使死去的人們能再活轉來」的話；由這句話所代表的當時的時代精神，是人們要回到古典上去，使古典重新活轉來，所以後來便用Renaissance一詞來作此一時代精神的表徵。但古典的再生，同時即是「世界的發見」，「人的發見」；可以說這是名符其實的古今同在。這是什麼原因呢？因爲一個人，假定一面研究古代文化，一面又有時代的感覺，則只有能對時代精神發生充實或批評作用的古典精神，才會進入到腦筋裏去。時代在精神上須要充實，也須要批評；被時間選擇過了的，也可以說是被時間濾過了的古典精神，常常會充當了重要的角色。所以第二次世界大戰後，大學裏的通材教育，讀古典要站一重要地位。對時代不發生作用的古典精神，不可能進入到「時代人」的腦筋裏面去而發生作用。假定我們讀到《論語》上「發憤忘食，樂以忘憂，不知老之將至」；「吾非斯人之徒與而誰與」，「不義而富且貴，於我如浮雲」這一類的話，而有所感發，此時的精神狀態，還是復古呢？還是「古今同在」呢？所以我的結論是，眞正的文化復興運動，是須要認眞的去研究、體認，而不必先編出一些似是而非的口號出來，以作爲偷懶的藉口。

（一九六七年一月一日《出版月刊》二卷八期）

現在檢討起來，上面兩文，皆係多此一舉。一九七〇年、十二月二日校後補誌。

生活環境與知識發展的性格

驟然來到睽違了十五年的香港，發現高樓大廈，是這樣的巍峩；霓虹彩燈，是這樣的燦爛；橱窗的貨物，是這樣的豐富而動人；當朋友在晚上帶我到沙田畫舫時，簡直把我的童心復活了起來，是否神話中的龍宮，浮上了水面。科學技術的鉅力，用從來沒有過的速度，把世界加以變化；香港在變化的宏濤中，使我得到一個明顯到近於尖銳的對比，一下子把我這個鄉下人嚇呆了。人在這些變化之中，更顯得匆忙，更顯得渺小。

但心情稍稍靜下來以後，感到飲茶的還是悠閒而喧嚷地飲茶；在酒樓裏打麻將牌的還是鎭定而熱烈地打自己的麻將；由每一個人的表情去推測他內心的活動，也幾乎是都在翻印幾年、幾十年以前的活動圖案。原來科學技術，只變化了人所生活的環境；而環境的變化，並不一定意味着人自身的變化；人原來就是一種相當頑固的動物。不過，在這裏特別引起我注意的是，知識分子在這種環境變化中，對於知識的發展，是否也會受到某種影響呢？經過短期的觀察，感到假定知識分子因環境的變化而使他的生活得到某一程度的豐饒和便利，則少數好的知識分子所掌握的知識，會自然而然的脫離了思想性而走向技術性。爲什麼現代只有大量的知識技術家而沒有思想家，在這裏提供了一個說明的線索。至於多數凡庸的知識分子，在此種情形之下，生活的豐饒和便利，只有加速他們在知識下，尤其是在人格上的墮退。

去年十月，法國的實存主義者沙特帶著他的情婦波　，在日本旅行了一個月，發表了兩次講演，主要是把技術家和知識分子加以嚴格地分別。他認爲凡是安於現狀，只埋頭在自己書本上的工作的人，即使你所研究的是人文科學或社會科學，都只能算是供人利用的技術家，而不能算是知識分子。所謂知識分子，必須是對現行社會體制，作徹底批評的人。沙特的觀點，引起了正反兩面不同的影響。我的看法，他的問題，乃是出在他所要求的批評，只是站在新極權主義的一方面去批評資本主義的社會體制；而對於在新極權主義下面的知識分子的悲慘遭遇，却一字不提；因此，他的日本之行，目的只在從精神上挽回日本極權主義運動的頹廢，而他自己却道道地地的作了新極權主義者的工具。但他把技術家和知識分子加以分別，指出前者只作他人的工具，而後者則係對一個時代的負責者，並不是沒有意義。知識的技術化，有兩個特點：一是在非常狹小範圍之內，處理一點一滴的問題；而對於一點一滴的問題常常選定在與一個活生生的人，乃至一個活生生的社會，關連得最少，最好是全不相干的上面。另一是這種知識，既關連不到現實的人生社會；而研究者的動機、目的，也必然是要離開現實的人生社會。

知識的思想化，也有兩個特點：一是他們的研究，雖然也從一點一滴下手，但點滴的選定，多半是從活生生的人與社會的關連上，選定下來的。而選定研究以後，也一定要把許多點滴作爲材料，融合在一個完整的人，完整的社會乃至社會中的某一時代中間去。另一是在研究的動機，目的上，總會以自己生存的大時代作背景，因而常常是背負著自己的時代去作自己的研究工作，爲解決時代的問題而分擔一分任務。

科學愈發達，研究的對象便愈分化，研究的工作，也便分得愈細密，知識由點滴化而技術化，可以說是時代的自然趨向。但知識由點滴化而技術化，並不妨礙一個知識分子自己作爲一個完整的人而存在；也不妨礙有時跳出自己的小圈來看看人生、社會，從人生社會上得到若干啓發，對人生社會有若干責任感。現在知識分子的問題，乃在於知識因點滴化而技術化，而他自己的人生，也成爲一點一滴的人生；在一點一滴的人生中，認爲歷史也是一點一滴的，社會也是一點一滴的，所有的學問，也都是一點一滴的。這樣一來，世界只是由許多一點一滴的砂礫，以偶然的因緣，積聚在一起的世界。

這種現象的形成，主要是由於知識分子隨環境在變化中得到不斷的改善，大家因物質的過分供應，而把心靈向外的通路，於不知不覺之中，都堵塞住了；除了迎接不暇的物質享受以外，根本沒有可以引發追求學問的人生、社會問題。在這種狀況之下，知識分子，本來可以一事不作。但他們的物質生活，是以販賣知識換來的；爲了維持物質生活，便不能不繼續販賣知識。由點滴而來的技術性的知識，是在任何環境中最安全而又最廉價的知識。凡知識而夠得上稱爲思想的，一定是直接間接對人生、社會擔負責任的知識；也一定是有批評性的知識，因而也常常是冒著某種風險的知識；這是聰明人所不幹的勾當。何況「科學知識是沒有顏色的」，技術化的知識也是沒有顏色的。對於這一類型的知識分子而言，更多了一層聲勢。但是，支票是沒有顏色的，使用支票的人卻有各種不同的顏色。科學家從實驗室出來的知識是沒有顏色的；但愈是像樣子的科學家，必然的，是有顏色的科學家；因爲他們是人，他們有了思想。一個由貧乏環境突然進入到豐饒環境中的知識分子，技術化、工具化的趨向更爲顯著。董其昌也說過，當一個人過分吃飽了的時候，也正是一個人神昏思倦的時候，此時要弄，也只能弄點古董性的東西。而由貧乏突然進入到豐饒的人，也是最容易因貪吃得太飽的人。所以把校勘、目錄餖飣考訂這類的東西，在學術上提高到至高無上的地位；這是爲先進國家學術界中所看不見的現象。有的人很奇怪所謂乾嘉學派，爲什麼只有餖飣考據而沒有思想，這是因爲大家忽略了這後面的鉅宦和鹽商的背景。這些鉅宦鹽商豢養了你，而你還要講思想，勢必有「不識相」的重大嫌疑，斷乎是不可以的。此一學風之得以繼續囂張，是因爲有更大的鉅宦鹽商的力量。由古董性進而爲點滴的技術性，在本質上沒有兩樣。

太貧乏，不能有思想；貧乏而能有思想，一定是屬於在精神上能突破貧乏的聖賢或志節之士。太富饒，也不能有思想；富饒而能有思想，一定是屬於在精神上能突破富饒的大智大慧之人。順應環境所產生的思想家，多出於中產階級。中產階級在社會構成中之可貴，由此亦可見一般。但由這種環境所產生的思想家，不可能像前兩者的偉大深厚。屬於人的社會，一定是有思想，有靈魂的社會。我站在香港的層樓上看世界的知識分子，大家正在擔當那種角色呢？

（丁未年舊曆元旦《華僑日報》）

評陳著《四書道貫》

立夫先生大概因為我平生不好為阿諛之言，所以要我對他的大著《四書道貫》寫篇書評。說來很慚愧，我著的書，在書店裏多是冷貨；而陳先生的書，則真是洛陽紙貴，風動一時。我破例來寫陳先生的書評，在慚愧外，未免又有點蒼茫之感了。

以《論語》為首的《四書》，最主要的部分，是在體驗與功夫的互相推動中所流露出來的。體驗也可以說即是經驗。西方雖只注意「外的經驗」；但也有不少人提出「內的經驗」，這便與體驗的內容更為接近。但體驗與一般所說的經驗的不同之點，乃在於體驗是將經驗加以反省，提鍊，因而在生命中生下了根，在生命中得到了證驗的經驗。

功夫也可以說即是方法。但一般之所謂方法，乃是處理客觀事物所運用的合理工具與程序，以求將客觀事物，作目的性的改變。中國的所謂功夫，乃是以自己的生活、生命為對象，如何去加以發現，加以把握，並在發現、把握的自己理性不斷要求之下，來提高自己，擴大自己的一種努力過程。它的內容是涵養、省察與實踐。

體驗的深度與廣度，決定於人格的成就。人格的成就，決定於功夫的有無與深淺。《四書》是由以孔子為首的幾個聖賢，把他們由功夫所建立的人格，由人格所得到的各種體驗，以簡潔的語言表達出來的結晶。他們的起步還是經驗。但他們所說的，不僅是經過了反省、提鍊過的經驗；而且是在功夫的推動之下，由生命不斷地擴大、加深，以達到人之所以爲人，物之所以爲物的共同本質—性—的境界下所得的經驗。

了解到上述的意義，便可以解答下面三個問題：

㈠爲什麼在兩千多年以前所講的話，其中主要的部分，一直到現在還有價值？西方有人說過一句意味氣長的話，「知識是不斷改變的，而感情却是不變」。感情是發自生命的自身，生命的構造沒有變，感情也變不到什麼地方去。《四書》是由人格完成中及完成以後的生命根源之地所說出的話，那是由眞正發現了自己，發現了相關事物之眞際，所說出的話；所以他是永遠向人類呼喚，使人類不要忘失了自己的話。

㈡爲什麼《四書》的文字，在形式上非常零散，但在內容上却形成一個嚴密的系統？因爲《四書》的作者和古希臘的哲人不同，並不是先樹立一個著書計劃，把自己的思想，作有系統的組織，然後寫了出來。而是應機而發，稱體而談，常只說出體驗的內容、結論，無意加以理論化的話。他們的體系性，是來自人格的統一性，和生命的自然規律性，它不倚賴由思辨所建立的形式系統。

㈢爲什麼陳立夫先生乃是一科學家、政治家，並不是一經學家，而我却推重他的《四書道貫》的緣故，這是下面所要說明的。

義大利的哲學家克羅齊，曾提出只有現代史的有名的意見。他認爲只有在現代人的經驗照耀需求之下，古代史才能進入於現代人的研究、了解之中。所以被人研究而得到了解的古代史，實際是作爲現代史而重現。否則，歷史的材料，不得不保留在睡眠狀態之中。克氏的這一意見，可以用到古典的研究、了解上面去。

讀古典，當然要通訓詁。但並不是通了訓詁便算讀通了古典；尤其是對《四書》而言，更是如此。《四書》和詩書易禮等最大不同之點，乃在於《四書》中只有極少數的處所有訓詁上的問題。對《四書》的理解，主要是須憑讀者由人生社會的經驗上的反省自覺，以「追驗」到立言者當時的體驗。李二曲有《四書反身錄》一書，雖稍雜有一點禪的意味，但反求之於自己眞實的生活（修身之身，皆應作「生活」解），以求與聖賢所開示出的生活內容——體驗相印證，這是理解《四書》的唯一途徑。換言之，以自己的生活經驗去「追驗」聖賢所體驗的內容，這才能拿到理解的鑰匙。清人訓詁之功，遠過宋儒；但他們對《四書》的解釋，在基本上，還是不及朱注。原因便在於清人缺少生活體驗上的一段功夫。但我並不是說朱注沒有錯誤，尤其對孟子言心言性等處的錯誤更爲嚴重。這一面是因爲任何注釋，都要受時代的限制，所以卡西勒以爲古典須要在不斷地注釋中，而始能發現其光輝的。另一面是因爲朱子太相信那一套由思辨而來的形上學，常於不知不覺之中，用到《四書》的解釋中去，這便使二者之間發生了差距。但朱子一生的眞切體驗功夫，非後人所及；所以他的《集注》，在以自己的體驗印合書中的體驗所說出的，其眞切深厚，與《四書》自身，同有永恒的價值。

每一個人，都有其生活經驗。每一解釋古典的人，不管他標舉的是任何旗幟，都有各人的生活經驗，在訓詁選擇及文字了解中發生大的作用。清人注釋《論語》的，雖然缺乏人生體驗的功夫，但許多人還是有志於聖賢，做人也多近於平實。所以他們的注釋，只是泛而不切，尚少離經叛道的怪論。現在有不少的名家，他只有自私自利，乃至有許多不可告人之私的生活經驗。他們爲了美化自己的這種生活經驗，以使欺騙一些不能用頭腦的人，維護並增加自己的自私自利，便把《四書》中許多極爲明顯的字句，附會歪曲得與他們自己的生活經驗，是一般無二。聖人既與他們同其醜惡，所以他們就是聖賢。若干名家的注釋，可以說是肆無忌憚，浮薄佻達，原因正在這裏。這又是淸人所夢想不到的。因此，對四書的理解，必由訓詁追到人生的體驗，更由人生的體驗而追到注釋者人的自身，乃必然之勢。

我過去沒有與立夫先生同事的機會，除了三十六年在上海同在一棟房子裏住了兩個星期外，也很少親近的機會。但這十多年來觀察他「居夷處困」的情形，則孟子所謂「富貴不能淫，貧賤不能移，威武不能屈」，庶乎近之。他的注重《四書》，主要是因爲他在肩負黨國重任中，遇到了許多困難問題，並要解決這些困難問題，而引發了自己的反省，由這種反省而發現了《四書》的意義；所以他走的正是由人生社會經驗的反省，以通向聖賢體驗的一條正路。雖然他向內沉潛反復的工夫，恐尚有所不足；但他所涉及的經驗的廣泛，及對黨國的眞實責任之心，實足以彌補上述缺點。因此，他著的《四書道貫》的第一特點是平易親切，有的地方使人感到聖人好像正對着讀者講話。古典的大衆化，乃最不容易的事情。我最怕學生看《四書》白話註解這一類的東西；我不是反對白話註解，而是反對許多註解者的勇氣。從這一點，陳先生開闢了比較可靠的古典大衆化的道路。

其次，立夫先生在四書中把握到了誠、仁、中三個基本觀念，以作爲貫通的眞實內容，這是非常有意義的。尤其是他在誠意編中，說中庸的誠，即同於宗教中的上帝；這一發現，意義更爲深遠。我感到還値得再加以發揮。

第三，本書在結論中，很扼要的把許多人對中國文化所造成的人爲障蔽，很簡明地打通了。有如中國文化與科學問題，中國文化與民主問題等等。這在復興中國文化上，有極重要的意義。尤其全書中對現實人生、社會、政治各方面的陳述，實際都作了針對現代的指點，而發生了提撕、警覺的作用，應當可以引起讀者深切的反省。

當然，此書內容並不是沒有値得商量的地方。例如立夫先生承朱子之說，以爲《大學》是出於曾子，這從今日研究的結果來看，恐怕有問題。據我的考證，此篇當出於秦統一天下以後的儒者之手。是先秦儒家發展完成之作。但這對於它的內容是沒有多大的影響的。其次，從《大學》「致知在格物」這句話來看，致知與格物，應當屬於一個層次。而致知的知，乃是通過聞見以成就知識的知；它與「德性之知」，是屬於不同的方面，或屬於兩個次元；所以程子曾說過「德性之知，不關聞見」的一句偉大的話。知天知命知性，乃表明德性的超經驗的最後到達點，也即是正心誠意的最後到達點，所以孟子說：「盡其心者，知其性也。知其性，則知天矣。」因此，假定原著把格物致知列爲一篇，而把現在〈致知篇〉中知天命這一類的材料另歸入到〈誠意篇〉或另成立一篇，在條理上或更爲淸楚。還有少數的語言，表達得不太善巧。例如「誠爲道德之原動力」。容易使人誤解誠與道德爲兩物；實則誠的自身即是「整全的道德」；誠之力，即道德之力；誠之動，即道德主動之體；所以說「誠者自成也。」我想，這一類的，乃是表達之不夠善巧。但上面的意見，乃是我個人研究所得的意見，是尙在討論中的意見。對此書的全般價値，是毫無所損的。

一九六六年十一月二十六日於臺北市青年會旅次

（一九六七年十一月《華僑日報》）

中國文化的研究與復興

我非常希望靠中國文化吃飯的人，肯以眞誠客觀的態度，從事於自己在職責上所應有的研究工作。也非常希望有時間、機會來研究中國文化的人，在談到文化問題時，不要利用發表上的便利，便輕率地作完全出於「想當然耳」的主張。至於復興不復興，應當由復興的涵義來加以決定。

一個研究工作者，只是由求知的衝動，要求對於自己所接觸到的對象，有一種正確的了解；這種正確的了解，從整個的文化來說，這是任何時代所要求的知識上的積累。假定復興即是「再生」，而「再生」的範圍，指的僅是「知識的世界」，則每一成功的研究工作，皆可使其被研究的對象，再生於研究者時代知識世界之中。例如對「北京人」的研究，即可使北京人通過研究所得的正確知識，再生於現代史學家之中。因此，每一研究工作，都是復興的工作。研究工作沒有限制，文化的復興，當然也沒有限制。反過來講，沒有研究工作，則歷史上的文化，皆不曾爲我們知識所喚醒，因而它是存在於我們現世界的「彼岸」，與我們的現世界，渺隔山河，那有什麼復興可言呢？

但一般人所說的文化復興，在朦朧的意識中，指的是「行爲的世界」，即是，希望歷史上的文化，再生於我們現實的行爲世界之中，對我們的現實生活能有所裨補，有如所謂「世道人心」之類，這樣一來，則研究工作，並不完全關涉到復興的問題。例如我們研究北京人，決非要使北京人的生活，再生於現代生活之中；研究專制政治，絕非要使專制政治，再生於現代政治之中。研究工作的本身是知識性的，因之也是無顏色的。對研究所得的成果，作價值判斷，判斷出對我們的現實生活有無益處，實際上須要有一種精神上的轉換。站在純研究者的立場，可以置之於不問。

從五四運動以來，中國在文化上居於領導地位的人們，實際是打斷了中國文化的研究工作。科學、民主的要求，口號，何嘗始於五四運動？這是稍有中國近代史常識的人應當可以承認的。由五四運動的愛國動機，爲了進一步實現科學與民主，而對中國傳統文化應重新評價，這是當然之事。但這種重新評價，必須通過深入地研究而始有其可能。要作深入地研究，首先要科學與民主的精神，實現在研究工作的態度之上。

科學精神應用在研究態度之上，必須是客觀的、謹嚴的、把經過研究所得的結論，與未經過研究所發生的臆見，劃分得清清楚楚。研究到那裏，才說到那裏。民主精神應用到研究態度之上，必須在研究者之間，可以作平等而平情的討論，尊重反對的意見，隨時修正自己錯誤的意見。但是五四運動的人們，只根據他們預定的結論，來對付中國文化問題；即是他們以爲不先打倒中國文化，便不能實現科學民主的預定結論。於是他們運用一切粗暴誣詆的手段，來對付中國文化及中國文化的研究者；樹立一個堅強派系，覇佔重要學術機關；並乞靈於外國的金錢勢力，治學閥官僚爲一體。

吳虞一提出打倒孔家店的口號，胡適立刻捧他爲老英雄；顧頡剛說夏禹是一隻蟲，胡適立刻昇他爲門徒中的首座。錢玄同主張不僅應消滅中國的文字，並要消滅中國的語言，胡適立刻援引爲自己學派中的重鎭。胡適自己則宣佈他之所以研究「國故」，是要使中國人以後永遠不想到「國故」。換句話說，他所提倡的新漢學，乃是在徹底打倒中國文化的預定目的之下進行的。可惜，他們的科學，即是他們在文化上的獨斷；他們的民主，即是他們在學術裏的獨裁。而他們的西化，則除了「擁護」的口號以外，追問到實際內容時，只能用「嗤之以鼻」四個字去表達。過去對西方文化眞正作過研究工作的人，都是遠離胡適陣營的人，這即是鐵證。

今日試向各大學的中文系、歷史系、哲學系裏，問問教中國課程的先生們，中國文化各有關部門的內容，到底是什麼？我相信十之八九，都是瞠目結舌，不知所云。中國的歷史文化，已經在中國知識分子的知識世界中完全消失了。這就是胡適這一派的五四運動的眞實後果。因此，復興中國文化的第一義，應當提倡以科學民主的態度作各方面的研究工作，使中國文化，再生於現代的知識世界之中。不提倡研究，而僅以擁護的口號，代替打倒的口號；並且把這當作一種權利，而「凡是權利都是屬於我的」，其結果或較五四運動中的胡適派更壞。

使傳統文化再生於行爲世界之中，有其可能嗎？由我這些年來研究所得的結論，敢肯定的答覆，有其可能，也有其必要。但必須有一個先決條件，即是我們要在個人、社會、政治等現實生活中，發現有了什麼缺憾；而這種缺憾，正妨礙了人格的上進，妨礙了共同生存的發展，恰在中國文化中發現了可以彌補這些缺憾的啓示與方法，此時中國文化，便會在行爲世界中再生，而成爲現代人的一股力量。中國文化，只能在現代人的生活需要中，才能再生於行爲世界之中。

換句話說，當發現中國文化中某些成分，對現實的某種生活，是一副去穢生新的藥劑的時候，中國文化中的某些成分，便眞在現實的行爲世界中再生了。

若是把它當作客廳裏的花瓶，或神龕前的供品，乃至口頭上所運用的阿諛工具，則中國文化只會逃回深山大澤中自守其純樸。在憂患中生長出的中國文化，在以人格爲支柱的中國文化，其不能充當花瓶供品，尤其不能當阿諛的工具，這是由它得以成立的本質所決定的。

（一九六七年九月二十七日《華僑日報》）

人文研究方面的兩大障蔽

——以李霖燦先生一文為例

我們學術上的落後，在人文方面的情形，較在自然科學方面更爲嚴重。因爲在自然科學方面，雖然與世界所達到的水準，有很大的距離；但作研究工作的人，畢竟還是在正路上向前走。人文方面的研究，乾脆說，很少能「走上正路」的。其所以如此，除了偷巧懶惰，及因小利而出賣靈魂，失掉獨立自主的研究精神以外，還有兩大障蔽。一是「自我中心」；一是反理論反思想的傾向。

我這裏所說的自我中心，指的是許多人，不僅以自己的生活態度作評論古人的標準；並進一步認定古人的人格、學問，都會和自己一樣；凡把人格、學問，說得比自己高一層的，便可以斷定那必然是假的。自己是順著情欲去生活，就千方百計，說孔子孟子也都是順著情欲而生活；自己的生活情調是黃色的，便認定聖賢的生活情調也一定是黃色的；否則不成爲聖賢。這樣一來，復興中國文化，便是供奉這些現世的黃色聖賢；因爲他們與孔孟是一般無二；而孔孟沒有出過洋，更趕不上他們。不把自己的知識、人格，順著前人、他人所已達到的水準，向前面去追，向上面去提；却千方百計，把前人、他人所已達到的水準，向下面拉，拉得與自己一般無二，這是我所說的「自我中心」。在今日「自我中心」橫決的現象之下，還有何學問可言。

與上面有連帶關係的，是反理論、思想的傾向。一切學問，最後總要歸結到理論、思想上去。所謂理論、思想，極簡單地說，是對於一個問題，不僅要知道「現前」（此處乃常識性的用法）的，並且要知道現前的來源和去脈；不僅要知道「其然」，而且要知道「其所以然」；不僅要從表面去看，而且要用分析等方法到裏面去看。「現前」的東西，「其然」的事情，表面的現象，這是簡單的，是常識範圍以內的，它可以作爲學問的材料，但它本身並不是學問。學問指的是追求來源去脈，追求其所以然，追求到裏面結構的一種努力與結果。譬如「肚子餓了要吃東西」，「吃了東西便不餓」，這簡單得很，但這不是學問。由肚子何以會餓，一連貫追求下去，由是而進入到生理學，營養學等等，這便不簡單，這才是學問。一個人可以只在餓了吃自己所愛吃的東西，而不必管生理學營養學等等。但因此而反對他人作生理學的研究、反對他人作營養學的研究。人世間便沒有學問可談了。我國目前的嚴重問題，乃在只會吃東西的人，却反對去作生理營養研究的人。並自我陶醉地，說他這樣才是科學。下面我將以李霖燦先生的大文作一例證。

李霖燦先生的文章，常能給我以深刻的印象；因爲他表現得特別果決。在我記憶中，李先生似乎曾主張研究中國的畫史，只能以現存作品爲對象；沒有現存作品的，便應從畫史中淘汰掉，這樣一來，便把文字記載的材料，一刀砍斷了，該是多麼果決。蘇東坡曾有詩謂

「欲識王維畫，須從五字求」；這詩的意思，指出了東坡所看到的王維畫跡，他認爲都是假的，或者是不能與當時人所稱道的相應；所以他主張應由王維的五言詩去追求王維畫的意境。如李先生之說，豈僅不能從詩詞上去把握古人的畫，並且由《古畫品錄》一直到《歷代名畫記》上面所記的畫人姓名和有關作品的記錄，都要從畫史中消失；因爲可以說從晉到唐，在畫史上有姓名可考的人，沒有眞跡留傳到現在。故宮名畫三百種有關這方面的考證，只能當笑話說。我又記得李先生曾主張鑑別書畫眞僞，只要用同位素測定的科學方法，便一切都解決了，這該多麼輕鬆。但由同位素測定而來的必不可避免的誤差，在考古學上的影響，和在書畫鑑別上的影響，是否相同？同位素測定的準確性，和被測定物的封閉程度。有密切關係；書畫是不是剛從地下掘出來的？同時代的小家，僞造同時代大家的筆墨，乃常有之事，這又將如何？古代縑素紙墨，可以保留到數百年之久，再供人使用，似乎也不容易交代。但由於李先生的果決精神，便都可置之不論了。

《大陸雜誌》十八卷一期有李先生〈南齊謝赫六法淺釋〉一文，其果決的情形，正復與上述兩種高見相似。李先生說：

> 我們就時論事，先得假定我們是第五世紀的人；再假定那時藝壇上只有人物畫或以人物畫為主；在這項背景之下，那繪事六法的真義，才會解釋得清楚明白的。

李先生上面的話，說得很對。但問題是在「假定我是第五世紀的人」的這一點，在學問上並不像李先生所說的簡單。李先生沒有告訴我們。他是通過何種方法，作過何種研究，而能使他有資格假定他是第五世紀的人；從李先生的大文看，看不出李先生是進入到「第五世紀的人」以後，再翻回到二十世紀來寫文章的一點氣息。一個時代的藝術，乃是一個時代的精神狀態的表現或流露。第五世紀的知識分子的精神狀態，和現世紀的精神狀態是同是異？李先生個人的精神狀態，能代表現世紀的知識分子的精神狀態幾分之幾？我從李先生大文中非常反對「玄秘深奧」的情形來看，李先生當然反對玄學的。但「第五世紀的人」，依然是在玄學的潮流中，追求玄學的生活意境。玄學是什麼？他們爲什麼要追求？他們追求的結果如何？這種追求，對當時的文學藝術有無影響？對謝赫六法有無關連？這些問題不弄清楚，有什麼資格談第五世紀的人的背景。李先生所以有本領把問題處理得這樣簡單，揭穿了說，實際是「假定第五世紀的人即是李霖燦」。那還談什麼學問？也許李先生可以說，我之所以不做上述有關的研究，是因爲我不贊成那一套。李先生不贊成五世紀的玄學，這是李先生可以自己作主的。但李先生沒有資格取消魏晉齊梁這一歷史中的玄學的存在。沒有資格改變此一時代的精神背景。要談六法的背景，便無法避開這一關卡。

至於李先生再三說研究六法的人，把氣韻生動說得「太玄秘深奧」，是「一心鑽研牛角尖」，「取錯了方向」。我不知道李先生所指的是何人，所指的是何文；李先生應有能力從正面加以批評，而不應只用此空洞而模糊的語句，放放暗箭，便算交代了問題。我首先得告訴李先生，「玄秘深奧」與「簡單明瞭」，不是判定學術是非得失的標準。愛因斯坦晚年把他的相對論極力用通俗的方式表達出來，收在他的《晚年思想論集》（此名稱與書名原意小有出入）裏面，在我看來，依然是像天書樣的奧秘。我每年都要從日本買進日譯本的人文方面的著作，我的理解能力，可能不在李先生之下；但愈是名著，愈是看得吃力非常；文學藝術方面的東西也是一樣的。小孩對於大人所談的事情，假定小孩肯認眞的聽，也會無一不感到是玄秘深奧。李先生到國外有人恭維，是因爲捧著有古物在手上；若因此而以自己的理解能力來定學術是非的標準，未免太欠謙虛了。謝赫在《古畫品錄》中對第一品第一人的陸探微的評語是「窮理盡性，事絕言象」，這算不算神秘深奧？這是廢話還是有意義的話？

再看李先生所作的淺釋吧！

> 所謂的「氣韻生動」，依我的看法，這就是說畫的人像很有神氣，充滿了生意。謝赫是一位有名的人像畫家，畫史上說他「寫貌人物，不俟對看，一覽卽能點刷，毫髮無遺」。姚最《續畫品》亦說他「點刷精研，意在切似。目想毫髮，皆無遺失。麗服靚妝，隨時變改；直眉曲鬢，與世事新。別體細微，多自赫始。遂使委巷逐末，皆類效顰。至於氣韻精靈，未窮生動之致；筆路纖弱，不副壯雅之懷。然中興以後，衆人莫及」。寫貌卽是畫像，畫人像最重視畫得有神氣沒有，像不像一個活生生的人，所以謝氏在繪事六法之中，把「氣韻生動」列為第一。

我看了李先生上面的淺述，要向李先生鑽牛角尖了。五世紀的人所謂神氣生意，是什麼意義？「神氣」與「氣韻」之間，有沒有分別？氣韻是一個觀念，還是兩個觀念？在謝赫的

《古書品錄》上如何應用這句話？這句話是由謝赫創始的？還是謝赫以前已經出現的？和第五世紀的人的背景有無關係？當然李先生可以說，我不願鑽這些牛角尖，等於說我只管吃飯，不要進一步去追求生理等問題。但爲什麼要反對他人去追求「其所以然」的努力呢？

李先生引姚最評議謝赫的畫的一段話，以作氣韻生動的證明，更是奇特。姚最的評論，是說謝赫的畫，「意在切似」（切似即形似），却未能作到氣韻生動。這裏便發生當時所提出的形似與氣韻的對立問題；此一問題，在中國繪畫史中居於極重要的地位。李先生大概簡單到連文字表面的意義也不願求了解，所以我不知道他引用姚最的材料，用意是什麼？李先生接著說：

骨法用筆，是由講線條的運用。不過骨法二字在此可能有「骨相」的一些含義，如我們至今猶說某某人骨相清奇。畫人像注意神氣生動之後，還要看對象的體態骨相，然後決定如何用筆，所以把「骨法用筆」列為第二。

不錯，骨法是用線構成的。但「線條運用」爲什麼可稱爲「骨法」？把線條運用即說成是骨法，等於把用鍋煮米即說成是吃飯，恐怕有點不對勁吧！李先生又把此處的骨法，扯到看相的「骨法」「骨相」上面去，而認爲「還要看對象的體態骨相」。《古畫品錄》第一品中的第二人是曹不興的「一龍」，這是由看了龍的骨相所畫出的嗎？《貞觀公私畫記》所錄的衞協，是古畫品錄第一品中的第三人。他的作品有毛詩北風圖，毛詩黍離圖，卞莊刺二虎圖，吳王舟師圖，列女圖。他從什麼地方看這些人的骨相呢？我的想法，「骨法用筆」，大概指的是「形成人物骨幹的方法，在於用筆」。「用筆」即是用筆畫線條。第五世紀的人所用的骨字有兩種意義，一是骨幹；一是骨格。而畫中「筆墨」對舉，「筆」都是指線條的。

李先生更說：

三曰應物象形，這是說要畫得「輪廓正確」。人像固然是要輪廓正確，若有背景及陳設，亦必需照實物描畫出它們的正確形狀。從畫史的紀錄上，我們知道顧愷之在第四世紀曾把謝鯤像放入丘壑的背景裏，因之這第三項的應物象形，很顯然地是包含人相和背景一同在內，所以才叫做應物象形。

適應於所畫之物，畫得像所畫之物的形，這是最容易解釋的一句話。「輪廓」指的是一物的「周圍之線」；把一物的周圍之線的長短寬窄畫正確了，就可以像物之形嗎？並且「輪廓正確」，應當包含在「骨法用筆」的層次中去；而此處恐應指的是對人物的面目的描寫吧。李先生又引顧愷之畫謝鯤的故事，以證明應物象形是「包含人相和背景一同在內」原來上面的故事，乃說明顧愷之要畫出謝鯤超俗的神氣，而無從在謝鯤的面貌上表現出來，乃把他畫在丘壑中去，加以烘托，這是達到氣韻生動的補助手段。李先生的說法有些不倫不類吧！李先生說：

> 第四項的隨類賦彩，自然講色彩的運用。從前面的著錄上，我們可以看到謝氏對色彩十分重視，畫好了輪廓之後，可以賦色暈染，所以列為第四。
>
> 那時的藝壇，很受印度畫法的影響，不但暈染有致，而且色澤鮮明。如張僧繇畫凹凸寺的故事就是好例。謝赫受時代的影響，所以在「輪廓」立定之後，馬上就講賦色。

畫好了輪廓之後便賦色暈染，那時的人物還有眉毛眼睛鼻子嘴巴沒有呢？大概李先生以爲當時人所畫的畫，也和他拿筆寫的文章一樣。並且在水墨畫未出現以前，皆用彩色；不知與印度畫法有何關係？李先生在下面又扯上謝赫所以把顧愷之列入第三品，是因爲顧愷之是用的春蠶吐絲的線條，對色彩亦愛古淡的情調，與謝赫的道不同。並以女史箴卷爲證。原來李先生還不知道在吳道玄以前，線條可以說都如春蠶吐絲。大英博物館所藏女史箴圖，有的說是唐初之物；陳繼儒則以爲宋初之物。上面所用的顏色，不只一種；有的因年久而褪色，看不清楚；但用大紅色的地方，依然很鮮明；所以《墨緣彙觀》卷三說它是「色澤鮮豔」，何來所謂「古淡的情調」？就我研究的結果，用淡彩應萌芽於吳道玄，而大流行於水墨畫興起之後；不是可以隨意附會的。

李先生對第五的經營位置的說法，可以講得通。第六的傳移模寫，所說的臨摹，從無異論。但李先生說這是「爭論最多的一項」，而認爲「臨摹只是學習的初步，根本不登藝術堂奧」，而另來一套「放大」與「縮小」的新解。這是因爲李先生第一不求了解文義。「模山範水」，是五世紀左右的人所常用的一句話。模山即是模倣山。《史記・扁鵲傳》有「寫形」之語。

即考察人之形象。《漢志》戴武帝置寫書官，寫，開始有鈔寫之義。兩義相合，以筆畫圖，亦稱為寫。「模寫」即模倣前人的作品的正字通謂「模通作摹」，是模寫即「摹寫」，意義相同，而更為簡潔。傳移是把古人的作品，轉（傳有轉義）移為我之作品，其方法，即是加以摹寫。文義上只能如此解釋。第二，是因為李先生不知道五世紀左右，作文作字作畫，都非常重視臨摹的方法。作文的臨摹謂之「摹禮」或「習體」。而作畫的臨摹，有如西畫中的素描，乃學習過程中必經的階段。謝赫如何可加以抹煞？第三，李先生不知道他所引謝赫批評劉紹祖的「述而不作，非畫所先」的「述」，即指的是臨摹。謝赫要求由臨摹進於創造（作）；述而不作，是只有臨摹，而沒有創造。第四，李先生所說的放大與縮小，依然是臨摹中由特殊目的所用的兩種特殊手段；但一般的臨摹不必如此。尤其是從文義上，找不出「放大」「縮小」兩義。

李先生一下子又扯到六書上面，而說六書是「漢代許愼一家之言」，在此之外，還有其他的說法。「而且也不能為他後來的新創文字的法則，負任何不能一體綜攬的責任。」就我的了解，六書是由綜合而來，不能說是許愼一家之言。六書的稱謂及次序，小有異同，但並找不出另外一種系統。武則天造了新字，大陸上新造了許多簡體字，廣東人也造了許多地方性的字；但都在形聲、會意範圍之內，並找不出離開六書系統以外的字。沒有人主張在六法以外，不應有新的畫法；但李先生所添補的「細緼用墨」，這是水墨畫出現後由傅彩所發展出來的，其本質仍同於傅彩。由此可知李先生對繪畫的知識，連一知半解的程度都不夠。李先生在全文中強調不可「古老崇拜」，不可「迷信古人教條」；由此可見李先生本人是很現代化的。但談到古人的問題，首先是了解不了解的問題；崇拜或迷信，乃個人的態度，與學問無關。至於藝術方面，現代的東西，較之六法，更爲「玄秘深奧」；李先生似乎從來沒有沾過手，恐怕李先生此生無此緣分，只好張開大口胡湊了。

本來任何問題，都可以從深的地方談，也可以從淺的地方談。深要深在一個問題自身所應有的結構範圍之內，淺也要淺得切近問題。事實上，作了深的研究，才可以作淺的表達；深淺之間，一定是一脈相通的。即不可以淺斥深，更不可以「想當然耳」的胡說爲淺。人文研究的兩大障蔽，是互爲因緣。要從兩大障蔽中解放出來，須要在學問上眞誠的反省，眞誠的努力。而多閱讀點西方有關的名著，或者可作反省與努力之一助。

一個原子物理學家論科學與藝術

著名原子物理學家歐本海默，從一九四七年開始便充任美國普林斯頓大學高等理論物理學研究所的所長，對原子物理，有很大的貢獻。他投身於物理的世界，但同樣也關心於人類的世界。

他在充滿了對立的現實世界中，強調心靈開放性的重要，他認爲「要給與人類尊嚴以意義，并爲了能基於誠實的信念以作判斷，其中的一個要素，或許是唯一的要素，乃是人類心靈的開放性」。或許正因爲他的這一基本態度，便使他於一九五四年，以洩露機密的嫌疑，而失掉了白宮原子能委員會及國務院與國防部的顧問地位。

物理學是他的本行；但他同樣重視藝術、文學。並且從某一意義上說，他似乎感到二者之間，應當互相接近。所以他說：「我們若是想對於提高共同的文化生活有所貢獻，則年輕的物理學家，應當考慮在語言上如何能表現得更爲高雅的方法；而藝術家、文學家乃至事務家，應當考慮在語言上如何能說得更爲確實、精密的方法。」雖然他所說的互相接近的方式，是表面的、膚淺的，沒有接觸到問題的本身，但這種態度總算是好的。

在哥倫比亞大學二百年紀念時，他發表了「科學與藝術之展望」的講演，他在這一講演中，與大衆的現實生活關連在一起，對二者今後應當努力的方向提供了若干的啓發。下面只簡單介紹其中若干要點。

他首先說明，他所作的只是「眺望今日的世界，以之與過去相比較，因而在那裏看能看出些什麼來」。所以他的展望並非預言。不過，他覺得這種展望工作，「雖然並不能由此而預言未來，但對於形成及創造一個更美好的未來，總可以成爲一種幫助」。他認爲有的人在藝術與科學的問題上面，能看出某種巨視的歷史型態；即是能看出決定文明的方向；對未來的展開，可給與以必然法則的大規模的體系。但這種處理問題的方法，並不適合於他的脾胃。

他所說的展望，覺得有兩種性格。一種是騎着馬，或者用徒步，從這一村到那一村的旅行者。眺望；這常常是偏向某一方面的，多少帶有偶然性的眺望。但這種眺望，却富有人與人的親切感，是人自身的眺望。另一種是用高空火箭的照相機攝取地球的大眺望，這是一種更完全的展望，但是「人類生活的美麗、溫暖、意味，在這種展望中會完全消失掉」。

「在這種高空照相之中，我們對於現代，可以看出一般的，可驚的量的性格」。而且「我們可以知道，科學與藝術，在現今世界之內，是非常繁榮」。不過，「在這種全世界的規模與全文化的廣濶的遠距離圖象之中，也有它奇妙的一面。在這裏，有無數的村落；但在高空之中；却認不出村落與村落之間，互相連結的小路」。即是通過高空眺望所看出的當今的文化，在量的方面，雖然極其多彩多姿；可是「它並不能給與吾人以秩序感、統一感」。這大概是歐本海默氏所認爲當前文化問題之所在，也是科學與藝術的問題之所在。

歐本海默氏，當然認爲現代乃至現今，正是自然科學的英雄時代。今後大概也會如此。

一個發見，接着一個發見；某一問題討論的終結，同時即是另一新問題的開始，並且從事於任何專門科學者相互之間，都能得到一種調和。每一科學研究者，雖然多是作爲個人的活動；但由讀書與閒談，便可以了解朋友間所作的研究工作。「作爲專家的研究者，實際是某一共同體的一員」。在每一科學者自身工作的分野，在他生活的世界裏面，「共同的理解，連結着共同的目的與趣味，因而把人從自由與協力的兩方面連結了起來」。

但是，以上的事實，並非等於說明在現今文化活動中的自然科學者，便算是美滿無缺的。相反的，歐本海默氏特別提醒自然科學研究者，要自覺到自己像上述的生活狀態，是非常被限定，非常不適當，並且是費了很高的代價的。「何以故？因爲在更廣大的社會關係裏面，既沒有共同的意識，也沒有客觀理解的意識」。即是科學研究者，從廣大的社會中擴充了起來；但是任何專家，對於與他專門無關的廣大社會，而不斷流出彼此間的連帶感覺。而事實上，「即使在最文明化了的社會裏面，科學的最前線，由於長年累月的研究，由於極專門化的用語、技術、技能、知識等，而從共同的文化遺產中被分離開了」。

因此歐本海默氏更認爲「科學的專門化，是進步必然的結果。但這却充滿了危險，也非常地浪費。因爲許多美麗而有光輝的東西，從世界的大部分中被隔離拋棄了」。所以，他認爲科學家當發現新的眞理時，不僅應傳於同行的專家，並應該以最誠實、最易懂的說明，傳之於許多想了解它的社會大衆。同時，他認爲科學通過大學來加以保護，是非常適切的形式。因爲一個大學，即是一個社會生活的縮影，一方面既可以緩和科學生活的狹隘性；同時又可將科學發見的類比、洞察、調和滲透於人們廣大生活之中。大學是科學家爲了社會，也是爲了救濟自己的孤獨，所能提供的最好的場所。

歐本海默氏談到藝術家的處境的時候，像明顯地，覺得並不及科學家，因爲藝術家正經驗著比科學家遠爲孤獨的痛苦經驗。「一個藝術家僅僅得到他所屬的團體的理解，還是不夠的。他們的同行意識、理解與鑑賞，或者給他們以激勵，但是，這不是他們工作的目的，也不是事情的本質。藝術家所依存的，乃是如下的共同體；即是保有共同感受性和文化，保有象徵的共同意味，保有共同經驗，並加以紀述說明之共同方法的共同體。他們固然沒有爲一切人而創作繪畫、演奏的必要；但他們的讀者、聽衆，不能不是人。固然是人，却不是同行中已經專門化了的俱樂部。這在今日是非常困難的。藝術家常常因爲找不到他自己所屬的社會而領受到非常孤獨感的痛苦」。

過去的藝術家們，在生前，有的也會嘗到上述的滋味；但決沒有像今日的深刻、普遍。歐本海默氏很淸楚地指出了造成這種現象的原因，是因爲藝術家們「塗用彩色，所欲描出的傳統與文化，象徵與歷史，在當前轉變的世界之中，已經崩壞掉了」。所以藝術家與社會大衆之間，缺乏了可以互通的橋樑。從另一方面說，則社會大衆，因爲與現代藝術的隔離，致使生活陷於「非常可怕的枯竭之境」。

歐本海默氏認爲舊的傳統、文化，已經崩壞了。「所以我們的世界，在某種主要意味上，是新的世界。在現世界之中，知識之統一，人類共同體之本質，社會的秩序，思想的秩序，社會與文化概念的自身，已經變化了，都無法回到過去的原樣子。所謂新，並非指過去沒有的東西在成爲有的而言，而是質地起了變化，所以才是新的」。具體的說，變化的規模之大，變化的速度之快，這是新的。因爲技術支配力的增大，分工細密，致使全世界由「傳達的構造」而互相連結。專制政治的巨大僵化體，閉塞了每一條通道，這是新的；信仰、祭祀、世俗秩序等權威的大規模之崩壞與腐敗，這也是新的。對於把我們從過去分離的變化而加以非難，是無意義的。在深的意味上講，我覺得這是一種罪惡。我們應當認識變化，學習應付變化之道。

歐本海默氏，爲了在變化世界中陷於孤獨的藝術家，首先提供一條解決之道，即是認爲大學應爲有創造性的藝術家而開放，大學是最適合於藝術家的住宅；可以從人與人之間關係及職業地位之壓迫中，給藝術家以守護。在大學裏，對於人與人之間，能找出調和與綜合的場所。

更進一步的看，歐本海默氏認爲正在大變化中的世界，它是「成爲更開放的，成爲更折衷的世界」。「歷史與傳統，是說明人生的手段；它是我們相互間的紐帶，也是一種障礙」。所以在開放的世界中，應當有傳統與新鮮事物的折衷，以作人與之間的橋樑。在開放的世界中，而「藝術家特別感到孤獨，乃至學者因爲沒有人想學他所教的東西而感到失望，學者常流於褊狹，這是在偉大變動時期不自然的標誌」。

歐本海默氏認爲世界的開放性，是從「知」的不可逆性引伸出來的。「我們不能對新發現閉目不睹，我們不能對遠方不相認識的人們的聲音充耳不聞。對東洋的偉大文化，我們不能因爲海洋的遠隔，及無知與缺乏關心，以致理解不足，而便讓我們與此種偉大文化相隔離。這是作爲一個學者的知識與人性所不能允許的。在開放的世界之中，一件事物只要存在，誰都想知道它」。

因此。今日是個多樣性、複雜性及豐富性的時代。在這種時代中，「若是某人和我的想法不同，或者我們以爲醜的，他却以爲美；我們可能因爲疲倦與麻煩而從那裏離開；然而，這是我們的弱點，是我們的缺陷」。他甚至以爲對不同意見事物的能容忍與否，是人們「德性的尺度」。

所以他對於科學者與藝術家，懷抱着特殊的希望。即是，他認爲「科學者與藝術家，是經常生活於神秘的邊緣，並被神秘所包圍。作爲兩者創造的尺度，而必須特爲用心的，應當是新的東西與舊的東西的調和；新奇的（按：因新奇，便突出）與綜合性的平衡：在全體混亂之中，努力給與以一部分的秩序。在他們這些工作中，可以幫助自己，可以彼此互助，並可以幫助一切的人。他們把藝術與科學的村落，互相連結起來，眞正爲了世界規模的共同體，而把與全世界結合之道，成爲富於多樣、變化的貴重的紐帶」。歐本海默氏認爲上述的工作方向，不是一件容易的事。「爲了心靈的開放，爲了不失去其深味，爲了保持美的感覺與產生美的感覺的能力，爲了保存能了解遼遠而生疏之事物的能力，須要人們下一番苦心」。但是，他認爲這種苦心「正是人之所以爲的條件。並且，在此條件之中，因爲我們可以互愛，所以也能互助」。

（一九六一年五月三十日、三十一日《華僑日報》）

非人的藝術與文學

原子物理學家歐本海默氏，特別注意到現代的藝術家，是處於很孤獨的境地，而寄與以同情；因之，想使大學向這些藝術家開門，讓大學作爲溝通調和各種不同事物的園地。

這我在五月三十及三十一日的本報上，已約略介紹過了。但歐本海默氏，畢竟祇是具有一副好心腸的物理學家；他看出了問題，並沒眞正了解到問題。其實，現時藝術家的孤獨，乃是來自他們自己背棄了人，有意的走向非人的世界。在非人的世界中，祇是一片荒寒、黑暗，連孤獨的個人也難於存在的。

法國的物理學家彪封，於一七五三年的學士院入院的演說中，特別指出物理的研究，是屬於客觀世界；而文學、藝術，才是屬於人的自身，所以他提出了「文體即是人」的一句有名的口號。一般的說，藝術文學的世界，才是人類自身活動的世界。誰知在兩百年後的今天，不僅在機器，貨幣、信用中，人失掉了自己的主體性，乃至消失了自己，即在藝術文學中，也消失了自己，而將使這一世界，成爲沒有人的世界呢？

在當前藝術文學的圈子裏面，其派別之多，新陳代謝之快，可以說是史無前例的。但若總其歸趨，或者可以概括稱之爲抽象主義、超現實主義。抽象是離開自然，超現實是離開人生、社會。這種抽象與超現實主義，以二次世界大戰爲中心，在一九五〇年，達到了它發生以來的絕頂。它把以前一切藝術的觀念與傳統，完全加以解體、粉碎了。藝術已經不是美的，也不是生命，也不屬於精神。它斷絕了對全人類的責任或關係，而與之背馳、反抗；爆破了人類的良心及由良心而來的活動；以還原於原始的黑暗混沌之中。他們倡言「藝術是愚劣」，是「故意的瘋狂化」。他們要由一切的混亂，由反自然的黑暗，以開闢出新的領域。藝術家與詩人，爲了創作而必須集中其精神與生命，這乃屬於過去之事。他們認爲「藝術是各種零星事物的裝配」，「鸚鵡、白癡、自然力，都能創造藝術」；「釘子，頭髮，車船票，瓦礫，木片，都是可以使藝術家得到滿足的材料」。尼采曾經說過，「藝術是最後的虛無」；而今日則是由美的破壞，被破壞了的美，以求得某種解放的快感與陶醉。達里把這種破壞美學，定義爲「由具體的非合理性而來的色彩的瞬間攝影」。最簡單的例子，有人要求「把在厠所裏的東西，作爲噴泉而出品」。所謂具體的非合理性，究其極，乃是成爲夢囈、瘋狂的人們內心深處無意識層的解放。因爲他們所要求的只是無意識層的解放，所以他們便大聲疾呼：「決不考慮藝術，決不考慮構成。」於是所謂藝術活動，祇是一種純粹無意識的衝動。

寫過《惡之華》的波特萊爾，曾經努力使詩非人化，使詩從人或感情分裂開，只是向下部作無限的發掘、堆砌，這是今日詩的超現實主義的基點。波特萊爾說：「非人化是我的課題。」又說：「不感動而集中自己的便是詩。」他要從感情的陶醉中逃脫出來，以發現目不能見，耳不能聞的深淵深谷。詩由此超出了現實的人生社會；這眞正是今日詩人們所追求的方向。

眞的，恰如西班牙的 Orte，Gayga Sset 所說「近代文學的特質，在於它的非人化」。非人化，即是超現實主義的具體說明。Garcia Lorca ，他寫了一首僅僅由叫聲和橢圓形所形成的詩；他所表現的，不是任何人的叫聲，而只是在那處有了叫聲，有了橢圓形；這是人類以前的風景。並且「在橢圓形的長弦上，風正在戰」。R. Alberti 寫的戀的悲哀，決「不是哭被葬於西風之中的某小姐，而是某小姐的頭髮在哭，化裝工具在哭」。「太陽爲電流所殺，月亮完全炭化」，這是他們所追求的境界。在今日詩人裏面，只有物體化了的非感情的事實，而沒有人的存在。

但是物體化了的物，並不是一般人所共見共聞的現實之物，而是要使現實之物歸於凝固，想在凝固沉澱的自然之中，把握住寒冷而荒漠的生命。這是沒有人性的生命。沒有人性的生命，是不與其他生命相通相應，而成爲非常孤苦零丁的生命。這種生命的本身即是一種孤獨恐怖，所以絕對的孤獨與恐怖，便成爲現代詩的另一嚮往。

現代藝術、文學的上述傾向，對傳統而言，可以說是一種徹底的革命。但是若稍加分析，即不難發現這是虛無世紀中反常的無窮苦悶的時代告白。其主要根源，乃對於現實的絕望與恐怖。在極端恐怖與破壞，乃非人的瘋狂的重壓之中，人們追求瘋狂的自由的缺口，恐怕只能通向毀滅，預先爲毀滅準備一個廣漠的墓地吧了。這大概就是現代藝術家們所要完成的時代使命。

（一九六一年七月十七日《華僑日報》）

現代藝術的歸趨

現代的抽象藝術，到底會走到那裏去呢？現代藝術家自身，不會提出這種問題；並且可能認爲凡提出此一問題的，即是不懂藝術，即是破壞藝術。

不過，實際上，藝術家總是人們中的少數，而藝術品的觀衆總是多數。現代藝術家與觀衆之間，經常會存在一種矛盾；假定是一位眞純而不是假裝內行的觀衆，看完現代藝術展覽以後，總不禁要發出「這是表象一種什麼意義呢」的疑問。若是直接問到某一作者的自身，他會客氣或不客氣的答覆，「我們本來不想表象什麼意義的」。藝術家的答覆，自然有其道理。但觀衆的疑問，未必便毫無道理？否則爲什麼要展覽給大家看呢？因此，不管現代藝術家高興不高興，現代藝術的歸趨問題，站在觀衆的立場，是應該加以思考的。

世界前途的發展，是由許多因素所決定。而每一因素的影響，會受其他因素的抵銷、助長乃至因融合而變質。因此，世界的前途，不可能完全決定於藝術；何況所謂現代藝術，也不過是藝術中的一種傾向，因此，我下面說到現代藝術對於時代的影響時，只就現代藝術本身所含的可能性來加以推論。

現代藝術的第一特性，即在於它主張破壞藝術的形象。藝術的形象，是從客觀自然的形象來的；所以他們之所謂「抽象」，乃是要把自然形象完全抽掉，以達到破壞藝術形象的目的。卡西勒在《論人》中說，「科學是發現自然的法則，而藝術則是想顯現自然的形象」。因此，形象是藝術的生命。爲什麼他們要加以破壞呢？

藝術的形象，雖由自然而來，可是作品中的形象，實際含有藝術家的感情、個性在裏面，因此，它是主觀與客觀合一的結晶。所以藝術品的每一形象，並不是模仿而是一種創造。但以某些大藝術家爲主體所形成的藝術潮流、風氣，常常給其他的藝術追隨者以一種嚮往，於是由某些大家所創造出的形象，會受到追隨者不斷的模仿，而變成了數見不鮮的舊貨，失掉了藝術所應具備的新鮮感覺。同時，在模仿者的一方面，很難於把自己的感情、個性，注入到陳舊的形象中去，因而失掉了創造。我們必須有這樣一個假定；即是宇宙間的形象是無限的；所以藝術的創造也是無窮的。創造是要用新的心靈、感覺，來發現新的形象。在發現的過程中，既成的形象，是一種限制、阻礙。因此，現代藝術家用抽象的方法來破壞形象的運動，可以看作是發現新形象的過程。擔當此一任務的藝術家，乃是過程中的陳勝吳廣。在這一過程中，有如揭竿而起的草澤英雄，常會破壞一切的規程、法制。但等到劉邦統一了天下，想把天下安定下來，依然要由叔孫通定朝儀，以建立新的規程法制。在新的規程法制中，是某些舊傳統與新因素的融和。這就藝術說，便可以再出現藝術上新的均衡統一。因此，目前的現代藝術家，只是藝術中以破壞爲任務的草澤英雄；他們破壞的工作完成，他們的任務也便完成；而他們自己也失掉其存在意味。

現代藝術的另一特性，是反合理主義；並反由合理主義所解釋、所建立起來的歷史傳統與現實上的生活秩序。他們不承認科學的法則性，卻非常爲科學的成果所掀動。因此，他們徹底反對的，只是人性中的道德理性，及人文的生活。他們也向人生內部發掘；但他們所發掘出來的是幽暗、混沌的潛伏意識，而要直接把它表現出來；拒絕由人性中的理性來加以修理淘汰；他們認爲理性是虛僞的。他們不承認人性中的理性，不承認傳統與現實中的價值體系，而一概要加以推翻、打倒，這即是他們所說的超現實主義。從這一方面說，他們與共產黨的唯物主義，有其相同之處。但共產黨還要承認客觀的法則，還要構畫出一個明朗的未來。而現代藝術家，則只是一團幽暗、渾沌。不僅拒絕了過去，也拒絕了未來。他們以否定一切的目的性，爲其自己的目的性。但人類畢竟是要由目的性以通向未來的。人們有時也可以否定傳統，否定現在；但不能不要求有一個合理的未來；更不能安住在幽暗渾沌之中而不動。因此，假定現代超現實主義的藝術家們的破壞工作成功，到底會帶著人們走向什麼地方去呢？結果，他們是無路可走，而只有爲共黨世界開路。

我這幾年留心自由世界與共黨世界間勢力的消長，發現自由世界的意識形態，是由失望、悲觀、浮囂，而走向自暴自棄的虛無胡鬧。儘管我們可以反對共產黨，但不能不承認，共產黨在太空競賽中，是跑在自由世界的前面。而自由世界意識形態之落伍，較之太空競賽的落伍，更不知超過多少倍。要維繫自由世界於不墜，則除了太空競賽之外，恐怕在文化上，在作爲文化基底的意識形態上，自由世界的人們，應當作更深的反省。

（一九六一年八月《華僑日報》）

藝術與政治

現代的超現實主義，抽象主義的藝術，爲一種重大的文化現象。我在〈現代藝術的歸趨〉一文中，指出站在藝術自身立場，這是爲新藝術開路的先鋒；它破壞了傳統藝術，但它本身還不能代表藝術建設性的一面；所以它有如陳勝吳廣一樣，能亡秦而自身並不能立國。這種說法，搞這一派藝術的人，當然不願接受。但歷史是無情的；現在抱著此一見解的，決非我一人；這只有等歷史來決定。二十世紀以來的藝術界，派別之多，興亡之速，爲過去所少見。這一切，可以說爲正在苦悶中摸索的現象。摸索的本身是可貴的；但摸索的成果便不一定是可貴的。不了解這一點，便無法了解人類文化發展的歷史。

我站在政治社會的立場，認爲現代藝術可能是爲共黨世界開路；這一說法，引起了台北信奉抽象主義的人們的反感，認爲我是把他們「劃給敵人」。這種由性急而沒有好好了解我原有的語意，因此而引起語意上彼此不相對稱的混亂，我在答覆（見九月二、三兩日《聯合報》）中已簡單指出了。這裏再稍從正面來說明文化對政治的影響。

文化對政治的影響，可以分爲兩種：一種是自覺的積極的影響。所謂自覺的積極影響，是文化工作者把自己所說的、或所創造的，當作人類或國家民族的一個理想，而希望大家共同去追求。他們的起點，當然是對現狀的不安不滿；但他們在觀念已突破不安不滿，而自己已經另找出通向可安可滿的一條通路。歷史上最大的例證，即是近代的人文主義、啓蒙主義，它是爲近代自由民主世界開路，或者說是爲近代資本主義世界開路，這大概不會引起人們反對的。而第一次世界大戰以後，英國人最喜歡說德國的哲學，尤其是德國的黑格爾哲學，是爲德國的軍國主義開路，甚至有人說是爲希特勒執政開路；因爲黑格爾的哲學中，把普魯士人的地位提得太高了。儘管這說法未必全對，德國人聽了，更不會以爲然的；但其中不會全無道理。

另一種是不自覺的消極的影響。所謂不自覺的，是說文化工作者並沒有想到會發生什麼影響，更不希望發生與他希望相反的影響。所謂消極的，是說某種文化，只發生了否定性的作用，而不能發生積極性的作用。但人類社會，不是能在純否定中生存發展的。所以只發生否定性作用的文化，常常是爲另一文化開始。最明顯的例子，有如俄國大革命前的虛無主義。這類的思想作品，只是有很銳敏的時代感覺，把時代的苦惱、煩悶，吞到自己的生命裏面去，再把它表達或表現出來，而不另外追求突破苦惱、煩悶之道，因此，他的自身，對時代而言，也只能是消極的在繪畫中，給我印象最深的，莫過如西班牙超現實主義畫家的達里，在一九三四年所畫的對內亂所預感的酷烈殘暴的形象。

以超現實主義、抽象主義爲中心的現代藝術，是對現代的苦悶與絕望的象徵。我想，他們對於現代的苦悶與絕望，似乎認爲這是西方文化自身所得出來的苦果；最低限度，他們在西方文化中，發現不出能突破苦悶與絕望的通路。因此，他們便否定整個的文化，並否定由文化所建立的生活秩序。日人谷川徹三在其〈二十世紀藝術〉一文中說這種藝術，是以「西方的沒落」爲其社會心理基礎，大概也是從這裏著眼。他們不僅背棄了自然，背棄了文化，並且也背棄了社會；他們是在「孤獨的決意之下」，來開始他們的活動。這是「否定精神」的力的表現。否定的歸結，只有走向虛無。從歐洲的文化說，從歐洲的社會講，這種否定，並不是沒有它歷史上的意義。爲了要「生新」，必須先「去腐」。但他們自身最後所能把握的，只是面對着一個不可測度的深淵，不可測度的虛無世界。人生、社會，不可能在這種深淵，在這種虛無世界中安住下去；因此，它本身的命運，只會不自覺的，消極的給政治社會以影響，亦即是爲其他的東西，作開路的工作。或者它不一定是爲共黨世界開路；但在現實上，磨拳擦掌，窺伺在自由世界一旁的，正是共黨世界的強大力量；我在自由世界中，還發現不出可以與共黨世界相頡頏的新生的文化力量。假定自由世界的一切都被成功的否定了，繼之而起的到底會是甚麼呢？我不是藝術家，站在純藝術的立場，我用不著反對甚麼？我說現代藝術，可能爲共黨世界開路，其著眼點乃是在告訴對自由世界有責任感的文化人，應面對與世運有關的文化、觀念問題，是如何走到了窮途末路，必須有最大的反省，作最大的努力。

（一九六一年九月八日《華僑日報》）

愛與美

我常說，西方文化，是缺乏人類愛的文化，亦即是缺乏「仁心」的文化，這發展至二十世紀而更爲顯著。

科學，對於道德而言，是中性的存在。研究科學者的態度，是須要沒主觀的冷靜的態度。所以由科學所養成的人生觀，就一般來說，是沒有顏色的冷淡的人生觀。沒有顏色的冷淡的人生觀，在現實上，常常對內只知道有個人，對外則只好服從權力的意志。科學對人類所發生的結果，常常不是出於科學者的意志，而是出於權力者的意志。能反抗權力意志的科學家，只是極少數的大科學家。二十世紀文化的特性，是科學者壓倒了一切宗教、哲學、藝術者的地位；技術的效用，取代了一切思想家的效用。而實際左右世界的，却只是幾個大權力者的意志。這因兩次世界大戰，也大概可以說明此類文化所給予人類的影響了。但科學對於人生觀，不僅是發生消極的作用。因世人對於科學過分的信賴，却不注意它可能達到的界限，以致隨意擴大使用科學上所得的結論，而愈益破壞了文化中的價值系統，愈益消蝕掉了文化中的人類愛的成分。這可以用達爾文的「種的起原」，及佛洛伊德的「精神分析學」作代表。

達爾文「種的起源」，是以「自然淘汰」、「生存競爭」、「適者生存」幾個基本觀念作基礎的。他認爲有種東西成爲另一種東西的食糧，鬥爭是無休止的繼續，在這種激烈的競爭中，使不適合的動物植物終歸於消滅。站在科學立場上，達爾文的貢獻，可分爲兩點：第一、他提供了「進化」的確切證據，因而確定了「進化」的觀念。第二、他以「自然淘汰」，作爲進化的確切法則。

達爾文說人是從猿進化而來的。受此思想影響的人，不就進入到歷史以後的人的地位來考慮人的問題；却常於不知不覺之中，把人拉下到一般動物的地位來考慮人的問題。於是自然淘汰說，首先把白色人種征服有色人種的行爲加以正當化。在社會思想上最先得到鼓勵的是馬克思，他曾因此而寫信給達爾文。其次，法西斯，獨佔資本家，對中小企業的呑倂，也同樣在達爾文的學說中得到了根據。克魯泡特金雖然著《互助論》以資矯正，但互助論所發生的影響，比之「種的起原」：是遠不足道的。

佛洛伊德在心理學上的貢獻，可以說是在對人們的無意識層的剖析與解放。他的學說所發生的影響之大，只有達爾文的進化論勉強可以與之相比。他浸透到了文學、藝術、宗教、人類學、教育、法律、社會學、犯罪學、歷史的各個領域。達文茲在其《改變世界的書籍》的一書中，曾引用了一個批評家如下的一段話：「外行人聽了佛洛伊德的理論，會覺得他是歷史上最使人掃興的人。他把人們的笑談，或高尚娛樂，變爲胡鬧的不可思議的抑壓。在愛的根底中暴露出憎恨，在優雅的情調中暴露出惡意，在兒子對母親的愛慕中，暴露出這是近親通姦，在寬大行爲中暴露出非法的企圖……。」這是我們應當注意的，受佛洛伊德影響的人可以說都是外行人。因爲絕大多數的人並不曾對心理學作較深入的研究。這裏只要指出一點已經夠了：在中國文化中把親子之愛，當作人類愛的根苗，但在佛洛伊德的思想中。則把親子之愛，事實上變成了「萬惡淫爲首」的根苗了。

在西方文化中人類愛的徹底消滅，不僅影響到倫理道德上面，並且也影響到在西方文化中有悠久傳統與崇高地位的藝術。藝術的生命是「美」；但美與愛，有其不可分的密切關係，因爲是「美」，所以才有愛；不過愛却並不僅是限於美的條件。更重要的是，因爲愛，才能發現美。美，在其最根源的地方，是要受愛的規定的。兒女的美，只有在他的父母眼中才可以盡量發現出來。女人的美，只有在她的愛人的眼中才可以盡量發現出來。這爲什麼，因爲有了愛的力量在背後作動力，作誘導。希臘時代的美，表現於造形之上，因爲當時流行着對人體之愛。文藝復興後，自然開始大量進入到藝術的範圍，因爲當時有了對自然之愛。

現代超現實主義，抽象主義的藝術，它不僅反對傳統藝術，而且實際反對到作爲藝術生命的「美」。從這些藝術家的作品中，不論從正面，反面，都不能給觀者以「美」的感覺。若進一步推究其根源，這乃是沒有人類愛的西方文化在藝術方面的赤裸裸地表現。他們爲什麼要反對自然，因爲是不愛自然。他們爲什麼要否定社會，因爲他們不愛社會。他們爲什麼要否定傳統的一切，因爲他們不愛傳統的一切。他們不僅是不愛，而且除了孤獨的自己以外，他們實際是仇恨一切。不愛即不美。仇恨即會否定美。所以這種人，只有憤恨的情懷，只有不知其所以然的對一切要加以報復的心理。沒有了愛的文化，結果會變成了沒有美的文化，這不說明西方文化的走上沒落之途，還說明什麼呢？

（一九六一年十月一日《華僑日報》）

回答我的一位學生的信並附記

××：你剛到美國寄來的一封信，我早經收到了。你不是中文系的學生；你弄現代文學弄得很有點樣子，但幾年以來，却一直認爲我是你的老師，常想在中國古典中尋找一點什麼；這都說明在你的開放的心靈中，總希望突破擺在眼前的東西，再向前走進一步。這應當是你在學問上可以成功的重要條件。

你在信中驚嘆於美國人除了物質建設以外，更有良好的社會秩序，更有豐富的公德心；我不曾到過美國，但這種情形，我早已想像得到。一個國家的富強，必定是人自身首先能站了起來。到外國，能發現外國處處都比我們好，這便是留學的一種意義。不過、順着這種心情下去，便很明顯地會分成兩條不同的路。一條路是看到人家處處比我們好，便努力學習，決定回國後要把人家的好處接種到自己的國家裏來。另一條路是因爲自己的國家不好，便只想待在他人的國家裏享現成福；有辦法的千方萬計地鑽營；無辦法的只好捧盤子，揩死屍。捧盤子，揩死屍，是爲了求學，這是值得欽佩。捧盤子，揩死屍、是爲了在美國挨日子，以爲在美國捧盤子，揩死屍，勝過在自己的國土內當一名工人、農人，乃至一位小學教員，中學教員；甚至對於祖國的任何職位，都表示不屑不潔的態度，這種缺乏起碼人類尊嚴感的人，難道也値得同情嗎？目前的情形，大家都在走後一條路。這好像一個羸瘠枯槁的母親，搾出她最後一滴奶，把自己的孩子養大；但孩子們養大後，有機會站在一家朱門的屋簷下，手上拿一根殘骨頭，睥睨著自己貧病交迫的母親說：「窮婆子，好不令人羞煞！」甚至連一根殘骨頭還沒有拿到手的人，也要在祖國面前裝出一副假洋人以自重的神氣。老實說，只有最無知的官僚，才會成天地拿這種現象來自吹自捧。我的看法，就求學來說，除了研究祖國的文史哲以外，有機會在國外求學的人，比在台灣的，當然效能高，進步快；大家應當爭取這種機會。但這裏的主要問題，是自己的敎育，根本無人想向好的方向去發展的問題。尤其大學敎育，一天一天的走向「野雞大學」的路，好像存心在爲台灣不久的將來，製造無窮的社會問題一樣。若就做事來說，在國外做事，縱然能力高，報酬好，但對我們的祖國而言，有何關係？在國內做事，只要誠心誠意地做，則縱然能力比較差，但一點一滴的效果，都是落在自己的國土之上，是正在爲自己的祖國而擔當一分責任，忍受一番辛苦；最低限度，在國外或在國內，人格、地位，應當是彼此平等的。但年來的風氣，凡是偶一路過台灣的爲外國效力的人，都是「見官大三級」。使極少數在國內辛勤工作的學人，不僅正受生活上的煎熬，無形中還要受社會的精神虐待。在目前風氣之下，使生活在臺灣的知識份子，都感到自己是無意義、無聊賴的知識分子。凡是稍爲有現代學術常識的人，便會無條件地承認只有經年累月的研究室、試驗室中，有計劃地埋頭苦幹，才能建立起來學術的基礎。即以講學而論，也應有始有終的講完一個課程或問題。假定靠飛來飛去的幾小時的講演，即可奠定學術基礎，提高學術水準，那麼，學術還能値半文錢嗎？可是目前却以這類的魔術，來作爲做官的大道。

現在的達官貴人，有幾個不是一面向自己的百姓發號施令，說要如何如何的大事建設；一面却以自己的兒女女婿們，能當「假洋人」而自豪自慰。這些人，權力的享受是在中國，生活的根却要生在外國。我常觀察這些人的心理，好像一個馬戲團，隨時都準備打包收箱而去。我堅定地認定，只有到了一天，政府和社會的領導人物們，能體認到自己國土上的一名盡責的技工，盡責的小學教員，對我們國家而言，較之在外國拿多少美金的博士，其價值要高得多，而加以由衷的尊敬、愛護，才會使這一塊祖國的土地，在現在學術飛躍前進的形勢之下，不致歸於荒廢。今日任何富強的國家，都是因爲有一批一批的人，從黑暗中鬥出光明；從低薪級的階段，積累向高薪級的階段。若要等待我們的各種合理條件具備，若要等待我們與美國有同樣的設備，有同樣的報酬，才認爲值得回國來服務，試問有什麼人肯爲大家當牛馬地先鋪平這條崎嶇不平的道路呢？若是道路已經鋪平了，則大家走那一條路，到也無所謂。

上面，只是我年來所積壓的一點感想。這種感想，過了幾年後，可能成爲我自己打自己嘴巴的嚴酷諷刺；因爲我也有兩個孩子在美國，雖然他們都作了回國服務的承諾，也要兌現才可算數的。但我也忍不住要借機會把它說了出來。不過，這對你來說，實在是離題太遠了。我眞要向你說的是，文學藝術，是人性的表現，也是人性的鼓蕩。偉大的作品，不僅反映了作者個人，同時也反映了作者所能接觸得到的時代；因而也會影響到時代。我始終不明白，像今日所流行的「無意識」，或稱「意識流」這一類的反理性的文學藝術，是反映出美國社會的秩序與公德心呢？還是反映出他們社會的秩序與公德心，已經蒙上了一層陰影呢？你在美國學文學，我希望你留心觀察：是由他們目前若干反理性的文學藝術所表現的精神，在支持他們的富強、秩序、與公德心呢？還是另有民主與科學的強大理性，及由與民主科學一脈相通的健康的文學藝術所表現的精神，在支持他們的富強、秩序、與公德心呢？在我想像中的美國情形，好像由父兄們艱辛努力，掙下了一筆富厚家產。他們嬌慣了的少數么少爺，么小姐們，在這筆富厚家產上要點小噱頭，有如意識流文學，普普藝術之類，本也不失爲飽暖中的生活點綴。但台灣有許多人，却以爲這便是美國之所以爲美國；我們只要學這類的小噱頭，既不必費半絲半毫的氣力，便可以陪著這些么少爺，么小姐玩耍一番，眞是摩登得很。却根本忘記了人家是千斯倉，萬斯箱的大富翁，而自己家裏却連吃飯的米都拿不出來啊！

最近有位先生同我談到：「爲什麼某女士從美國盡寫些黃而又黃的作品寄回來，却不在美國換美金稿費呢？她不是說她常常得到美金稿費嗎？」在我看，事實很簡單，美國人歡迎這類人去吃他們的渣滓；但不一定歡迎這類人由吃渣滓所釀出的毒瓦斯。可是，毒瓦斯因爲是從美國飛來的，臺灣便會有人當作營養品來販賣。當然也有人說：「跳得好的脫衣舞，也算藝術。」不過，我是在東京看過所謂好的脫衣舞的，在當時，在現在，我怎麼也不能把它當藝術去欣賞，領會。

又有位先生說：「我看到一種詩，不僅無法琅琅成誦；並且上句和下句，完全是牛頭不對馬嘴；終篇當然更是不知所云；這是怎麼一回事？」我沒有看過這種詩。假定臺灣眞有這種詩，那大概就是在法國早經死掉了的所謂超現實主義(Surrealism)的臺灣製品吧。因爲這派人認爲在完全不相干的兩句語言之間，可以碰出美麗的火花來。這類文學藝術出現的背景，除了在兩次毀滅性的大戰中，若干敏感的人感到人類走投無路的精神苦悶外；更重要的是，他們要把閉鎖在極度機械文明中的人性解放出來。例如他們因理性過剩，科學過剩，而反理性，反科學。我們却因理性不足，科學不足，便應當高揚理性與科學。目前我們的前衞作家們，有如一個人，把死在床上的父母，棄之不顧；却站在門口，企著脚跟，幫著千里以外的大戶人家哭丈夫；人家哭的是眞的；而我們則是蒙著眼睛假哭；這便連「負號」的意思也沒有了。在這種假哭中，除了掩飾枯竭的心靈，以換得摩登前衞之名以外，到底還有什麼意義？對這種情形，我年來不斷地思索，不斷地在增加我的疑慮。

現代的文學藝術，幾乎都和佛洛伊德的精神分析學有關連，或者乾脆以它爲基石。佛洛伊德的精神分析學，從科學上說，要算是一大貢獻。用在精神病治療上，也正在發揮它的效用。但他自己却把它演繹成爲一套文化哲學，這已經是科學的魔術化了。現代的文學、藝術，我懷疑正是這種魔術化的誇張與擴大。有如研究變態心理學，是爲了治療、並預防變態心理。但許多前衞文學家藝術家們，却結成團體，挾前衞者的威勢，硬要使心理正常的人皈依到變態心理上去，這叫我如何去了解！沙特（J.P.Sartre）的《實存主義即人文主義》的小册子，後面附有他和一位馬克思主義者的問答，他當時（一九四六）是反對馬克思主義的。但當我閱讀它的時候，便想到，把無意識當作人的實存，能反對得了馬克思主義嗎？他也強調對全人類的責任；但幽暗、混沌的意識，是如何能與全人類相通相感呢？果然今年四月下旬，他在路・蒙特報紙上發表談話，等於正式宣佈他取消了實存主義，皈依了馬克思主義。而他現在之所以拒絕諾貝爾文學獎金，原因之一，也是不肯得罪馬克思主義的那一方面。我雖然反對馬克思主義；但一直認爲以無意識爲基柢的一大套東西，當把個人落向社會上面時，却還敵不過馬克思主義；因爲它除了破壞以外，剩下的只是無意識的一團漆黑。沙特突變的原因，正在於此；自由世界的危機，從文化上說，或許在這種地方，也可以看出。今日也有不少的人，認爲實存主義的意義，在證明耶教原罪之說，可以促使人信仰上帝。但我可以說，原罪、無意識的本身，並沒有通向上帝之路，於是只有靠牧師神父所宣告的神的恩寵。我始終不了解，全能的上帝，爲什麼不一下子把人的原罪、無意識，恩寵得乾乾淨淨；却好像永遠要憑着它（原罪、無意識），以便於贏得人們永無休止的供奉，有如一個俗世的獨裁者，總利用一樣什麼東西挾持着自己的臣民，以贏得自己臣民永無休止的供奉一樣。因此，今後的宗教，可能也要揚棄這類的實存主義；最低限度，在宗教上我們也不能順着「無意識」走回到中世紀去。

我當然承認，即使是達達主義、超現實主義，在反映時代的苦難，而舉起叛逆之旗的這一點上，可能有他們「負號」性的意義。我們也正受着更沉重的苦難，須要把它發洩出來。但若有勇氣向裏面去尋根究底，便不難發現我們所遭遇的，和西方的無意識的文學家、藝術家們所遭遇的，完全是兩種不同的境況，因而要作兩種不同的努力。

在發達的物質文明中的人們，從被各種各樣的理性判斷及科學合理主義綑綁得緊緊的精神狀態中，解放向夢境中去，解放向無意識中去。他們所走的反理性的路，除了徹底表現出在絕望中的掙扎外，到底能走向什麼地方去，此處可暫時置之不論。但若就我們自身來講，則我們正缺乏的是物質文明，正缺乏的是理性判斷及科學合理主義。然則今日中國的前衞作家們，到底是從什麼地方，能得到與布勒頓（Andre Breton）們同樣的靈感呢？尤其是這類的東西，都是短命鬼；而我們對文化消息的傳播，又是這樣慢。當達達主義，超現實主義的無意識運動，已經死亡而成爲文學藝術隊伍尾巴的塵埃時，而我們却有人拿這種塵埃當作前衞勇士的利器。我手頭有一本《世界詩論體系》，內中介紹了代表一家之言的詩論，有二十九人，亦即是有二十九派。其中除了哥德等八人外，可以都說是現代詩派。徹底作無意識的詩的，在二十一派中，也只有達達主義、超現實主義兩派；爲什麼我們的現代詩人們偏偏選上了這已化爲朽骨的兩派來作爲打天下的殺手鐧呢？不論古今中外，眞正的詩人，只知道發現自己，表現自己；發現自己所處的時代，表現自己所處的時代。想表現的東西如果感覺受到既成形式的束縛，便只有努力去探求可以作爲個人社會間的橋樑的新形式。腦筋裏一團混亂、空虛，却捕風捉影地要當前衞，怕落在前衞的後頭；老實說，這種人恐怕連詩之所以爲詩的邊也沒有沾上過。

××！西方科學、技術，廿世紀遠超過了十九世紀；但文化精神，我感到不一定比十九世紀更爲健康。我們比西方的社會，恐怕要落後百年上下。我們需要發揚民主科學的理性；需要與民主科學一脈相通的健康的文學藝術。所以我常常想，愛好文學藝術的青年，爲什麼不可以在正常的人性上立足呢？爲什麼不可從近代浪漫、寫實的兩大巨流中吸收靈感和技巧呢？正常的人性，是一種無限性的存在。文學藝術，便可以在正常的人性上，作無窮的製造，不要害怕不能日新又新。當然，這比寫無意識詩、畫抽象畫，吃力得太多了。所需要用的功夫，相去不可以道里計。但在人類歷史中，凡是有價值的東西，都是來自眞實的努力。有如你現時在美國，正在作這種眞實的努力一樣。可能你看到我的信，認爲你的老師已經頑固得不可救藥了。但是，我平生最瞧不起的，是根本不能用頭腦，却又要假裝摩登的這類的人。當然，我說得太離譜的地方，還望你加以矯正。

一九六四年十月三十日於東海大學

附記

此信寫成後，壓了很久，現在才想把它刊出。臨發稿之際，忍不住再附帶講兩句話。《徵信新聞報》二十日載有關讀《四書》的討論。二十一日又刊出〈科學時代與讀經〉的社論。對於讀經的問題，我不參加意見，但有幾點我想簡單提出來請教一下：

一、有位剛從美國轉了一圈的「知名學人」說「儒家學說是講君子之仁，小人之仁的，這就表示儒家是封建的，講階級的。現在民主政治，每一個人都是平等的，都是君子，沒有小人」云云。儒家在什麼地方講君子之仁，小人之仁？君子小人在孔子以前是如何用法？到了孔子又是如何用法？到過美國的人，都是無所不知的人，對於這點起碼常識，應當知道得清清楚楚。按照儒家的意思，說老實話，說眞話的人，是君子；強不知以爲知，扛着一塊招牌說謊的人，便是小人（當然，這不過說一個例子），這似乎與封建，階級，沒有什麼關係吧！至於小學教育的方式，除了美國以外的，還有日本、德國、法國、英國種種。孔子的教育精神是什麼？方式是什麼？談的人已不少了，與今日小學的教學方式有什麼關連？我年來最感奇怪的是：從美國人直接講出來的話，我聽得懂！受了美國「一圈教育」的人所講的話，便很少能聽得懂。

二、「談儒家思想而僅以《四書》為對象，無異讀書只看目錄，並不能就懂得儒家思想」。《四書》的本身不代表思想的陳述，而是目錄性質的東西嗎？研究孔子，從什麼地方可以找到比《論語》更可靠的材料？研究孟子，從什麼地方可以找到比《孟子》一書更可靠的材料？丟開孔子、孟子，更從什麼地方可以找到儒家最根源的思想？說僅研究《四書》不夠，是可以的。但依然是高調。因為我尚未發現今日拿筆寫文章的人真正讀過《四書》。什麼是目錄？在《四書》的目錄中著錄些什麼書？《四書》與目錄是怎樣的關連得上？我想請教一番了。

三、大家可不可以把科學時代與傳教，作點深切的思考呢？

一九六四年十二月二十一日

（一九六四年十二月二十八日《學藝周刊》十三期）

這封信是徐師回答詩人楊牧（本名王靖獻）的一封信，王靖獻為東海大學第五屆外文系畢業生。美國柏克萊大學比較文學博士。現任華盛頓大學教授。著作有詩、散文、評論，成就可觀。一九九〇年榮獲吳三連文學獎。

編者　附註

一九九〇年十二月

略評〈中國新文學大系續編編選計劃〉

我偶然在《純文學》三卷三期上，看到了李惔、李輝英兩位先生的〈中國新文學大系續編編選計劃〉，一方面很高興中文大學的研究計劃中，有了這樣一個很好的題目。同時，也感到由編選計劃所表現的編選方針，或許也有值得加以討論的地方。

上海良友圖書公司於民國二十四年出版了一部《中國新文學大系》（以後簡稱「原編」），把從民國六年（一九一七）起，到民國十六年（一九二七）止的十年間的新文學，分爲七個部門，選印爲十册。兩位李先生的《續編》，則把從一九二七年（民國十七年）起，到一九三七年止的「第二個十年」的新文學，依《原編》七個部門中的六部門（去掉其中「文學論爭集」的部門），也選印成十册。可以說，《續編》對於《原編》，大體上做到了「蕭規曹隨」的程度。

編選文學作品，可以有許多不同的目的；但在許多不同的目的中，以通過文學作品來把握一個時代的動態，應當是最重要的目的。環繞新文學所發生的爭論，不僅可給爾後的文學工作者以許多的正反兩方面的啓示；不僅可以爲想了解當時的作品提供很大的幫助；更重要的是，這種爭論，常常直接表現出一個時代的精神動態，尤其是爲了把握大變動時代的精神動態，更爲重要。因此，《原編》列有「文學爭論集」的這一部門，是非常有意義的。

但《原編》中的「文學爭論」，主要是以文學表達形式爲中心所發生的爭論。這種爭論，很少突入到文學的核心問題，也沒有深入到社會的核心問題。但續編的十年中，在文學爭論上的規模之大，內容的複雜與深刻，遠非原編的十年中的情況所能比擬。我不知道兩位李先生爲什麼把這一部門去掉？這一部門去掉了，等於把作爲這十年的特性的熱和力抽掉了。

從另一方面說，我又覺得兩位李先生，蕭規曹隨得太過。《原編》把小說編成三册，《續編》也編成三册；《原編》把散文編成兩册，《續編》也編成兩册。但我們應當承認，《原編》十年中在小說上的成就，主要是在短篇小說這一方面。短篇小說可以代表各個主要作家，也可以代表此一時代；所以《原編》所選的小說，多是短篇小說；把十年間的短篇小說編成三册，大概便富於代表性了。但《續編》的十年，新文學有了重大的進展，出現了許多有份量的長篇小說。在這十年中的重要作家，多專心於長篇小說的創作；他們的作品，應當以他們的長篇小說作代表。把精神貫注到長篇小說上的人，雖然有時也寫短篇小說，但在技巧和作爲一個人的人生表現上，常只能佔到次要的位置。因此，此一時代的小說，是應以長篇小說爲主要代表。這樣一來，《續編》十年中所選的小說部門，便不是三册可以容納得下。但《續編》依然要死守住三册的成規，於是在選材上也只好捨長取短：在印出的最重要的小說第一册裏，幾乎看不到值得稱爲此一時代的代表作。

在《原編》的十年中，雖然高擧反古文的大旗，但在不知不覺之中，依然受到古代傳統的影響；所以有不少的人，以嚴肅的創作精神來寫散文；因此，散文在十年的文學中，佔有相當的分量，於是《原編》便印了兩册散文。但實際，在這一部門中，濫竽充數的已不少。就一般的情形說，散文的發展，主要是伸向以政治、社會、學術等內容的文章；僅以文學爲目的來寫散文的，數量雖然多，但有文學價值的，第二個十年，較之第一個十年更少；這是文學發展的大勢使然。我們之所謂散文，等於西方之所謂「隨筆」，多數只有出於名家大家晚年之手的才有價值，所以它的分量，不能和其他文學部門相提並論。但《續編》在這一方面也依然要保持兩册，便難怪成爲一堆無聊的雜碎堆了。

《續編》與《原編》最大不同之點，乃在於《原編》并不曾就各部門的內容來作體例上的分類；而《續篇》前在小說和散文兩部門，由內容之不同，而做了分類的工作，首先引起我懷疑的是：小說、散文，有內容的不同，難道新詩和戲劇，便都只有一個立場，一種內容嗎？要分類，便一起分，爲什麼有的分，有的不分呢？

《續編》分小說爲三類：小說一集是「反映時代浪潮的作品」。小說二集是「中間派作家的作品」。小說三集是「民族文學、極右派的作品」。兩位李先生既以「中間」、「極右」，來作分類的標準，則有了「中間」，有了「極右」，便必然有一個「極左」；「左」、「右」、「中」的三個觀念，是在互相關連中始能成立的。第二、第三集，是「中間」、「極右」，則第一集自然是「極左」。但兩位李先生爲什麼避開「極左」一詞而不用，莫不是沒有「左」而能有「中間」和「右」，這是常識所允許的嗎？更奇特的是，把民族文學和極右派作品連在一起，這說明兩位李先生以爲凡是民族文學，即是極右派的文學。極右派以外的都是非民族乃至是反民族的文學。就我的了解，凡由承認自己祖國的國籍，并有祖國意識的人所寫的文學，不論他的政治立場如何，都可稱爲「國民文學」或「民族文學」。所以在西方文學史中，常有「國民文學的成立」的標目。尤其是《續編》的十年中，除了專以阿諛、粉飾爲目的之僞裝文學以外，文學家的政治立場雖有不同，但在要求對抗侵略以保持自己民族生存的這一點上則是完全一致的。否則不能出現抗戰前期的大團結，也不可能出現對日的抗戰。一切值得稱爲「中國的文學」的作品，不管對現實有何歧見，必然是站在「中國民族」這一大基盤之下的作品。戰後流行着一種「反民族的民主自由思想」，實際只是殖民主義的僞裝罷了。

至於在散文方面，把「反映現實」的散文，和「性靈」的散文對立起來，我也覺得有點奇怪。嚴格的說，凡值得稱爲文學的，沒有不反映現實的。否則不配稱爲文學。「性靈」是表示文學中的一種創作的態度如表現的方法。簡單地說，袁枚這一主張的提出，乃是反對格律派的裝腔作勢，及神韻派的虛無縹緲，而要求以平易的方式說出自己的眞心話，在「性靈」的觀念下，導不出不反映現實的結論；因爲性靈是在現實中活動。所以被袁枚列在性靈派中的白居易、楊誠齋，是誰人不反映現實呢？

由兩位李先生的簡單分類中，可以了解他兩位或者可以作搜集家，卻不是文學史家。所以「中國新文學大系的續編」，我希望有人起來作更好的努力。

（一九六八年三月三十一《華僑日報》）

我在畫學會金爵獎中的答詞

二月二十三日上午九時，中國畫學會贈送金爵獎給六個人，我也濫竽充數在裏面。當馬壽華先生講完話，發完獎後，受獎者臨時推定我致答詞，這都是照例文章，沒有什麼值得說的。但二十四日某大報對我在三百人左右面前所致的答詞，總括地竄改為一副「奴才乞憐相」的兩句話，這便使我感到有把當時的答詞，加以紀錄發表的必要。我之所以如此，第一，並不是因為當時贏得了四次掌聲而認為自己的話講得有意義，在這種例行講話中不可能講出什麼意義；何況我是一個不會講話的人。更不是因為報紙不捧我的場而感到心裏難過；因為做學問、弄藝術的人，生命的延續性，決定於自己的著作和作品，與報紙毫不相干。實存主義的近代開山大師齊克果，生時是當地報紙經常嘲笑的對象。但進入到二十世紀後，假定當時嘲笑他的人們地下有知，恐怕他們用自己所出的報紙，還遮不住自己的羞恥。何況黃色新聞，是今日許多報紙的衣食父母；難說稍有品格的人，會和黃色新聞中的脫衣主人，在報紙上爭一日的短長嗎？甚至也不是以報導的是否眞實去批評某大報的新聞道德；因為今日正是文化復興運動的時代；在被復興的文化的往昔，還不一定有報紙，更有什麼新聞道德？我之所以要把這種照例的講話紀錄起來，是因為我當時還代表了其他五位藝術家；我個人被誣辱沒有問題，而是怕誣辱了其他的藝術家，乃至誣辱了藝術。

以下是我的原講詞：

馬先生，各位先生，今天承中國畫學會把金爵獎贈給我們六個人，並由七十六歲的齒德俱尊的馬先生親自頒發，這是我們的莫大光榮；本人謹代表受獎者，表示深深地感謝。

就我的了解，中國的繪畫，發展到魏晉時代，因受玄學的影響，便漸漸地，以「淡泊」爲其基本的性格。因爲它是淡泊的性格，所以在傅彩方面，由濃麗而漸漸採用「淡彩」，並出現了水墨畫；而在題材上，漸漸以山水爲主要內容。淡泊所代表的精神，是高潔、純潔的精神。因爲它是高潔，純潔的精神，所以當一個人欣賞一幅中國名畫時，便立刻從浮囂的心理狀態中沉靜下來，於不知不覺之中，洗滌了世俗的污染，恢復了人生的本來面目，以助長生命中的生機，使生命得以不斷昇華、向上。如果說藝術是人生的教養，中國繪畫便盡到了人生教養的責任。如果說藝術是人的精神的解放，中國繪畫眞能使人得到精神的解放。

中國畫學會，是無錢無勢的一個社會性的學術團體；因此，中國畫學會的性格，正如它所代表的學術的性格一樣，是淡泊的性格。畫學會設置金爵獎，意在對藝術加以提倡。當各位先生決定給獎的對象時，是採取主動的選擇方式。當我聽到我的姓名也被濫竽充數時，使我感到很突然，使我感到很意外。因爲我對於畫學會的各位先生，一方面可以說是仰慕已久；另一方面也可以說是素昧平生，何況我又是一個使人討厭的人。由此可以證明，當各位先生作主動選擇時，無派系之見，無人情之私，無個人利害得失之念。所以由各位先生所流露出來的精神，也正是和中國繪畫精神相符合，是一種高潔、純潔的精神。淡泊而高潔、純潔，說明了中國畫學會，是名實相符的一個學術團體。因爲是這樣，所以儘管眞正從事於研究創作的人，雖然不會留心到一時的榮辱毀譽；甚至對一時的榮辱毀譽，感到深深地懷疑。但這一份榮譽，是來自名實相符的學術團體，便有如一個人，雖然不怕寒冷的冬天；但自然而然的更喜愛溫暖的春天。尤其是，我已經老了，却有機會和幾位年輕的藝術家，站在一起，領受這一份榮譽，好像生命中注入了更多的青春氣息，使我感到年輕了許多，更增加了一番喜悅。更應當表示誠摯的謝意。

蘭千閣藏褚臨蘭亭的有關問題

去歲八、九月間，本省鉅室林柏壽氏的蘭千閣藏品，在故宮博物院作盛大的展出；一時報紙宣揚，達宦讚嘆，獲私人藏品過去所未曾有之殊榮。在快要收場的前兩天，我和友人趕往參閱，則發現贗品甚多，頗爲失望。乃集中精力一觀「蘭千閣」賴以得名之褚臨蘭亭（以後簡稱蘭千閣本）及僧懷素小千字文。小千字文神氣索寞，流傳無緒，可置不論。及觀所謂褚臨蘭亭，後有米芾一跋，驚其與流傳的米氏書蹟不類。細讀其跋之內容，不覺啞然失笑，茲先將米跋錄後：

右唐中書令河南公褚遂良字登善臨晉右將軍王羲之蘭亭宴集序。本朝丞相王文惠公故物（此後簡稱王文惠本）。辛未歲見於晁美叔齋，云借於公孫。辛巳歲購於公孫瓛，黃絹幅，至欣字合縫；用證摹刻僧字，果徐僧權合縫書也。雖臨王書，全是褚法。其狀若岧岧奇峯之峻、英英穠秀之華。翩翩自得，如飛舉之仙。爽爽孤騫，類逸羣之鶴。蕙若振和風之麗，霧露擢秋幹之鮮。蕭蕭慶雲之映霄，矯矯龍章之動彩。九奏萬舞，鵷鷺充庭；鏘玉鳴璫，窈窕合度。宜其拜章帝所，留賞羣仙也。至於永和字全其雅韻，九觴字備著其眞摽。浪字無異於書名，由字益彰其楷則。若夫臨倣莫稱於薛魏，賞別不聞於歐虞。信百代之秀規，一時之清鑒也。

壬午八月二十六日寶晉齋舫手裝襄陽米芾審定眞蹟秘玩。

故宮博物院迄今尚爲蘭千閣闢一特展室，此本當然是其中的重鎭；並在說明上指出此本曾經高士奇收藏。但「辛未歲」之「未」字，係改注於「辛巳」的「巳」字右側，則與卞永譽《式古堂書畫彙考》（以後簡稱「彙考本」）書卷之五所著錄者相同。高士奇《江村消夏錄》卷三（以後簡稱「江村本」）所迻錄的並無此改字。又「蕭蕭慶雲之映霄」句之「霄」，係在「映」字下補出；「至於永和字全其雅韻」句之「字」字，係在「和」字下補出；「全」字寫得像「仝」字；又皆爲江村、彙考兩本所無。說蘭千閣本即是江村本，乃就「自然子」「貞」「元」等印章，及米跋後有莫雲卿二跋，王世貞二跋，與周天球一跋而言。無蘭千閣本之王跋，書法稚弱；又較之江村本少文嘉、俞允文、徐益孫、王穉登及沈咸五人之跋；合上述米跋的錯落各字以觀，其非江村本故物，彰彰明甚。

蘭千閣藏本另有一最顯著之漏洞，只要是稍通文字的人，即可一望而指出的，乃在米跋「九觴字備著其眞摽」的「摽」字，自《寶晉英光集》起，一直到江本、彙考本，我所看到的八九種材料，無一不從「木」作「標」；獨蘭千閣本從「手」作「摽」。夫「標」與「摽」之不可互通，此處作「標」字爲有義，作「摽」字則無義。這不能以出於米氏一時誤筆所能解釋的。如係米氏誤筆，則著錄者斷無代爲改正而不加注明之理。尤其是江村與彙考兩本，在道理上皆係由原物迻錄。彭元瑞〈知聖防齋讀書跋〉曾有名言謂：「從來鑑賞家多不學，文（文徵明）董（董其昌）亦不免。」我更作一補充的說；以巧宦而冒允鑑賞家的更不學。古今工於作僞者能鉤塡字畫，模刻印章，但文字則常常不通，常露出不値一笑的馬脚。蘭千閣本與其他各本的「標」「摽」一字之差，即可掃盡千般作僞的技倆。

若僅爲辨別蘭千閣本的眞僞，是不値得我動筆寫文章的。我所以動筆寫這篇文章，是想由此追溯上去，考證出它的來龍去脈，藉以指出若要把「鑑賞」建立爲一門學問，必須在由經驗而來的直感外，再加上一番思辨考證的功夫。

首先，我應指出，今日所能看到的王文惠本後的米跋，從時代上說，是經過了一次大演變，即是經過了一次最顯著的僞造的。以這次僞造爲主幹，更出現了許多支裔的僞造。蘭千閣本乃許多支裔僞造中之一種。

從文獻上看，最先著錄這樣一首米跋的，當爲岳珂所編的《寶晉英光集》。據一般傳說，米芾有《山林集》一百卷，南渡後已經散失，所以岳珂於紹定壬辰（理宗紹定五年，西紀一二三二年）編定此集時，搜羅遺佚，自稱「會萃附益，未十之一」（岳序）。但就《後村先生大全》卷十所載「米元章有帖云，老弟《山林集》多於《眉陽集》，然不襲古人一句。子瞻南還與之說，茫然嘆久之，似嘆渠欺也」之語觀之，所謂《山林集》百卷，恐係米氏隨意誇大欺人之辭。米芾子米友仁，南渡後很受到高宗的知遇，更無任其父書十九散佚之理。岳珂編集的《寶晉英光集》，流傳不廣，後人亦有附益，我這裏引用的是據別下齋校的八卷和補遺本。一般流行的米氏《書史》、《畫史》、《硯史》、《寶章待訪錄》等，皆不在內；與陸氏《藏書志》所述的內容亦不同。我將此本卷七所載跋褚模蘭亭帖與蘭千閣本互校的結果，其文字之異同表列於下：

蘭千閣本	寶晉英光集
用證摹「刻」僧字	用證摹「本」僧字
雖臨王「書」	雖臨王「帖」
其狀若「峇峇」奇峯之峻	其狀若「巖巖」奇峯之峻
「蕭蕭」慶雲之映霄	「肅肅」慶雲之映霄
爽爽孤「騫」	爽爽孤「鶱」
留賞羣仙也	留賞羣賢也
至於永和字全其雅韻	至於永和字全效（多一字）其雅韻

《佩文齋書畫譜》卷七十二錄有此跋，注明出自《寶晉英光集》，除「黃絹幅」爲「黃絹兩幅」，「全效其雅韻」爲「全呈其雅韻」外，凡文字異同之處，與別下齋本全同，而與蘭千閣本不同。佩文齋本與別下齋本不同的兩處，以佩文齋本爲優，尤其是「黃絹幅」三字語意不全，必作「黃絹兩幅」，對下一句的「至欣字合縫」的「合縫」兩字始有着落，在這種地方，可以說是別下齋本的失校。但除桑世昌的《蘭亭考》外，各本皆作「黃絹幅」，這是以訛傳訛之一例。這裏特別值得注意的是，明張丑的《清河書畫舫》丑字卷所錄米跋（以後簡稱清河本）除「肅肅慶雲」爲「蕭蕭慶雲」外，與佩文齋本全同。而蘭千閣本則與江村本、彙考本全同。於是在文字異同上，由《寶晉英光集》以迄《清河書畫舫》爲一系統；由江村本以迄蘭千閣本又爲一系統。這中間應特加說明的是桑世昌的《蘭亭考》，有高文偉嘉定元

年十二月序；嘉定乃宋寧宗年號，元年係西元一二〇八年。其成書較岳珂編《寶晉英光集》時早二十年。但《蘭亭考》中所錄此跋，除「黃絹兩幅」一句外，餘均與江村本的文字相同。是否由此可以說江村本是出自《蘭亭考》，其來源很早呢？若如此，則《蘭亭考》最合理的「黃絹兩幅」，不應在江村本系統中成爲「黃絹幅」的文義不全之句。今日流行的知不足齋的《蘭亭考》，據鮑廷博乾隆壬寅九月跋，此書早經「刪節失當」，「經鐫李翻雕，益增脫誤。百餘年來，藏書家再從項本輾轉傳鈔，則別風淮雨，幾無文義可言；偶得柳大中影宋寫本，喜其行款未移，略存面目」。按《蘭亭考》所錄米跋「本朝王文惠故物」數句，移作跋文末段，與諸本皆不同，即鮑說的一證。乾隆時《江村》書已行於世，《蘭亭考》米跋文字之與江村本相同，乃項氏或廷博們據《江村》書所校改。此一推測所以能成立，除了上述理由之外，更在於《寶晉英光集》系統之文字，絕對優於江村系統的緣故。

兩系統的文字異同，有的不易判定其優劣，如「肅肅」之與「蕭蕭」，「巖巖」之與「岧岧」。有的則英光系統優而江村系統劣，但並非絕對的；「王帖」之與「王書」，稱王羲之們的書蹟爲「帖」，乃相沿的專用名詞；故《蘭亭考》常稱爲「禊帖」。所以英光系統之稱「王帖」，實勝於江村系統之稱「王書」；此蓋作僞者爲了要諧四六文之平仄而改。其次有英光系統絕對優於江村系統的。如㈠「摹本」之與「摹刻」。「摹本」是照原蹟摹寫之本；「摹刻」是由摹本入石。「合縫」應當只見於摹本，而不應見於摹刻。「摹手」之被改爲「摹刻」，蓋摹刻爲作僞者所習見，而摹本則甚少流傳。此因習見而改。㈡按《說文》四上鳥部：「鶱，飛皃，從鳥，寒省聲。」又《說文》十上馬部：「騫，馬腹縶也。從馬，寒省聲。」米跋「爽爽孤鶱，類逸羣之鶴」，此乃必須用「鶱」字。而江村本之改從鳥之「鶱」爲從馬之「騫」，義不可通，此乃作僞者因不識「鶱」字而妄改。㊂以褚臨蘭亭爲「留賞羣賢」，於義爲可通。江村本改爲「留賞羣仙」，於義爲不可通。此乃因作僞者一時筆滑所誤。㊃《英光集》「至於永和字全呈其雅韻」，較江村本多一「呈」字，始可與下句「九觴字備著其眞標」，字數相當；而「全呈」，「備著」兩詞，正相對稱。江村本僅有一「全」字，而失一「呈」字，乃作僞者一時的遺漏。由上述四點文字上的通與不通而言，這決不是在時間上的兩個平行的系統；而是在明清之際，有一個文字不通的作僞者，依照文獻上的米跋，僞造了若干本褚臨蘭亭，流佈出去。江村本是僞造得最精的一本；《彙考》上除米跋外無其他題跋，又無「自然子」「貞」「元」印記的，另是一本。而蘭千閣本，則是依照江村的僞本而僞造下來的。《清河書畫舫》，我懷疑係根據《英光集》等文獻所迻錄的。翁方綱《蘇米齋蘭亭考》卷第五謂：「又按此跋（米跋）於世所行著錄之書，載此者三焉。一則張丑米庵《清河書畫舫》；二則高澹人（士奇）《江村消夏錄》；三則卞令之《式古堂書畫彙考》。詳此三書所載，《清河書畫舫》，於跋款下有眞蹟二字，而所錄却多訛字。卞令之所載，款下有楚國米芾印，恐亦後人所加。惟高江村《消夏錄》所載，止言小行書十八行，不言有米印。其所載前後諸印，亦皆符合。是高江村實親見此卷而筆錄之，特未嘗入石耳。」翁氏未能追溯本源，不以彙考及江村兩本多訛字，而反以清河本多訛字；「鑑賞家多不學」，於此又得一證。彭元瑞《知聖需齋讀書跋》謂「江村愛贋古」。蓋古今巧宦，本無知識；因多受門客貢諛，遂更成愚肆。加以此輩與估人的性格相同。口談風雅，心懷貨利。贋物入手既易；一經塗附，便可轉售高價。此在今日，則先將贗品精印，更易於索價售欺。彭氏巨眼，常能窺破此中奧秘。江村本後的王世貞周天球諸跋，以內容考之，無一不僞。蓋王氏乃能窺破米芾一生詭譎行徑之人，根本不相信世傳所謂「三米蘭亭」與褚遂良有何關係；顧乃被此僞米跋（見後）所愚，此乃最不近情理之事。

現在我要更進一步說明，上面所謂經人一僞再僞的米跋，其根源乃來自南宋時代之贗物，米芾本人，並無此跋。因爲：

一、米芾《書史》，對「蘇耆家蘭亭三本」，經詳盡的敍述。第一本是有蘇易簡題贊的，現著錄在《彙考》書卷之五。第二本「在蘇舜元房上」，米芾「以王維雪景六幅，李王翎毛一幅，徐熙梨花大折枝，易得之」。他認爲「此定是馮承素、湯普徹、韓道政、趙模、諸葛貞之流，搨賜王公者……在蘇舜元房，題爲褚遂良摹。余跋曰：樂毅論正書第一，此乃行書第一也。觀其改誤字，多率意爲之，咸有褚體……贊曰；………猗歟元章，守之勿失」。此本亦著錄於《彙考》書卷之五。惟《彙考》所錄米跋，乃七古一首，與《書史》所述之跋與贊不同。據《寶晉英光集》卷三，此七古爲〈題永徽中所撫蘭亭序〉。則知《彙考》所錄者乃據自贗蹟。第三本爲「唐粉蠟紙摹，在舜欽房」。我尚未看到此本後來著錄的情形。上三本中之第一第三兩本，米未嘗說是褚摹。他所最得意的第二本，也只說「咸有褚體」，而不能斷定是眞正出自褚手。他是非常推重褚書的，他以爲顏書乃自褚出。同時，從〈題永徽中所撫蘭亭敍〉七古中「後生有得苦求奇，尋購褚撫驚一世」的話來看，假定他眞從王文惠的孫子手上得到了褚臨蘭亭，這在當時是一件驚天動地的大事。何以在《書史》毫無踪跡。

江村本後面的題跋中竟有人援引《書史》爲據，此乃作僞者不學而妄爲牽附之故。何況其他被稱爲唐模蘭亭，及所謂「蘇耆家蘭亭三本」，都有北宋時的許多名公的題識與印章。何以被認爲出自王文惠的褚臨蘭亭，除米氏一跋外，更無當時他人的一題一印？且自米跋後，又一直要到莫雲卿而始有題跋；這都是很奇怪的情形。

二、由晉至唐，蘭亭原蹟的傳承情形，以張彥遠《法書要錄》中唐何延之的《蘭亭記》記錄得最有系統，也最爲詳備。此記初撰於「歲在甲寅季春之月」，即開元二年，西紀七一四年。若謂此序不可信，則其他材料更不可信。據此序，則徐僧權沒有機會在蘭亭序「欣」字合縫處寫上自己的名字以作「押縫」。合縫處有一僧字的故事，首見於黃伯思的《法帖刊誤》。但桑世昌《蘭亭考》八載王銍的〈蘭亭跋〉中有「或云，第十五行有僧字；蓋時搨本衷多，惟此僧果所藏爲眞本，故署僧字以別之」。說僧字不是徐僧權而是僧果，更增一層糾葛。姑不論此故事的眞僞。但合縫處，如眞有一僧字，亦係指王羲之的蘭亭原蹟而言，臨模者斷無連此押縫之僧字亦加以臨模之理。且何延之《蘭亭記》分明說太宗獲得蘭亭後僅「命供奉搨書人趙模、韓道政、馮承素、諸葛貞四人各搨數本，以賜皇太子諸王近臣」。太宗死，此帖遂入昭陵。故凡謂太宗曾命虞處褚臨摹，皆係由米芾稍開其端，米芾以後逐漸附益的妄說。我這次追索的結果，北宋名家，只承認有唐模蘭亭，幾乎沒有承認有褚臨蘭亭。米芾〈題永徽中所撫蘭亭敍〉的收尾四句是「後生有得苦求奇，尋購褚撫驚一世。寄言好事但賞佳，俗說紛紛那有是」，可見他只稍微露出他所收的一本「咸有褚體」，以抬高身價；但他本人並不眞正相信有褚撫蘭亭。退一百步說，縱使褚遂良曾經摹過蘭亭，也只能根據上述四人模搨之本，怎麼會在合縫處有「僧」字？所謂出自王文惠本的米跋謂「至欣字合縫，用證摹本僧字果徐僧權合縫書也」云云，與褚遂良摹寫的（假定說曾摹寫過）情形，完全不合；而係由後來輾轉附益的故事，僞造上去的。翁方綱雖以米芾以下諸跋爲眞，但亦知「惟褚臨絹本，不知何人僞作。而弇州（王世貞）儼齋所藏，皆即此物；無怪孫月峯云，作僞者眩離婁也……據此米跋，則褚臨黃絹本，必亦至此欣字一行絹素，截然作前一幅；而此下一行，乃另起絹幅，方是褚臨黓絹本，與米跋乃合耳。今此卷前之所謂褚臨者，雖亦極舊之黃絹，而此處實無二絹接續合縫之跡，則其僞作無疑」。翁氏能辨褚臨爲僞，却信附於僞品褚臨後之米跋爲眞；知此流傳之褚本，無接縫之跡，與米跋所述情況不合；而不知若眞有褚臨，即不應有合縫處，因而正可證明米跋之僞；此猶一粃眯目，天地易位；蓋爲名人之姓名所眯。至蘭千閣之褚書，則只可謂爲黃絹鑲邊，且並非極舊的黃絹。凡物因愈僞而愈劣，乃必然之勢。

三、桑世昌《蘭亭考》卷五載有米芾的一段話：「王文惠孫居高郵，收遂良黃絹上臨蘭亭，許以五十千質之。余方襄大事，爲沈存中（沈括）借去，拊髀驚曰，書不復歸矣，遂過問焉，沈曰，且勿驚，得之當易王維雪圖，因不復言。數日，王君携褚書見過，大歡曰，沈使其婿以二十星資其行，亦不復取。」這段話常被後來題跋家所引以證明王文惠本米跋之眞而不知道與王文惠本米跋內容，是互相矛盾的。⑴王文惠即王隨，《宋史》卷三百十一有傳。他是河南人，最後是以「同中書門下平章事，判河陽」卒於官，他的寓居江蘇高郵的可能性甚少。這一居處，我懷疑是因米氏晚年踪跡多在江蘇所造出的。⑵沈氏的《夢溪筆談》卷十七書畫類，何以未提及此一煊赫名蹟？而王維雪圖，不是已經米氏換了蘇舜元房上的蘭亭模本嗎？(3)尤其是據《夢溪筆談校證》所附的〈沈括事蹟年表〉，沈括死於紹聖二年乙亥（西紀一〇九五）；而米跋記他購入此帖爲辛巳。辛巳是靖國元年（西紀一一〇一年），上距沈氏之卒已經六年，沈氏此時何能使其婿以二十星資行王君，因而王君把褚臨送給他呢？跋文中的關係人是晁美叔，何以又變成了沈存中呢？這些顯著的矛盾，數百年的鑑賞家皆熟視無睹。

四、米芾除此跋之外，所有題跋，決沒有用四六體的。並且我閱盡他一切著作，包括《寶晉英光集》及《補遺》，除此跋外，他絕沒有一篇四六的文章。《補遺》中有〈賜裘謝表〉，這在當時是應當用四六體的，但他寧願用古賦體。蘇東坡稱他是「清雄拔俗之文」（《蘇米遺事》）；宋高宗的《翰墨志》稱他的詩文「語無因襲，出風煙之上，覺其詞翰間有凌雲之氣」。但他對褚臨蘭亭，却寫出一篇獨一無二、庸俗軟弱的四六體的跋文，我認爲這是不可能的事情。

綜合上述四點，以判定米氏並無此跋，應當是可以成立的。

一九七〇年八月十一日於臺北市寓所

寫給中央研究院王院長世杰先生的一封公開信

我拜讀了《陽明》三十期徐高阮先生〈從學藝全局看中文獎案〉一文，稍稍說出了以中央研究院為中心的一部分「反學術」的情形，使我十年來鬱積在自己生命內的學術良心，稍稍感到向外面通了一點氣。去年我曾寫了一封公開信給李濟之先生，寄給《中華雜誌》發表，但徐先生把我信裏面許多的坦率話刪改了，例如我說李先生「一點也不懂史學」，被他改為「一點也不注意史學」，使我對他非常不滿。但因為他在學問與做人的態度上非常嚴肅，我依然保持對他的敬意。他是東漢的名節中才能發現出的人物。他的愛護中央研究院及史語所，可以說無微不至。但學術良心，畢竟戰勝了他的團體利害的意識，也使他不能不開口了。這便鼓勵了我寫這封公開信的勇氣。

雪艇先生：我以同鄉的晚輩，向同鄉的七十八歲高齡的前輩老人提出學術上的嚴格要求，未免太不通人情了。但以您今日的地位、背景、和作爲，實在對我們學術的發展，成爲一種障礙。此一責任，不應當由您一人來負；但您目前正是此一責任的代表人。在我們的學術發展中還有其他的障礙；但其他的障礙，是來自學術以外的東西，一戳便穿，沒有您們這一障礙所佈的學術烟幕來得厚。我承認您不論在語言文字的表達能力上，在日常世故生活的了解上，都要算是您們那一幫口中的佼佼人物。但就我一路細心觀察下來的結果，您們不僅在學問上沒有任何成就，並且因幫口意識而掩沒了學術良心。不惜歪曲國家最高學術機關所應有的正常發展方向及所應保持的水準，玩弄國外寄信投票選舉院士的醜惡魔術，以鞏固自己幫口的地盤，爭取自己幫口的利益，使學術界成爲不毛之地。同鄉的情誼，在面對此一情景之前，不值得顧慮，所以我便決心追隨徐高阮先生之後，寫這一封公開信給您。

我想首先奉告的是，您雖然在今日的官僚羣中，在您們學術的幫口中是佼佼的人物，但對中西的學問，却是一無所知。前幾年有朋友告訴我：「雪艇先生對中國字畫很有研究。」我聽後心裏也非常高興，並以很高的評價期待著。後來逐漸發現您因爲沒有受過嚴格的學術訓練（此種訓練，只有在辛勤的學術工作中才可以得到），所以對於畫蹟眞僞的判定，多屬信口開河。這點我在〈盧鴻草堂圖的考證〉一文中，已舉了一個例子。故宮名畫三百種的說明中，笑話百出；例如在一四七趙孟頫窠木竹石圖的說明下，居然寫得出「明淸文人畫，或脫胎於此」的可笑的話。在您的另一篇文章中，居然一口抹煞我國歷代各大畫論家的價值，毫不以自己太無理解能力而感到羞愧。《中央日報》五十七年六月二日記載您在主持美國法學家霍爾教授演講會時所作的致詞中說：「中國古來儒家與法家之辨，與自然法與法律實證主義之辨相等。」這是做過學問的人所說得出口的話嗎？儒家的禮，與西方之所謂自然法，都立足於規範意識之上，是有其相近之處。但若進一步去研究，便不難發現兩者在各個具體歷史條件之下，有更多並不相同的地方。中國法家反對仁義，西方法律實證主義者不談規範意識，這好像很相一致。但法家是站在統治者須要徹底以刑罰控制人民的立場來反對仁義；法律的實證主義者，是站在學問的立場，認爲無法把握到規範意識的根據，或者認爲在法律範疇內無須乎要談規範意識的問題而排斥自然法，此一出發點的不同，便決定了法家思想是極權主義的性格；而西方十九世紀所興起的法律的實證主義，則依然可以適應民主自由的政制與生活。所以法家與西方法律的實證主義，有本質上的不同。儒家反對法家，最明顯地是表現在西漢。反對的內容，可歸納爲兩點：儒家並非完全否定條文法律在政治中的效用；但反對法家的嚴刑峻罰；反對法家以嚴刑峻罰來作威嚇報復人民的工具。西方法律實證主義，有如中國法家所主張的嚴刑峻罰的情形嗎？自然法學者，是從這種具體事實上去與實證法論者發生爭辯嗎？此其一。其次，儒家尤其是反對法家的「以法爲敎，以吏爲師」。就西漢初年的具體情況說，是反對當時的政治，只「任刑法之吏」，而廢「德敎之官」；所謂德敎之官，即是主管教育的師儒。所以儒家對法家之爭的第二個目標，是要以學校的敎化，代替法家的專以刑罰爲治。正因爲這樣，在西漢才眞正出現了大學和郡國之學。這種爭論，如何會和西方的自然法與實證法之爭，能夠「相等」？我不是研究法學的人，但我有點思考能力；對於太離譜的話，立刻就可以感知得出來。您因爲做官做得太久了，沒有學問，這是應當原諒您的。朱家驊先生當中央研究院長，沒有學問，但他很安分守己。雖然他是落在一個幫口的掌握之中，但他本人並沒有強烈的幫口意識。而您則和您們的一幫，同樣不了解「不知爲不知」的意義，裝腔作勢地自以爲有學問，去排斥您們這幫口所不了解的學問。當然，您比那些未做官以前沒有著作，一經做了大官以後，立刻便著作等身的人，還要高明一點，還要算有分寸一點，但您的學問和您的地位，未免太不相稱了；同時，您也會要點政治手法來滿足您的欲望。但違反學術良心所要的政治手法，只有增加生活中的醜惡。

在中央研究院人文科學這一方面有專門知識的，到現在爲止，應當推李濟之先生。我對知識的虔敬，可以說是出於天性；所以我雖然不治考古學，但對李先生一直保持很高的敬意。有一次，許多朋友在一塊吃飯，大家正在談笑風生的時候，他突然以輕蔑的態度向我說：「徐先生研究中國的倫理道德，這在學問上算那一門呢？」當時使我感到非常驚異；我是治中國思想史的人，中國思想史有倫理道德的問題，我便也應當研究倫理道德的問題。李先生可以批評我研究的成果，怎麼可以反對我研究的題目。過去胡適之、毛子水先生向我提出過同樣的問題，我都有答覆。李先生要就不關心這種問題；既關心，便應從學術的立場來衡斷這種爭論。所以，我當時把我所知道的西方有關這一方面的學術趨向，切實地告訴了他，他當時似乎相當地窘。五十四年承他的好意，送了我一册《想像的歷史與眞實的歷史之比較》，我一看這個標題就感到是不通的；看完內容後，便懇切地回他一封信告訴他：要以考古學代替史學，這只是十九世紀一部分考古學者的誇張，二十世紀的考古學者，無不認考古學只是史學中的一支，勸他不要固守十九世紀考古學者的陳舊觀念。去年上季他路過香港，我特地去看他，勸他做開學術研究之門，在中央研究院成立中國思想史研究所，以爲中國文化開出一條活路。這在我，不論對公對私，都是出於十分的善意。但想不到却打到了他們幫口的痛腳，他用橫蠻無理的語言，來表示他的徹底反對。所以我便在《中華雜誌》上發表了一封被徐高阮、胡秋原兩先生所刪改了的公開信。並且因此引起我反省到李先生這種橫蠻無理的態度，能不影響到他的專門知識嗎？治一切學問，沒有一種共同的精神狀態嗎？當我拜讀完民國五十七年二月二十九日出版的《大陸雜誌》三十六卷四期上李先生的〈華北新石器時代文化的類別、分佈與編年〉的大文以後，證實了我的一種假定；即是，當一個人爲了幫口利益，而掩沒了學術良心的時候，對技術性的知識，也會限制他吸收的能力。

李先生的大文是由引用六類的考古資料構成的。我對考古學完全是外行，他對材料的陳述和看法，我不能妄加意見。但他在他的大文中很鄭重地引用了大陸一九五三年起，所發現發掘出的「西安半坡」的田野報告；「西安半坡」的材料，對我國新石器時代的了解有很重大的意義，這是世界考古學界所公認的。我因爲好奇心的驅使，去歲在香港時也看到這種材料。李先生對「西安半坡」的陳述，不僅未曾抓住要點，以凸現出此一發現的意義；尤其是他對把可以反映當時文化生活的一面，都熟視無睹。例如「記事符號」三十種的發現，可以說是我國文字創造的前驅，難道說不是一件大事嗎？他一字也不提。並且在他的敍述中，錯誤百出，使人不能相信這是出自一位專家之手。現在只舉極簡單的一二例證：他說「遺址的包含證明他們聚落的範圍甚小」，這一語意不十分清楚的話，可能他是把「西安半坡」當作孤立的一個聚落。實際「仰韶文化的遺存，在關中地區已經發現了四百多處」；「表現在遺址的分佈，也是相當稠密的。有些地區，幾乎和現在地區相等」（《西安半坡》，一九六三年出版；二頁），而「半坡」正是其中之一，並非孤立的存在。他說「半坡遺址的全部面積約兩萬平方公尺」；又說「居住部分佔有這遺址的西部」。但實際是「聚落遺址所佔的面積約五萬平方公尺左右，略呈南北較長，東西較窄的不規則的圖形。房屋和大部分經濟建築，如儲藏東西的窖穴，飼養家畜的圈欄等，集中分佈在聚落的中心，形成一羣密集的建築物，約占三萬平方公尺。圍繞著居住區，有一條深、寬各五—六公尺的大圍溝」。「這個遺址，西部已經被破壞了」（以上皆見同書頁九）。這種明確的數字和簡單的方位，而我們的專家竟轉抄得這樣牛頭不對馬嘴。再進一步看他所作的細部的陳述，模糊混亂，連清理也不容易。他敍述方圓兩種房子，竟然不知道有「半地穴」和「地面架建」的兩大類別（同書九—四四頁）。他敍述一間比較大的長方形房子，竟然把「南北長一〇·八公尺，東西寬一〇·五公尺」（同書一三頁，這是在全房中最大的一棟），說成「長二十公尺，寬十二·五公尺」。諸如此類，不可勝舉。我們能信任我們專家的科學頭腦和能力嗎？我藉此告訴李先生一聲，您在您的幫口中高出儕輩們的尺寸，並不能代表學術上的尺寸。「學然後知不足」，您在學問上的自滿狀態，正因爲您閉鎖在自己的幫口中，不會追隨時間前進的關係。

您們的幫口，在歷史、社會的探求中，反對談思想，反對談價值，而只能談事實。凡是從事實去導出思想、價值，或以思想、價值去評判事實的，都在您們的排斥之列。您們認爲凡是有思想性、有價值性的，便都是不科學的。因爲您們排斥人類行爲中的價值，所以您們一貫地無分別地反對中國文化主流的儒家思想。在您們這一年輩中，由政治的巧妙運用，而得到了學術中重要的地盤——北大、清華、中央研究院，便以把持、排斥的工作，代替自己的研究工作，所以結果便成爲您和胡適、李濟之先生們這類的標本，晚年連一篇受得起嚴格的邏輯推理考驗的文章也寫不出來，於是只好玩弄文字口號的魔術。在您們的下一代中，您們只准他們做零碎的認知活動，不准他們接受思想的訓練，不准他們把零碎的認知活動導向一組一組的思想活動中去，於是他們都成爲沒有思考力的人，白首窮年，以能當到外國研究者的一名助手，作外國人有預定目的的中國研究者的工具，便感到是最高的成就。只要奉承您們的顏色奉承得不錯，只要日子挨得久，不愁得不到一個「院士」的頭銜。而院士頭銜的眞實意義，便是容易找到爲外國人當助手的機會。中國的學術獨立，應當從自己文化的研究開始，應當從中央研究院在這一方面的研究開始；外人研究中國文化，應當跟著中央研究院走。但您們自己變成一池死水，把許多良材美質，都糟塌得連學問的本來面目也不知道——從事實導出思想，以思想把握事實，這才是學問的本來面目——，只好處處承望外國人的顏色，順著外國人的口風講話。這固然關係於您們這一幫口的精神狀態，但也是決定於您們否定思想，否定價值，他治歷史的基本訓練（我不否定您們的工作，有一部份基本訓練上的意義），幻化爲學問最高的到達點，所得到的自然結果。李濟之先生不要政治手法，雖也有學術尊嚴的意識，並且也不以承望外國人的顏色爲然，這是他在品質上高過您的地方。但他自己所造成的學術上的死巷，決定了他在學術上的悲劇。向您們跟進的另一個單位，目前則正陷於黑吃黑的醜惡狀態之中。您們這次聽了由您們請來的美國法學家霍爾敎授的演講，他告訴您們，把概念、價值、事實三者綜合，包括在一起，這才是「社會的實在」，這種話對您們能引起一點反省嗎？霍爾敎授的說法，乃是學術中的一種健全的常識。但對您們而言，無異於是打了您們這一幫口狠狠的一記耳光。我過去已經多次的告訴過您們，現在再重說一遍：在人類生活、行爲的範圍之內，概念、價值、事實三者經常是融合在一起而不可分；這生活、行爲的範圍之內，概念、價值、事實三者經常是融合在一起而不可分；這是「社會的實在」，也是「歷史的實在」。一個研究者不論從其中的那一點深入進去，必定會遇到其他的兩點，此之謂把握到了「實在」，此之謂科學的研究。而您們平日所標舉的反概念、反價值的那一套，從第一步進到第二步時，便會走進到「非實在」「非科學」裏面去了。因此，您們也只好永遠停止在第一步上面，讓他人以預定的國家政治的目的來安裝第一步以後的工作；這是我們目前在對本國學術研究上的悲慘命運。大家不從學問的立場來研究本國的學問，不針對本國的問題來研究本國的問題，却一齊希望能由文化的「僕歐」而擠上在精神上受了閹割的「外廷供奉」，此種風氣的形成，便是您們這一幫口的大貢獻。

中央研究院的成立，主要是能與現時政治保持一點距離，以便能樹立學術上的客觀標準；而院士的產生，即是這種標準的具體表現。所以某人被選舉爲院士，一定要使國內外的學術界，很明確地知道他在學術的某一方面，確實有了某種經得起考驗的新的貢獻。而作爲中國的有關學人，都應當讀到他的著作，以分享到他的貢獻。這只要稍爲有點良知良識的人，都可加以承認吧。但您們這一幫口到臺灣以後，用魔術所選出的人文科學院士，我們始終讀不到他們某一部以中文刋印的確爲關鍵性的著作。使我們的學術界，始終不能得到由院士所貢獻出的新發現。您們所公佈的新院士們的研究成績，只能騙學術界以外的人，能騙得住學術界以內的埋頭工作的任何一個人嗎？您們拉幾個與本國學術界毫無關係的國外學人作院士，我們也可以不反對；但這種人有沒有責任把他的新貢獻用中文寫印出來，以使國內的學術界開開眼界呢？因爲這是中國人的中央研究院！實際您們這樣做的動機、目的，只在糟蹋國家學術的榮譽，去建立您們這一幫口的國際關係，完全是由「社交性」進而爲分贓的交易性。您們爲了保持內部分贓的均衡安定，便又在人文科學這一方面所玩的魔術以外，運用一個「主持文化學術機關幾年以上而有成績的，也能被選爲院士」（文字稍有出入，但大意是如此）的新把戲，以便分配一名院士給錢思亮先生，因爲錢先生是學化學的，在自然科學中要魔術，沒有在人文科學中要得容易，只好挖空心思的來這一手。我決沒有說錢思亮先生不可以當院士；但爲什麼您們不可以按照這一新標準，分配一名院士給陳大齊先生和劉季洪先生呢？橫直是由您們分配。我也聽說，您們目前正遭遇到學術性以外的干擾。但您們自己早經脫離了學術的立場，早沒有一點學術上的資本，必然會招來這種干擾，必然會向這種干擾低頭。從今以後，自由中國，在學術界中，將沒有一片乾淨土。在您們是自作自受，對中國學術的前途來說，我不知道要演變成什麼樣子。我藉此機會向社會提出下列的呼籲：

一、我們要非常眞誠地認定經濟與學術的發展，是建國的最基本力量。在學術方面，應徹底打擊在任何藉口之下的奔競之風，主動地提倡埋頭研究的風氣。

二、我們要求有學術團體；但反對以團體活動代替學術工作。專門以搞學術團體起家的人，一定是學術界的敗類。

三、我們要建立眞正的學術標準；否定學術以外的任何力量所僞造的標準。

四、學術不能避免派系之爭；但中央研究院不能落入一派一系之手，所以我們要求有一個向純學術開放的中央研究院，要求一個向學術獨立的方向努力的中央研究院。凡固守派系立場的人，都應離開中央研究院；凡在近十年沒有値得稱爲著作刋行的人，取消他們評議員的資格和院士的資格。徹底改變院士的選擧方法。被提名的院士，應先向社會刋佈其被提名的著作，先經過社會的考驗。

五、史語所以「反思想」爲他們學派的重大標誌。他們在學問上還不能了解反思想即是反學術。他們不斷的以學術上的覇佔，捍衞他們的幼稺無知。所以嚴格地說，他們沒有資格成爲一個派系。

六、中央研究院應成立中國思想史研究所，以蘇醒中國文化的靈魂。使孔、孟、程、朱、陸、王、能與「北京人」、「上洞老人」，同樣地在自己國家的最高學術機構中，分佔一席之地。凡在這一方面有研究成績的人，都應當加以羅致。

我分明知道我所講的任何話不會發生效果，甚至產生反效果。但這一時代的眞消息，若不從我的口中筆下透露一點出來，我便眞不知道將來的人，如何能了解這一時代。希望您能諒解我的苦心。人的自然生命很短促，但文化的生命，却悠久無疆。您們不願在這種地方作點反省、發點願心嗎？

徐復觀敬上　一九六八年六月五日夜

（《陽明雜誌》三十一期）

毀滅的象徵

——對現代美術的一瞥

五月十六日四國高峯會議的流產，對赫魯雪夫在國際上颱風式的作法，不難從兩點加以解釋。第一、蘇聯已確定自己在飛彈方面，握得了優勢，要在自由世界追上以前，以毀滅力量，作強迫外交的支柱，按照蘇聯有利的方向，解決東西兩方的問題，不戰而勝，造成更堅強的地位。第二、蘇聯物質建設的進步，全靠人民生活上的重大犧牲。人民生活上的犧牲，不能僅靠理想的追求，而實有賴於對內對外的緊張的製造。空氣「緊張」是與「恐怖」相連的；在恐怖之前，每個人都不能不拋棄自身的願望。赫魯雪夫為了使蘇俄從史達林的過分恐怖，因而可能發生爆炸的爆炸點上，平復下來，於是配合對內控制方式的緩和，也來一套國際和平攻勢，以收安定內部的效果。但現在可能發現在國際和平空氣之下，增加了人民對生活自由與物質享受的願望，而妨礙到它的七年計劃的實現；所以再拿出共產黨的颱風式的老手法，造成國際的緊張，以便使蘇聯人民恢復過去的最大犧牲，亦即是對自由與物質享受的最大犧牲。這一點雖然還沒有人說到，但並不是不可能的。五月十五、十六兩天情勢，若發生於三十年前，則兩方的軍隊早已在正式動員令之下，進入了戰場。當一八七〇年普法戰爭爆發的前夜，普方很明顯的說出，在任何時機，任何事件上，都可找到宣戰的口實。現在雖然因核子的毀滅力量發生了對戰爭行爲的克制作用；但在赫魯雪夫笑哈哈的記者招待會上，因西德記者偶然的失態而立刻發出「我可以完全毀滅你們」的話，則世界到底在何人、何時的一念之下，而歸於毀滅，誰也不能作樂觀的斷定。有什麼人能想到，人類整個的命運，竟繫於一人一念一擊之間呢？

但核子武器，是人類自己造出來的；使用核子武器，依然是人類自己。假定人類並不要求毀滅，人類依然可以不毀滅。假定毀滅的可能性僅限於赫魯雪夫乃至各國的軍人政客這些少數人身上，而大多數人眞正要求生存，則對毀滅的阻止，依然有極大的可能性。但今日的世界，則是在文化的界域以內，人類正要求自己毀滅自己，並且早已開始毀滅自己，毀滅過去文化上的成就。則人類之終將歸於毀滅，恐怕是命定的了。

人類在長期的原始生活中，過着混沌野蠻的生活。但在混沌中漸漸發現條理，在條理中而漸漸建立起清明的世界形像；在清明的世界形像中而漸漸發現美的意欲，表現爲美的形相，以成就所謂「美術」這一部門的文化，這是人類脫離混沌、野蠻，而奠定自己地位的一個重要標誌。形相之美，是人類生命的昇華。而人類的生命，也是在這種昇華中得到保證。人類生命所蘊藏的價值，是無窮無盡的；所以從生命中昇華出來的形相的美，也是無窮無盡的。各種不同的原型，各種不同的技巧，展開千變萬化的藝術活動。但有一點，是不會變化的，即是必須歸結到「美」的上面。人類只能在「美」和「善」的上面得到精神的着落點，得到生命的安全感覺。

日本的庭園、茶道，乃至近代的一切美術，在美的形相中，盡量表現出一個「淸」的形相；亦即中國所說的「得氣之淸」。這拿來形容整個的京都市，亦無不當。但我這次京都之行中最大的不幸，便是看了一次平安神社右旁的美術館的美術展覽。在展覽會中的作品，的確它是象徵了今日人類精神的趨向。但和這一淸幽的都市太不相稱了，太侮辱了這一美化的都市。

看美術，先不要被他們編造出的許多名詞唬嚇住；只是直接訴之於自己的感官，訴之於自己的心靈。在看得不合意時，反省自己的成見，作各種角度的改變和調整。在這次展覽會中，日本畫的部門，首先我注意到是「濁」代替了由南畫傳統演變而來的「淸」。本來「淸」的東西易流於「輕」，輕便易流於「薄」；這就須要由「厚重」、「奧折」的許多方面來加以調劑。但現時的日本畫，只是由受現代西洋畫的感染而來的一股濁氣；這眞所謂邯鄲學步了。

至於我在西洋畫室所得的印象，覺得他們正在想極力破壞世界上可以用淸明之光照得見的形相，而要找出正常人的感官所感覺不到的形相。偉大的藝術家。常常把潛伏着的形相，彰著出來，使人看了，感到原來世界上，人生的意境上，尙有這樣幽深、高遠、奇崛的形相之美；於是藝術的自身因而更爲豐富；接觸到這種藝術的人生也隨之更豐富了。但現代的美術家，却只能以極端的「雜亂」、「混沌」來充數。爲了要人注意他們的「雜亂」與「混沌」，並加強雜亂與混沌的氣氛，便重重地用烏黑者赭紅的顏色。偶然中間散佈一些金屑，以表現他們生命中也有一點光明。但這種金屑好像星流星的閃爍。也有一兩幅畫，在線條和顏色上，運用了極大的技巧，使人得到一種特殊光線變化的感覺。但在他們這種光的變化後面，只能浮出平板而纖薄的人生斷片。然而這並不算「現代」美術的正統，所以這類作品，並得不到他們自己的青睞。給我印象最深的是某女士所畫的「田園風物詩B」，粗看只是從人身上流出來的一堆膿血；細看依然是從人身上流出來的一堆膿血；眞令人有嘔吐之感。在雕塑室裏，許多作品決不是用幾何的觀念所能了解的。因此，我想到中國「糾結」這一名詞，對他們還勉強可以適用。看了以後，我不斷地想，假定藝術是生活的反映，這到底反映生活的什麼呢？有一天晚上，我在某大學前面，看到一羣學生，四五個人緊緊地挽着手成一小橫排，由許多小橫排積成一個縱隊；大家前後左右擠得緊緊地，先捲成一個圓圈，好像一條蛇捲成的圓圈；再也和蛇一樣，從圓圈溜開，向左向右的擺動前進；脚用小跑步跑，口裏發出短促而可以與小跑步相應和的叫聲。我呆了半天，問另外一位朋友：「這是什麼動作？」朋友說：「這叫作 ***Zigzag*** 式的示威遊行。」「爲什麼要作這種怪模怪樣的動作呢？」「因爲要引起旁人的注意。」我心裏想，這才是在無法可想中，表現出最卑劣的勇敢；我看的美術品，原來是反映這種人生的剖面。

人的身體，本是由一堆細胞積聚而成。在一堆細胞中，祇有食色這一類的刺激反應。順着反應去活動，祇是一種無目的性的混沌的活動；遇着某種自然的阻限，或相互的鬥爭失敗時，便會混沌地死去。因爲血肉之軀的自身，沒有合理選擇的能力。但人在血肉之軀中，又有稱爲理性的作用，燭照著血肉的活動，而賦與以價值和方向，以使人作合理的選擇，於是人開始能自由而和諧的生存下去。理性的本身是統一的；但人類對理性的發揮，常偏於某一方面。西方文化，常偏於知性這一方面。知性好像是中國舊式的燈，只能照向外面而常不會照自己；對自己生命以外的東西，分析、綜合、比較、判斷，都井井有條；但對人的生命自身，則一任其保持原始的混沌狀態。平時大家是倚賴知性之光，依著它所分析出的理路前進，至於爲知性所不及的原始生命，則常脫離知性所建立的理路，而在生活中不斷發生盲目的「衝動」；這便是個人自身的矛盾，及人與人間相互矛盾之所由來。不過在以前，各個人生命力所能衝動的範圍比較小，雖然有時形成歷史上的大混亂，有如中國歷史上的農民暴動；但隨時間的經過，又慢慢地消解下來。今日在科學與資本主義結合之下，形成了鉅大的以機械及功利爲主的世界。原始生命的衝動，受這種外在世界的衝擊與憑藉，而擴大了範圍，充實了氣力，使知性之光，在原始生命衝動之前，顯得黯然無光，怯然無力。此時只有以理性中的德性之力，將生命加以轉化、昇進，使生命的衝動，化爲強有力的道德實踐，則整個的人生，社會，將隨科學的發展而飛躍發展。但西方文化中缺乏此一自覺；於是人們的原始生命力，以其混沌之姿，好像水滸傳被洪太尉在鎭魔殿裏掀開了鎭魔的石碑，一股黑氣沖天而去，突破了知性而要獨自橫衝直闖。西方現代一切反合理主義的思想，以及假科學之名以否定人的理想性的邏輯實證論，心理行爲主義，精神分析等等，都是從這一根源中發生出來的。原始生命是混沌的，醜惡的，幽晦的。所以表現在全盤的藝術上，也是混沌的，醜惡的，幽晦的。人類迷失了向前的方向與氣力，於是只有順著原始生命的盲目性向後退，退到整個的毀滅爲止。

這種醜惡的東西，開始不過是一二人在精神苦悶，無路可走中，作爲探索的嘗試。此種嘗試，也常常是新生面的開端。但祈向毀滅的人們，便把它從中途攔截住，結成各種團體，當作新的偶像而加以謳歌崇拜。在這種謳歌崇拜中，許多人便一夜而成爲藝術家；有如台灣出現了許多文字不通的新詩人一樣。他們並不是眞正以自己個人的作品面向社會，而係以團體的威力壓向社會。一方面說這是「新」的，「新」到超現實，超現在，而成爲誰也無法與他商討的「未來」。「未來」是什麼。實際只是一個大混沌。缺少思考的人，最容易被一個「新」字嚇倒。假定有少數人提出懷疑，便以集體的力量來咒駡他，圍剿他。出獎品獎金的人一面要裝作懂得「新」，一面又怕集體咒駡，於是只有把獎品加在他自己所最不了解，甚至是內心所最作嘔的作品上面。這種「大衆」性的現代作風，便可以使這種醜惡的東西，以威壓之勢，加在人們的心靈上，而得到發榮滋蔓，將整個人類，驅向毀滅的深淵。由這種精神趨向看，則核子武器的使用，倒也是極尋常的事。

不過，生命的盲目衝動性，是隨有生以俱來；生命的理性，一樣也是隨有生以俱來。有走向毀滅的力量，也有走向新生的力量。現在人類文化，正站在這一大的歧途上來自己決定自己。

（一九六〇年五月二十四日、二十五日《華僑日報》）

懶惰才是妨礙中國科學化的最大原因

關於簡體字的論戰，現在似乎快要收場。兩方主張的是非得失，這裏無意討論。我們所想指出的，主張簡體字的人，直接開接，總打出科學化的旗號作護符，認爲不推行簡體字便妨礙了科學化。可是他們所提出的論證，十足證明他們對問題的本身，缺乏起碼的思考能力；十足證明他們對於文化的重大問題，缺少眞正的責任心；因而他們所叫囂的，只是他們懶惰成性的自然流露。這種懶惰成性，才眞正妨礙了中國的科學化。以妨礙科學化的人偏偏要打科學化的招牌去嚇唬人，這便使中國科學化的前途更爲遼遠。

一般的說，決定文字問題的應該有三種條件：第一是「別」。通過文字而能把各種現象很清楚的紀錄出來，使其釐然有別而不相混淆。第二是「通」，通過文字而能把古往今來，東西南北，貫串起來，使其能互相通曉而不相阻隔。第三是「便」，文字本身是一種工具，任何工具性的東西，不管是構造如何精巧，但使用時總要求簡便。文字當然也不能例外，如何使這三種條件，能互相調劑，互相補足，而不致抓住這一點，妨礙其他兩點，這應該是討論此種問題時所必不可少的態度。通觀主張簡體字的先生們，說來說去。只拿着不知從什麼地方來的「進化是由繁而簡」的一條定律來解決問題的一切，只看到「便」的條件，而抹煞

「別」和「通」的條件，這眞可謂只知其一，不知其二。

平心而論，羅家倫氏關於簡體字的那篇長文章，雖錯誤百出，但他究竟搜集了不少材料，費了不少功夫；他只沒有學好胡適之氏的「緩」字的秘訣，不能責備他是懶惰。但擁護羅家倫氏的一羣，不僅沒有人能爲羅氏提出半點可作補充的論據，而且恰恰是中國社會上游手好閒之徒爲人家喪婚葬祭湊熱鬧的縮影。

有的人說，我以前不贊成簡體字，但現在贊成了。理由是因爲學校老師對學生寫字打紅槓；還有自己的孩子拿着難寫的字來問自己。試問假使老師在常識問答上打紅槓，是不是要「簡化」常識。自己的孩子拿着難算的算術題來問是否要簡化算術。一般小學學生，怕認楷字，怕寫楷字的絕少；多數是怕算術。若僅用孩子畏難不畏難來作改進教學的標準，則取消算術，多數兒童一定會歡天喜地。用這種幼稚的直感來對這種重大問題作主張，而且這種人據說還是學者，除了說他是懶惰以外，還有什麼理由可作解釋。

更多數的說法是楷書的筆畫多，認和寫都費時間，就擱靑年學習科學的光陰，即是妨礙了科學化。事實上識字寫字的過程，在六年小學教育中大概完了，初中對此則只是補助的性質。但我國辦得好的小學，學生的程度並不比歐美差；越推上去，便越落後。可見識字認字並沒有妨礙學生的現代教育，而師資，敎材，設備，社會風氣與政治條件，才是妨礙科學化的重大因素。再就同樣使用漢字的日本人來說，日本明治維新沒有人說應先簡化漢字才好學科學。日本簡化漢字，是在戰敗之後，而日本科學化的基礎，早奠定於三十年之前。站在日本的立場，它可以只用假名而不用漢字，因爲假名是它自己的，又較簡體漢字更爲簡單；日本確有許多人是這樣的主張。但戰後日本雖然減少漢字，而譯著的科學書籍，凡是重要處所依然不能不用漢字。爲什麼？爲了在「便」的條件之外，還有「別」的條件。我們的科學不如日本、大家覺得還是楷書妨礙了我們呢？還是因爲我們比日本人懶惰呢？

況且大家所說的「科學化」，是指的思考訓練的邏輯化嗎？現在邏輯演算用符號，楷書擋不住邏輯化的路。大家心目中的科學，指的多是數字，自然科學。關於這些，學得好，學不好、主要是靠觀察、實驗與演算。楷書決不會增加觀察，實驗與演變的困難；在觀察，實驗與演算中所遇的困難，也決不是簡體字所能爲役。并且越是自然科學的部門，須用的漢字越少，假定有勇氣學科學，何至爲了幾個楷書便嚇得躊躕不前呢？今日初中和高中的英文課程，其耗費的時間，與國文算術相等。假定不是繼續進大學深造，則完全是等於白費。爲什麼不學日本的辦法，儘量多翻譯各種程度的科學著作，使青年只靠本國文字，即可打好科學的基礎；如非特別需要，即可不必多人留洋；這對於推動科學化及對於國民精神與物力上的裨補，眞不可以道里計。抛着這一類的實際工作不做，不提倡，却拿毫不相干的問題投虛射影，嚷來嚷去；此無他，懶惰成性，總以爲是「懶主意」才是最好的主意。

當某一個人墮落的時候，當一個團體墮落的時候，當一個民族墮落的時候，對於自己的弱點、總不肯從自己的根源上去找原因，總不肯從自己的根源上挺身站起，而一定把原因投射到外面去，在外面找一個替死鬼來爲自己負責。外面的問題不解決，便認爲自己的問題也不能解決。外面的問題，牽連不盡；於是自己的責任可以永無着落，永不完成。中國之未能科學化，只是由於中國人的懶惰；尤其是由於口裏說科學，實際不懂任何科學，却繞着圈子以不相干的口號去擾亂社會視聽的一般讀書人的懶惰。在這種因懶惰而向旁向外推卸責任的心理狀態之下，假定簡體字推行了，還會推到整個的漢字身上。漢字打倒了，還會推到中國人的語言身上。語言消滅了，還會推到中國人的血統身上。歸根到底，只有一句，中國人不能科學化，只有把中國人變成非中國人。懶惰而又好爲名高的人，只有希望自己站在一切毀滅了的廢墟之上，可以一事不做，，而能左顧右盼，在一無所有之中稱雄。科學科學，只不過是藏在此種漆黑之心的深處，所幻化出的假借以毀滅一切的影子。我們願正告當代的青年！二十世紀的五十年代，任何科學，都有了相當的成就，都有了既成的途徑。只要有志氣去學那一門科學，便直接把自己的生命投進到那一門科學中去。科學的本身，便會給你以眞實的解答。千萬不可隨着這一羣懶惰者們說廢話，繞圈子。他們說的廢話，繞的圈子，已騙了他們自己的一代，再不讓他們來騙你們這一代。

（一九五四年六月一日《民主評論》五卷十一期）

爲學習而寫作

這裏所說的寫作，不是僅指文藝的寫作而言。凡是一個人，把他所見，所聞，所思，所感，用文字表達出來，我在這裏都稱之爲寫作。

各人寫作的動機並不一樣。有的是爲了換稿費，有的是爲了擴大自己存在的範圍；有的是爲了自己內心的一股不容自已之情；有的則是出於對天下後世的責任感。這裏不必評斷各種動機的高下，並且一個人寫作時的動機，也常常不僅是出於一種。我僅想特別指出，在上述各種動機之外，還有一種動機，即是把寫作當作自己學習的過程，當作自己做學問的一種手段。我在這裏所要談的正是這種動機的寫作。因爲這對於有志做學問的青年特爲重要。

做學問最基本的工作，首在收集資料，整理資料，把資料加以消化。當以某一問題爲中心而開始收集資料時，由此一資料而涉及彼一資料，輾轉牽涉，便會頭緒紛繁，出入互見；此時寫一篇文章以便把頭緒加以清理，把出入加以比較，這是整理資料的一種最切實而妥當的方法；經過這番手續之後，對某一問題，或某一問題的某一層次，即可隨之告一段落，而我們便可順理成章地去做第二步工作。這便把自己向前推進了一步。還有，每個人都有一種惰性；因此明知資料的重要，但常常怠於去搜尋；或東塗西抹地找不出一個頭緒。假定你現在要寫一篇什麼文章，便逼着非去找資料不可；並且你想寫的題目，同時就指示了找資料的目標，而不至泛濫無歸。由這種自己逼自己的方法，一個人的蓄積便慢慢豐富起來了。

其次，做學問進一步的工作，是要養成自己的思考能力。思想才是做學問的靈魂。有思考能力，才能眞正消化資料，因而每一資料也都能賦與一種新的生命。中國由有些人所領導的歷史研究工作，只知道前面的一點，而不知道這一點。所以花很多人力財力，所成就的，只是沒有靈魂的餖飣之學；嚴格地說，這根本不能算是學問。思考的起碼表現便是對某些東西的「感想」。這些感想，不僅須要經過進一步的思考始能辨別其對不對；並且即使是對的感想，也只有經過不斷地思考才能長成、充實；否則只是停留在朦朧的狀態之中，不久便會順着生命之流而消失。只有當你有某種感想，經過初步的思考而覺其值得寫出，你便決心將它寫出時，你的思考力便隨着文章的展開而展開，隨着文字的鍛鍊而鍛鍊。就我個人的經驗來說，在寫的經歷中對問題所發掘的深度和廣度，決非開始拿筆時所能想到。並且常常在開始以爲是對的，結果發現不對；開始以爲不對的，結果發現是對。所以「寫」是發展鍛鍊思考的重要方法。因爲它提供了思考力一條線索，而思考總是要憑藉一條線索的。若把整理資料比譬爲自然科學研究中的實驗，則以寫的方法來發展思考，有同於自然科學研究中的演算。我不贊成多產作家，因爲這種作家大抵都不能滿足上述的兩種要求，而只是在一副文章的空格中塡滿些廢話。但我近幾年才了解一生讀書而不肯輕寫一字的人，站在做學問的觀點來說，是最吃虧的事。因此，我深悔過去的太懶於寫作。

一個人要作寫作的準備，如果是文藝方面的，應養成隨時觀察事物特性的習慣。如果一般文史方面的，應養成隨手抄錄資料的習慣。我覺得抄書是寫文章的起點。因爲你想抄某一篇某一段東西的時候，已經是初步發生了選擇的作用。所以也是在收集資料時的初步整理工作。

青年人已經有勇氣寫作了，最緊要的一點是，不管你的文章寫得怎麼好，怎樣結實，但在自己的心目中，只能認這不過是一種假定的說法；不僅準備隨時被人家推翻，也要準備隨時被自己推翻，更要準備隨時被新發現的材料推翻。一個人的進步，就表現在自己不斷地推翻自己的結論之上。專心做學問的人，對於自己所說的，總要過了四十歲以後才能稍有自信。自然也有若干例外。但談一般問題時，可以不涉及例外的問題。我爲什麼要說這一點呢？因爲有許多聰明人，年輕時候對某一問題有某種看法，把他寫了出來，這並非壞事。但以後便以一生之力，去辯護他的看法；於是對前人或外人的著述，不惜採用斷章取義的手段、徵引，來作自說的根據。這樣一來，便再不能客觀地讀一本書，再不能平實地吸收一種道理，而只是把自己的精神完全封閉在自己不成熟的感想中，使其成爲染上特殊顏色的染色體；任何學說，一經此種染色體反映出來，無不改形變樣，而自己尚矜爲獨特之見，就這種人自己說，是非常的可憐；就社會說，這種似是而非的東西必標新立異，最易爲淺薄自甘的人所接受，而成爲學術文化發展的一種阻力。所以古人對於自己的詩文，都要嚴加裁汰，不輕易保存少年的作品，何況著書立說？現時中國文化界、學術界，到處充滿了成熟太早、永無進步的人物。眞正有志於學術的青年，不僅不可被這類的人物嚇唬住，並且應以這類人物爲大戒。

歸結地說，由青年以至老年，皆是爲了學習而寫作，皆是以學習的心情來寫作，可能是流弊最少的寫作。

（一九五六年五月《大學生活》）

主宰自己的命運

——贈東海大學首屆畢業諸生

我到東大來教書，完全是生命過程中的一種偶然。在這種生命的偶然中，假定還要勉強找出一點意義，那便是我對功課所傾注的熱情，和對你們前途所懷抱的熱望。你們現在畢業了，我也漸漸的老了，我的熱情，不知道還能否繼續保持，但對你們的熱情，相信總不會歸於破滅的。

你們很幸運的受到了大學教育。在大學畢業以前，你們的父兄，你們的師長，實際爲你們負擔了這一段人生的責任。現在大學畢業了，人生的責任，開始眞正落在你們自己身上。出了校門以後，你們眞正成了自己命運的主宰者。你們要覺悟到，大學畢業的時候，便是爲自己的命運做一大的決斷的時候。我在這裏，想向你們提供兩點意見。

第一、假定人生是有價值的話，學問的本身，便是最眞實的人生價值。你們只有下決心在學問上有成就，才算是不虛度此生。但大學畢業，只能算摸到學問的一點門徑，離著學問的本身，還遠得很。所以最緊要的是，出了校門以後，更要加強做學問的決心，不論在任何環境之下，應該一直做學問做到死。許多人覺得一參加實際工作，因無時間，無圖書，無師友，便無法做學問，這完全是沒有志氣者的自欺之談。每天抽出兩三小時，有計劃的追求一個被限定的目標，一定可以突破困難；而且在十年二十年之後，一定會有個結果。就我個人的經驗說，在自動的情形之下來讀書（當學生讀書總有被動的意味），在人情世務磨鍊之下來讀書，會特別感到親切，特別容易深入領會。錢賓四先生當小學教員時，若不努力，便不能當中學教員。當中學教員時，若無重要著作，便不能在有名的大學中當有名的教授。我希望你們常常想到這個好的範例。同時你們想想，這個世紀以前的大科學家，有幾個人是憑藉完整的設備而始成功的呢？

第二、你們是生在一個極不幸的國家裏面，在求學的時候便要使你們受到許多委屈。但是，大家要了解，這幾代的知識份子，對國家才有罪過；而國家的本身，國家裏絕大多數的辛苦人民，並沒有罪過。同時，在世界大同未眞正實現以前，所有人類的活動，依然是以國家為立足點。縱使我們不願當中國人，人家還是要把我們當作中國人而加以歧視，加以限制。分明是一個中國人，而在精神上不願意當一個中國人，這才是人生中眞正的卑賤、恥辱！所以我們要有這種的覺悟：既已經生在此一不幸的國家，則走進社會後的艱苦奮鬥，才是我們的本分，決無便宜可佔，也不應存有佔便宜之心。並且在艱苦奮鬥中，不僅是為了自己的生存發展，也要使自己的生存發展，成為國家生存發展的一部分。過去和現在，許多知識份子，有意無意之間，總是犧牲國家的生存發展，來換取個人的生存發展；才弄成今日的慘局。我懇切希望讓這種可恥的現象，在你們這一代告一結束吧！國家的幸與不幸，只在知識份子的一念之間。中國知識份子的優良傳統，便是先天下之憂而憂，後天下之樂而樂的以天下爲己任的精神氣概。這種精神氣概，不是表現爲做大官，握大權，而是表現爲對社會、國家的聯帶感、責任感。

《論語》上孔子說：「後生可畏。焉知來者之不如今也？四十五十而無聞焉，斯亦不足畏也已。」我常常想，爲什麼自己過去會隨口滑過了這種懇篤的教訓？當和你們分手之際，特把孔子這幾句話鄭重向你們再提出來，祝你們能好好的主宰自己的命運。

（一九五九年六月《東風》）

這是「中國人要堂堂正正地做爲一個中國人而存在」的象徵

——《民主評論》出刊十週年的感念

《民主評論》出刊，今已十年。在這十年中，只有用「孤臣孽子」四字，才能勉強說明它的處境。創辦伊始，幾個流亡海外的朋友，對當前局勢，未嘗沒有挽狂瀾於既倒的雄心。但實際上。我們只盡了一點消極的責任；時時引以爲愧。不過，我們在十年歲月的演進中，逐漸發現此一刊物値得存在的新意義；即是，今日的《民主評論》，它已成爲「中國人要堂堂正正地做爲一個中國人而存在」的象徵。這幾年爲它所受的委曲，所作的掙扎，乃是生在此一苦難時代裏的人，爲了要堂堂正正地做一個中國人所無法避免的委曲，所不能不做的掙扎。在今天，只靠一個刊物來做爲此種象徵，這正說明時代的悲劇性。但若連這樣的一個刊物也聽其隕落，那將更說明時代的悲劇性。

中國近百年的歷史，是殖民地化與反殖民地化的鬥爭歷史。中山先生所領導的國民革命，正係此一鬥爭的大標誌。國民革命的思想內容，本來無不與西方近代的政治社會思想，有其密切的關連；而它所要達到的目標，也正是要取法於西方近代文化，以促進我們國家的現代化。

但中山先生的奮鬥，始終並未得到西方的了解與同情；結果便激成以「打倒西方帝國主義」的口號，來做爲此一革命力發展的頂點。這種歷史事實，是說明近代的西方文化，並非眞正以科學、民主、宗敎之光，直接向東方照射；而隱藏在這些東西後面，並主宰這些東西的，乃是人種的優越感及與此優越感連結在一起的征服意志。此一征服意志，通過各種手段、面貌，以表達出來；而其最爲深刻的一點，則是要求東方人只有以西方人的心靈爲心靈，才有其生存的價値與權利。若揭穿了說，只有東方人處於此種精神附庸狀態之下，才能保證西方人的優越感及其支配者的利益。因此，我們不難了解，科學、民主、宗敎，不是以其抽象的概念、格式而存在，乃是以其運用這些概念、格式的活生生的人而始存在。科學的本身是無顏色的；但運用科學的人，並不會沒有顏色。民主的本身，是保障人格尊嚴，並非即可適用到另一民族的人格尊嚴。宗敎的本身，是崇高而超世的；但信仰宗敎的人，並不一定都會崇高而超世。可以說，一切文化的內部，都存在着活生生的人的主體性；並都由人的主體性而決定其在現實生活中的歸趨與價値。正因爲如此，所以我們只能站在中國人的立場來追求科學，追求民主，信仰宗敎；要在這些東西中間，注入中國人的主體性，這似乎是不應懷疑的。

自從東西接觸以後，中國之應吸收西方文化，一如過去之曾經吸收中近東及印度文化，本來沒有問題。問題的發生，一方面是來自如前所述的西方人的人種優越感及其征服意志；另一方面，則在中國自身，也產生了兩種形似而實非的情況。這種情況，最好先從經濟現象中舉一個例子，即買辦階級和民族資本家的例子，以便於說明。說起這兩種經濟活動，都是從西方近代產業革命後的經濟發展而來；並且都在中西的關連中而生長。但買辦階級，只算是外國工商業經營者的最低級的代言人；經濟發展的條件，始終是掌握在外人手上；買辦們只有爲了擴大外人的掌握而始能保持其地位。因爲他們習慣了這種附庸的生活，便覺得在自己的國家民族裏面，找不出自己的人生價值，而必須由他所依附的雇主給與他以人生價值。他們的精神狀態，是自覺地低於外國人而高於本國人，即上海過去所說的「高等華人」。他們生活上的洋化，只有幫助外國人經濟勢力的擴展，以阻遏祖國自身現代化的意義。民族資本家，固然也是以個人利益爲出發點；但民族資本家的發展，同時也意味著本國社會經濟的發展。他們固然要靠外國的技術、機器，甚至一部分資本；但他們是把這些東西掌握在自己手裏，因而漸漸使其變成爲自己的，本國的資產的一部分。這些人的精神，無形中和自己的國家連在一起。他們要在自己國家的光榮地位中獲得個人的光榮地位。他們是以獨立國家中的自由人爲基點而與外人合作。在這種合作中，儘管也不能避免若干委屈，但在本質上，決不同於買辦階級之必須以西崽、洋奴的面貌而出現。

中國爲了爭取生存，爲了充實人之所以爲人的向上向前發展的願望，而應大量移植西方文化，這可以說是一種自然的趨向。但在這種自然趨向中，也發生了和上面所說的有些相像的兩種情勢。當我們追求人類經過長久歲月所積累的文化遺產，以解決我們個人、國家所遭遇的時代困難時，只有自己如何了解、選擇、及消化等問題，而不應當有地域的界限。我們假定在任何民族的文化中，可以得到一字一句有意義的啓發，即使這是來自己經死滅了的民族，也應當加以珍惜；何況是來自祖國先聖先賢的遺訓？對任何民族的文化，即使是對原始土人的風俗習慣，也應當有平實而客觀的研究態度；何況是對於祖國的文化？對任何未經自己研究過的東西，便不應信口開河，誣衊謾駡。這是求知識者的起碼態度；則對於自己並未了解的祖國文化，也不應當兩樣。但這些年來，許多知識分子，對於凡是出自祖國的文化遺產，無不一筆抹煞，一腳踢開；若聽說有人經過研究的結果，而提出在祖國文化遺產中，尙有某些價值的結論，便要運用各種口號、勢力，去加以誣衊、仇恨。在外國拿祖國的東西換飯吃，騙學位的人，回國以後，即把一切罪過都推到祖國文化身上，以爲必剿絕了祖國文化，中國才有出路。最近洋人針對台灣當前文化的情形而駡爲「文化沙漠」，也立刻把責任扯到傳統文化上去，意思說這不是我們不行，而是我們的祖宗不濟。試問只要對中國稍有點知識的洋人，能駡中國的歷史是文化沙漠嗎？試將四百年以前的洋祖宗，和我們四百年以前的土祖宗，稍作比較，能證明他們的成就，都是出於祖宗的培蔭嗎？這些人的目的，只在用一切方式，以證明在中國歷史中，沒有一樣有價值的東西（除非是某一點滴，曾經受過洋人的欽定）；中華民族的延續，是僥倖、苟且、卑汚的延續；今日的中國人，只有通過他們所轉手的洋貨，才有其生存的價值、權利。他們有打著科學的招牌；但在他們用兩三句口號所縫成的「乾坤袋」裏面，却裝滿了疏漏武斷的言論。有的打着民主的招牌；但稍稍透視他們的圈子，則把持操縱、排擠捧拍，在本質上實同於一切低級的極權專制。有的打著宗教的招牌，但稍稍了解點他們的生活內容，則爭權奪利，我詐爾虞，實在玷汚了任何宗敎的教義。他們的目的只有一個，即是由徹底否定中華民族所自來的歷史文化，以掘斷中國人的根，否定中國人僅做爲一個中國人而存在的價值，以顯出他們是高出於一般中國人之上，因而可以維持他們在這不屑一顧的國土裏的崇高地位。除學自然科學者我不十分淸楚以外（這些人對祖國文化的態度，總比較謹慎），這些無條件罵中國文化的先生們，到底是學到了西方的什麼學問？或者是由宗敎薰陶出什麼崇高的品格呢？甚至他們提出來作互相標榜恭維的口號，也貧乏得有如三家村學究，寒傖得可憐。很痛心的說，許多人眞像經濟買辦一樣，除了依草附木以外，對於生產的工具知識，都一無所有；而只有坐在洋人下房裏所聽來的洋故事。我開始以爲這不過是有所激、有所偏的偶然現象，而絕不懷疑他們作爲一個中國人的純良動機。但近年來從他們不可理喻的頑強反對中國文化的活動趨向看來，覺得除了認爲他們的精神，已經殖民地化、買辦化以外，再找不出其他的理由可加以解釋。這是十年來所急激增加的知識分子的精神狀態。譬如外國敎徒，對中國文化雖不十分了解，但大體上總保持一種謹愼而帶善意的態度。對中國文化採取欺凌壓迫態度的人。倒都是出自中國敎徒之手。爲什麼有這種奇怪現象呢？因爲外國人是以獨立國家中的獨立人格來作信仰的基礎，所以他們雖然有偏執，有成見，但依然能保持人對人，國對國，文化對文化的正常態度。而我們中國人，在這十年急激的精神殖民地化、買辦化的時代風氣下，許多人多是於不知不覺之中，以買辦的精神去信仰各種宗敎，因而不知不覺的便以買辦的態度來對待祖國文化。作爲他們欺壓中國文化的眞正背景的不是神，不是敎義，而只是他們所挾恃的世俗中的權勢。他們根本不知道，以世俗權勢來作宗敎活動的手段，這是任何宗敎的恥辱。

我們處在這樣大的逆流之下，更感到「中國人應當作爲一個堂堂正正地中國人而存在」的鉅大責任。我們要追求科學，但我們要求有中國國籍的科學家，而不想假借外國國籍的科學家的光寵。我們要追求民主，但我們要追求保證中國人的人格尊嚴的民主，而不要用洋帽子壓歪中國人的頭的民主。我們很尊敬各種偉大宗教及宗教的虔誠信徒；因爲我們認爲這一切可以和中國文化中崇高的道德精神，相輔相成，藉得以充實我們的人格世界。但對於狐假虎威的各種宗教信徒，不論他所假的虎威是如何的大，我們只投以輕蔑的一瞥。此外我們爲要使中國人能自己知道自己，以培植中國人的根基，更要講中國的歷史文化；我們不僅要爲中國文化伸寃，爲中國人伸寃；並且要在時代的危機中，使我們的文化，使我們中國人，也分擔一部分扶危濟困的任務。我們在世界人類面前，不是睡在地下的被動的存在；而是要站起來做主動的存在。我們只本著這顆願心，才委曲求全的不願使此一刋物隨便夭折。我們的力量太小，所能達到的，不及我們心願萬分之一；所以這一刋物的內容，也常不能與它所應擔當的責任相應。十年以來，在此刋物上，有許多平庸的文章，但決沒有內容過分荒謬的文章。有許多與我們的大目標並不相涉的文章；但很少爲了譁衆取寵而誣衊祖國文化乃至誣衊任何文化的文章。它縱然對讀者的心靈、知識未能做太多的貢獻，但決不曾誘騙讀者的靈魂，決不採虛聲恫嚇的姿態來向讀者販賣假知識。

我們所抱以與讀者相見的，只是通過此刋物以表現中國人要做爲一個堂堂正正地中國人而存在的努力與熱望。在當前逆流澎湃的情勢下，此一刋物，可能明天停刋，後天停刋；抱著此類願心的少數朋友，可能因排擠而明天餓死，後天餓死。但中國人畢竟要在世界中堂堂正正地站了起來，這會成爲歷史中的眞理，而爲我們所深信不疑的。所以我們熱切期待抱有同一願心的作者讀者，肯多分出一分力量來支持並充實此一刋物。

最後我要說明的，此一刋物能維持到現在，就社務方面說，在前一階段，主要是靠張丕介先生的領導。在後一階段，則是靠了鄭德璋、金達凱兩位先生的苦守苦撐。僅從社內來回顧十年的歷史，也夠令人感激感慨的。

一九五九年十二月四日夜於東海大學

（一九五九年十二月十六日《民主評論》十卷二十四期）

動亂時代中的大學生

各位同學：

東風社的同學希望我能作一次演講。我常覺得，東大學生的用功，多是分數本位的，所以生活得十分沉寂。今天我講的題目是「動亂時代中的大學生」，並不是我對此問題有什麼很好的意見向大家提出，而是想藉此激發大家對自身的問題，能作較深遠的思考。

我們在台灣，生活得很安定。但是，如果我們從另一方面想，台灣好像一艘在大海中航行的船，它有時可以在風平浪靜中平穩邁進；但若一旦波濤洶湧，這艘船也便會動蕩不安。所以眞正決定台灣前途的，是整個世界的動向。羅素所著的《在倫理學及政法學的人類社會》一書，以〈開幕乎？閉幕乎？〉一章作結束。他在一九五六年，對於美國名記者W. Burnett所提出的「什麼是我們時代的特徵」的問題所作的答覆是：「擺在我們面前的有兩個入口，一是通向天堂，一是通向地獄。我們正在選擇那一入口，還不能判斷。」不錯，正如羅素所說，整個人類，正徬徨在「開幕？閉幕？天堂？地獄？」的歧途；這便說明了我們的時代，正是一個失掉方向的動亂時代。

在我們的和平生活中，我們都有種種計劃，可以對自己的前途，作某種程度種掌握；就像你們由小學而中學而大學的這種有計劃、有秩序的生活過程。相反的，在動亂時代，我們平時生活上所憑藉的東西，不論是屬於物質的，乃至屬於精神的，一日之間，可以喪失淨盡；自己也跟着投入在一個不可知的命運的深淵中，連生命也失去了保障。在我的親身經驗中，看到無數的無辜人民，被那平日與他們無寃無仇的暴力，毀滅了他們的一切，甚至被殺死，餓死，折磨以死，顚沛流離以死的慘象，便有三次之多。只有在這種場面裏，才能了解所謂「動亂」的眞正意義。

在目前的動亂中，正如大家所說的，我們的主要責任是反對共產黨。但是，如果我們再作深一層的思考，便應當了解，若僅是爲了反對共產黨而反對共產黨，不僅沒有意義，並且也會歸於失敗。因爲目前動亂的局勢，固然是由共產黨而來；但事實上，世界的動亂，也是造成共產黨興起的因素。所以我們不僅要反對共產黨，同時還要進一步反對爲共產黨造機會，以致陷世界於動亂的許多基本因素。世界動亂的基本因素，㈠是由於少數人在政治和經濟上的權利，與多數人發生了衝突。這可以解釋許多落後地區爲什麼不能得到安定的原因。㈡是更深刻的說，乃是由於我們目前既成的生活格式或意識形態，與世界上所發生的新情勢發生了衝突。例如西方的資本主義，與它們的殖民主義本是不可分的；所以他們便無形之中，認爲殖民政策是天經地義。但目前民族的覺醒，已深入於亞非各民族之間；這便與沉浸於殖民主義之中的西方人發生衝突。又例如，以前白種人對有色人種，自己以優等民族自居；尤其對黑人，認爲他們既骯髒，又愚蠢，所以美國對黑人便採取卑視隔離的態度。但隨人的自覺的擴大，黑人也要求平等，這便形成美國黑白人種的衝突。以上僅是最顯著的例子。同時，這一類的衝突的造成，科學技術的進步，只能算是間接的原因，甚至於是與科學技術無關。其直接的、主要的原因，乃來自人自身的觀念、意識。「解鈴還是繫鈴人」，所以這種衝突的解決，主要是要求從觀念、意識方面，創造出一種保障人類能得到和諧、統一的「新的人的形像」。目前有不少的思想家們，正爲此而努力；但是，這種工作僅是開始而已，尙待大家繼續不斷的擴大深入。

表面上，創造「新的人的形像」是思想家們的任務，也是政治家們的任務，與大學生又有什麼關係？你們要知道，這世界由互相衝突所造成的動亂，是由你們的上一代所造成的。上一代的應歸上一代，不應該由你們接受上一代的惡果；你們應當走自己的新路。你們須知道，上一代的生活形態，是完全受到現實利害的限制，所以對「新的人的形像」的創造工作，遠不及你們處境的優越。你們因爲是大學生，大體上，都受既成條件的限制較小，容易作自由獨立的思考。所以你們便不可說，待來日踏入社會以後再爲此努力。你們毫無準備的走進社會的大染缸，還不是和上一代一樣。這是我把動亂時代與大學生連在一起的原因。

動亂時代的大學生，應有大學生的自覺。依中國傳統的說法是：「大學者，大人之學也。」用現代話來講，是指一個人的人格學問，都應在大學時代奠定基礎。在大學裏面，你們固然不可能創造出什麼；但是，創造的習性與方法，尤其是願望，應該在大學中養成。事實上，若是大學時代的基礎壞了，則一生就不會有什麼大希望。

一個人的生命的發展，大致可分爲三個階段。第一個階段，可以用小學到中學作代表。這段時期所表現的是一片生理的混沌，充滿着生理的刺激與反應。在這一段生活中的秩序與方向，都是由外面的力量，如父兄師長等，加以規整的。在大學中，有些仍然停頓在生理的混沌之中。甚至許多人，在此狀態中過了一生，這當然毫無價值可言。進到大學以後，有些好的同學，已開始對知識、藝術感到濃厚的興趣，這就開始把生理的活動，從直接的刺激反應中解脫出來，主動的根據自己的興趣去從事於各種有目的性的活動，由此，而在文化上有某些個人的成就，這是生命發展的第二階段。西方以個人主義爲基底的學者、技術家，多是停頓在此一階段。生命發展的第三階段，就會對人類的命運，在自己的精神裏面，產生了一種責任感；使自己的性命與人類的命運連帶在一起；此即孟子所說的「憂以天下，樂以天下」。由這種對人類運命責任感所形成的創造動力與動機，才會爲了整個的人類而創造，才能爲新的人的形像而創造。大學生的自覺，就應該達到這種境界。

大概的說，在太平時代，一般知識份子，都樂於按照自己的興趣來生活。但在動亂時代，各個人的興趣並沒有保障。同時，對於動亂的澄清，也多半沒有作用。就像在清朝的太平時代，考據是學者的興趣焦點。這一直延續到現代的「整理國故」派。回想在南京時，有一次我請一位從事考據的先生爲《學原》月刊寫文章，這位先生感嘆地對我說，「動亂時代需要的是思想，寫那種餖飣的考據，對時代而言，有何意義？」由此可見個人的興趣，在不能與動亂的時代問題發生關聯時，只要是稍有自覺的知識分子，便會覺得不成其爲興趣。因此，動亂時代，比較容易啓發對人類命運的責任感，尤其是你們這一輩較爲純潔的青年學生。

現在假定你們已經有了這種責任的自覺，應當從什麼地方下手，作起碼的努力呢？我試提出三點，供你們參考。

第一、你們應當把握住自己原有的純潔生命作爲自己的立足點。成年人的生命，早已摻雜了由私人現實利害而來的自私自利的東西，錮蔽了自己的良心，歪曲了客觀世界的眞像。你們首先應把個人現實的利害，暫時放開一步；並且對社會一切既成的生活形態，暫時作懷疑的否定，使自己的生命，從既成格局的束縛中解放出來，以保持其原有潔白之姿。生命的原有潔白之姿，面對著客觀的世界，即會呈現自己的良心理性。在良心理性之前，把先前所懷疑、否定過的東西，重新加以批判，而重新肯定其中若干部分，這是「去舊染之汚，開新生之路」的必經過程。中國儒道兩家所強調的「無我」，禪宗所強調的「解粘去縛」，英人培根所強調的破除四種偶像，都有這種意思在裏面。這在成人做起來，比較困難；在你們作起來，反而比較容易。

第二、大學生應該養成獨立思考的習慣與能力。眞正的思考，其本身即是獨立的。但在事實上，要獨立思考，談何容易。我們平常的思考，都只會依樣畫葫蘆，在精神上，充塞着依傍的傾向；這如何能創造出新的東西呢？許多人讀了一生的書，根本還沒有培養出思考的能力，只是一生過着依傍生活而已。

獨立思考，首先是要不受既成學說思想的束縛。但這與現代有些人所提倡的懷疑主義並不相同，懷疑主義，常會走向虛無主義。只有獨立思考能力的人，對一切既成的學說，及事物，都不作絕對的肯定，但也不將其完全否定，而只是把它當作自己思考的材料的一部分。因此，要能獨立思考，首先要有容受力。容受力不夠的人，常常以一家一派爲滿足，實際便是依傍一家一派。其次，要有根據歷史發展及人類實際生活需求而來的批判力。人類的實際生活，是一個統一體；而思想則常是發展此統一體之某一面，以構成其自身之系統。對於這些系統的批判，不僅是邏輯的問題，而是把它鑲進現實生活的統一體中所站的地位與結果的問題。又其次，要有重新組織的力量。獨立思考不等於空想，是對許多材料作「重新組織」的工作。我可以吸收許多思想材料；通過我的思考，先作初步的否定，然後再作批判後的肯定。凡經過否定後重新加以肯定的事務，才具有眞正的價値。因此，一個聰明的學生，一定會吸收許多先生的學說，但決不拘泥於一家之說。何況我國一百年以來，幾乎不容易找出可以作完全依據的比較成熟的著作。所以我們的學問，主要的是要靠下一代的人重起爐灶。因爲我對學術對青年，還保持有起碼的良心，所以才不怕得罪人，敢說一點眞話。並且你們在重新組織之後，這也不過是一個假定的性質。應當不斷吸收新的材料，不斷根據新的思考，把已經組成的東西加以拆散，或否定，而加以「重新組織」。一個人一生成就的大小，是由這種拆散與組成的循環次數來決定。一成不變的人，無形中是把自己後半段生命當作了奴隸，這也不是獨立思考。

第三、由我們要對人類命運有所貢獻，我們的思考，必須在生活上落實。因此，我的第三點意見，是要你們過一種團結的生活。一般人說，「團結就是力量」，這句話確有其道理。尤其是在動亂時代，一個人的力量是太渺小了，所以更要倚靠團結。但我的意思還不止此。一個人的人格，必須在團結生活中才能夠擴大；生活的理想與現實，必須在團結生活中才能夠統一；個人的個性與社會的羣性，必須在團結生活中才能夠和諧。並且，我們目前的大目標是在創新的人的形像。新的人的形像，一定是使人類能得到統一、和諧的人的形像，因此，我們的團結生活，即是向新的人的形像的探索與試驗。我們當然無懼於從現社會既成勢力中的孤立；因爲許多既成勢力是醜惡的東西，對於它們，早已無所謂孤立與否。但是，我們決不能從自己的同類中孤立起來，否則會使自己的個性、人格，伸展不開，不會有大的成就。照理說，純潔的生命在一起，應當自然而然的產生一種團結的生活。東海大學的學生，我認爲都很純潔，相處得很和諧；但是這僅有消極方面的表現；在積極方面則尙待努力。在這裏，我再對團結生活的條件提供幾句話：㈠應該無私而負責，盡個人的責任而不求個人的表現；㈡彼此之間，要誠懇而又能容忍，要能爲共同的事情，接受個人的委曲。㈢在熱心之中，仍要有澹泊的精神。以上三點，總括的說，即孔子所說的忠恕之道；說來容易，決心去做也容易；但下這種決心却不容易。

我希望東海大學將有許多團體的活動，以實現團體生活的理想。如果，一個大學生能夠努力於獨立思考習性與能力的養成，再從團結的生活中，作最後目標的嘗試，我想這種大學生，才能算是眞正的大學生；將會爲萬世開太平而貢獻其力量。而我這次演講，也不過是爲了助成你們的發展，向你們提供一部分思考材料而已。

（一九六一年《東風》）

一個小型的中西觀念的衝突

最近台灣最熱門的新聞，要算是蔣夢麟博士和徐賢樂女士的婚變。此一婚變之所以成爲熱門新聞，固然和他們結婚時的年齡，及蔣博士的地位，有其關係。但追根到底，蔣博士所持的西方婚姻的觀念，而徐女士乃至社會上許多人，在有意識、無意識之中，却多少受了中國傳統婚姻觀念的影響。此一事件的本身，不應有什麼難解難分之處，並且也沒有什麼特殊而突出之處。假定大家認爲此一婚變，有什麼特殊意義，以致使它難解難分，這並不關於此一事件之本身，乃關於隱在此一事件後面的中西觀念的衝突。

中國的婚姻觀念，是以連帶責任的倫理觀念爲出發點。一個人的結婚，上對祖宗，下對子孫，中對自己的家族及對方的家族，都負有連帶的責任。所以結婚是一件大事，離婚更屬非常特殊。一經結合，便膠固而不可解。古人說：「妻者齊也，一與之齊，終身不改。」這因爲一個人的婚姻，牽連到倫理上的許多問題，雙方在精神上都應受這種約束。若是由個人的意志，來改變這種結合，大家在有形無形中，總覺得是不應該的。

西方的婚姻觀念，是以個人自由的觀念爲背景。男女結合，只對自己的感情、意志負責，與他人無關。在自己的感情、意志感到需要離婚時，這也是純個人的問題，只要法律許可，一概與社會無關，與他人無涉。簡言之，中國人把婚姻問題看得很嚴重；而西方人則看得比較疏鬆。

蔣博士以七十五的高齡，和徐樂賢女士結婚時，社會對蔣博士雖然很客氣，但無形中不免有點不太自然之感；所以當時還有一位詩人作詩來加以諷刺。其實，即使是一百歲，一百二十歲，只要有人出於自己的意志，而願和他結婚，年齡的懸殊，決不能構成議論的對象。蔣博士當日之不顧一切，與徐女士結婚，這完全符合於西方的婚姻觀念。當時胡適博士的阻止是另有顧慮，也並非反對蔣氏的婚姻觀念。經過了五百多天，蔣博士覺得精神受到了虐待，要求離婚；既不是出於移情別戀，也未採用賴結賴離的手段，而只是訴之於法律，這也完全合於西方的婚姻觀念。蔣博士對於此一婚姻的態度，既無所謂「佳話」，也無所謂「慚德」，而是可爲今日中國社會所接受的「西潮」；事出尋常，無可恭維，也無可非議。

徐女士因生爲蔣家人，死爲蔣家鬼的觀念，而反對分居，反對離婚，這完全是出自中國傳統的「嫁鷄隨鷄，嫁狗隨狗」的傳統婚姻觀念。這種觀念的本身，無可厚非。不過，站在女性的立場，徐女士似乎不夠堅強，不夠現代化。而凡是眞正站在這一立場的婦女，自然而然地，不會太看重金錢問題的，但徐女士似乎非常重視這一點。社會上對這件事看得非常重要，連李石曾先生也說「這一事件的影響所及，顯示出此事已不僅是蔣徐兩人之間的問題了」，這也完全是出自中國傳統的婚姻觀念。此一傳統觀念的流行，是說明我們社會在應當脫皮換骨的地方，還不曾脫皮換骨。

中國傳統婚姻觀念的好處，是在於由婚姻的安定以形成社會的安定，由婚姻的倫理性以加強整個的倫理基礎，所以古人說「夫婦爲人倫之首」。其壞處是假定結合得不自然、不理想，其膠固性便可使一個人的經常生活不斷地受到感情的折磨，以致引起生活的痛苦，甚至成爲悲劇，而在此悲劇之中，受犧牲最大的常是女性。老年人也有時和婦女一樣，因爲老年人是年齡上的弱者。

西方婚姻觀念的好處是使人能得到自由而快樂的家庭生活。其缺點，則在離結自由的後面，常藏着各個人的利害打算。以致如索羅金在《人性的再建》書中所說的，這是帶有商人性質的婚姻。在中國傳統的夫妻之間，平常並不發生財產主權誰屬的問題，而西方則非把主權誰屬的問題，弄清楚不可，其原因也在於此。假定中西的婚姻觀念，也應當加以融合，則除法律上的規定以外，我以爲男性應多考慮一點傳統的觀念，女性倒不妨多考慮一點西方的觀念。因爲這樣一來，在現實上，自然會得到均衡的。

隨時代的前進，和現實問題的要求，中西觀念的衝突，本來不應當再有的。中國觀念之所以還有衝突，我以爲眞正的責任乃在今日有些中國人常運用中西文化中壞的一方面，以求達到個人徹底的自私。就婚姻說吧，若是男子打著西方個人自由的招牌以求達到個人在女性前的放縱；而女的則利用中國傳統婚姻的膠固性，以求達到商業式的目的；則所謂中西觀念的衝突，再深入地看，却又還原到一個原始性的個人利害衝突；這便是眞正的不幸了。我常以爲，在人類理性自由選擇之下，一切文化，好的受到吸收，壞的受到淘汰，不懂的受到客觀地研究，決無衝突可言。衝突的形成，乃是出自有些人打着某種文化招牌，以求達到徹底自私之念。老實說，這與其說不同文化間的相互衝突。不如說是反文化者與文化的衝突。蔣徐婚變，在這一點上却有其暗示性的意義。

（一九六三年四月二十七日《華僑日報》）

國際社會間的「友道」問題

友道在人生中的重大意義，西方可以說到了西塞羅（Cicero，紀元前106—43）才完全把它顯發出來。西塞羅看到當時羅馬貴族生活的荒淫墮落，便積極提倡發端於斯多亞派（Stoic，主張克己、禁慾主義的哲學家，稱之謂斯多亞學派）的人文主義，強調人生所需要的教養。而在他，認爲得到教養的最大方式之一，便是與朋友的交際。所以他遺留下來的著作中，《友情論》居於重要的地位。

中國到了春秋時代，列國的貴族，來往頻繁，對於友朋的來往，漸漸由國家的關係、利害，發展爲私人的關係、得失。於是「友道」觀念，漸漸浮現了出來，由孔子而加以確定。《論語》在「學而時習之，不亦悅乎」的第一句話後面，便是：「有朋自遠方來，不亦樂乎？」便是這種道理。同時，孔子更說出「益者三友，損者三友」的一段話，以奠定友道的準繩，指出友道如何而始能達到人生教養的目的。自此以後，「勸善規過」，成爲中國人友道的常識。

友道何以在人生教養中有其重大意義，到了荀子說得更清楚。他在〈勸學篇〉「蓬生麻中，不扶而直」的一段話中，指出每人都會受環境的影響；而在各種環境中，以由朋友所形成的環境最爲密切，從朋友所得來的啓發、觀摩、及力量，對於一個人的行爲，常有決定性的作用。

現代因交通及傳達工具的進步，不僅把私人間的友道，向國際方面擴展；並且某一國家的社會活動情態，也常常可以反映到另一國家的社會中去，而使另一國家的社會受到影響。因此，今後的友道，將更向國際社會方面發展，而形成「國際社會間的友道」。即是，今後的友情，將由個人而擴大到羣體；個人言行的相互影響，也將擴大到各種不同的羣體活動中，所發生的相互影響。

不過，社會與社會的接觸，依然要通過個人的觀察與報導。而擔當這種觀察與報導之責的，多是新聞、雜誌及其他的文化工作者。因此，個人間的友道，是來自各個人的直接交際；而國際社會間的友道，則須依賴新聞、雜誌及其他的文化工作者負責。假定說個人的友道，是爲了個人的修養；則國際社會的友道，是所有文化工作者，爲了自己面對社會所須要的教養。我覺得這是今後從事此種重要工作的人們所應有的共同認識。

新聞雜誌的報導資料，自然趨向新奇這一方面。「常事不書」，史家已是如此，何況是寫在新聞雜誌上的東西？新奇而突出的事情，很少是有教養價值，甚或是反教養價值的。這樣一來，便發生了職業上與責任上的矛盾。如何在這種矛盾中打出一條通路，這是新聞工作者乃至其他文化工作者的最大考驗。

社會是由一羣人所組成的。「人上一百，種種色色」的諺語，實際是一條歸納性的眞理。在一羣人中，可以有各種各樣的人。但各種各樣的人中，總有若干潛伏或顯明的共同規範。其中可能有很突出的壞人；但支持此一社會生存發展的決不是這一類的壞人；除非是它正走向沒落。在一羣人的活動中，可以有各種各樣稀奇古怪的事，可以有許多見不得人的事；但此一社會的安定、進步，決不是靠着這一類的事。凡是突出的人、突出的事，常常有新聞價值；但有新聞價值的東西，並不一定是眞正可以代表某一社會的東西。所以在報導的時候的態度，自然應當有一種尺度。最近英國的桃色案件，轟動一時。並且追溯上去，過去英國的貴族，像這一類的生活，簡直是數見不鮮的。但是，若有人以爲英國之所以爲英國，英國政治之所以爲英國政治，便是如此，所以我們也不妨如此，那便是莫大的錯誤。任何成功的人，在生活上一定有他許多的缺點。有出息的人，便會從他成功的方面受影響；沒有出息的人，便常援據他人的缺點以自證自慰。推之於國際社會間的友道，也正是一樣。

並且我們應當常常想到：像英國美國這種社會，由政治、文化、經濟各方面所奠定的基礎，不是我們海外的華僑社會，乃至臺灣的社會，所能比擬於萬一的。他們所能受得起的黑暗面、下流面的風險，在我們的社會却是受不起的。

今日大家一談到日本的女人，立刻聯想到脫衣舞。但千千萬萬的勤勞整潔、和順善良的日本婦女，却不易引起人的注意。這能算了解日本的婦女社會嗎？但今日臺灣，有不少的人，却專門從黑暗面、下流面、動盪面去看他人的社會，造成英國、美國、日本等之所以比我們富強，其進步性即在於此的錯誤印象。這是說明自暴自棄的個人，不能理解私人間的友道；而在自暴自棄的社會心理狀態之下，也更建立不起國際社會間的友道。

擴大孔子「益者三友，損者三友」的原則，發揮國際社會間的友道，以促進我們自己社會的進步，這是今日每一文化工作者所應共同擔負的責任。

（一九六三年七月十四日《華僑日報》）

言論的責任問題

有一羣自稱爲「現代的青年」，創辦了一個刊物；開宗明義宣稱他們只追求個人生活的快樂，而不接受任何價値判斷，或規範意識。我看完後，立刻發生兩點感想：第一、他們生活的快樂，是他們每一個人在孤島或孤洞中去追求呢？還是在人與人的羣體生活中去追求呢？一片麵包，一條短褲，四疊半蓆的房子，都是一連串的社會關係中的產物，他們難道說連這點常識也沒有？不承認某種價値判斷，或規範意識，則起碼的社會秩序如何維持？他們的快樂從何處獲得呢？第二、沒有價値判斷，便不可能發生「人的行爲」，不接受任何價値判斷，唯我獨尊，這是一種生活態度，所以依然是一種價値判斷。這批人，既否定了一切價値判斷，當然也沒有權利要求社會接受他們的價値判斷。然則他們爲甚麼要向社會發行刊物以宣揚自己的「反價値」的價値判斷呢？這完全是缺乏起碼的責任感的言論。

還有一家大報，公開宣稱它從來不曾想到他們的言論要影響社會和政治。由此可知這一大報的言論，完全是爲了個人的發洩，以個人的發洩來換取稿費。我當時想到該大報爲什麼一筆取消了它過去的歷史，及今日所處的特殊地位？即使是一家普通報紙，既對社會問題、政治問題，提筆寫了文章，而根本不考慮到社會、政治所發生的影響，這實際是存心傳播毒素，以毒害社會與政治。這種公開標榜沒有責任感的言論，乃說明報紙、雜誌的極端墮落。

有人拿自由來抵抗責任，也有人拿責任來抵抗自由。其實，沒有自由的責任，是奴隸的責任，結果也一定會取消掉責任。沒有責任的自由，是暴亂的自由，結果也一定會取消掉自由。自由與責任之不可分，這是人類生活的長期經驗事實，不須要甚麼特定理論來加以論證。我在這裏應特爲提出的是，報紙、雜誌的言論，十之八九，都是涉及作者個人以外的「共同問題」。對共同問題若沒有「共同的責任感」，便沒有開口、提筆的資格。爲了要在言論上盡到共同的責任，而受到無理的壓制、干擾，這便應當爭取言論自由，言論自由也才有價值，根本對自己的言論沒有責任感的人，有什麼資格去談言論自由？並且在這種情形下之所謂言論自由，也自然便成爲可有可無之物。所以沒有言論責任感的地方，也根本不會嚴肅地爭取言論自由。於是大家只利用社會的痲痺與弱點，各人發操各人的無意識界。而其總結果，必然是大混亂、大清算。

上面的一段話，對於文化水準較高的地方來講，有如「肚子餓了應吃東西」的同爲廢話，實在可以不說。以下，我假定大家承認「言論應有責任感」的前提之下，試提出如何構成責任感的具體條件。

第一個條件，是首先應想到自己的言論，是否可以在自己乃至在自己家庭的正常生活中實現。假如執筆的人以此鼓吹社會，是否也以此來鼓勵自己的家庭？最簡單的例子，有一家雜誌，鼓吹初中女生，應當勇敢地爬上男老師的床上去。是否這家雜誌的負責人，確實希望他自己十五、六歲的孫女或女兒便是如此？或者已經如此之後，而希望自己世世代代的小女孩都如此？假定這種人——只要他是一個人——能切身做這種想法，我想凡類似於這類的言論，總不至像目前這樣的猖獗吧！

第二個條件，便應想到自己的言論，是否可以在社會大衆正常生活中實現。實現以後的結果，到底如何？這種預計，雖然是相當困難，甚至也難期正確；但只要有這種預計之心，下筆時便自然會平實愼重了。由此更進一步，對自己的國家民族，應當抱有由人類歷史教訓而來的理想、前途下常常想到自己的言論，對於此種理想、前途，到底發生甚麼影響？范仲淹爲秀才時，以天下爲己任，這是歷史中很特出的人物。但在報紙雜誌上立言的人，其職業的性質，必然應當以天下國家爲己任。由此而產生積極的言論責任感，由此而產生積極的言論自由的要求。

再就作者編者個人來說，首先應知道每一個人的知識是非常有限的。尤其是我們這一代，乃至三十歲以上的人，多沒有受到嚴格而完全的教育。同時，一個人假定有機會經常發表言論，這只說明此人是處於吐出的多，吸進的少的狀況，簡直難有儲蓄知識的機會。「知識」是由人類艱辛積聚；並且積聚到現在，每一部門，其深、廣，有如一個大海。當一個人想到自己的言論，對於所必須涉及的知識，該是如何淺薄、渺小時，便怎好不認眞地讀點書、找點材料？而下筆時又怎好不特別使自己的話，說得嚴守分際呢？

更重要的基本條件，便是應認定「說假話」是可恥、是沒有人格、是斯文掃地的勾當，目前打著招牌說假話的風氣太盛了。還有打著「科學」、「西化」的招牌，而大講假話的一批人。此一風氣，由大學的教室走向社會，走向報紙雜誌。沒看過的東西假裝看過；不懂得的東西假裝懂得；人家本來是說向東的，却以胡鬧的方式，指人家是說向西。只要嚷得聲音大、罵得下流，便認這就是科學化了、西化了、現代化了。殊不知凡是値得稱道的人與事，沒有不是在「信」上立基的。「如實之謂信」，這是科學精神最基本的內容。而一切的黑暗、醜惡，都來自說假話，都以說話爲遮掩的手段。所以不論古今中外，無不以說假話爲罪惡之淵藪。言論界不把此種惡風扭轉過來，不對說假話的人，去追根究低，則一切都將無從說起。

我是很了解立言之不易的一個人。尤其是衰亂之世，社會的變態心理，經常壓倒正常的心理。所以凡是代表變態心理的言論，便最易譁衆取寵。而凡是出自有責任感的言論，一定是平坦眞實的言論，大家反認這是老生常談。於是辦報紙雜誌的人，便不能不考慮到銷路的問題了。但我們到底應當在變態心理中求生存、發展呢，還是應當在正常心理中求生存、發展呢？因此，言論的責任問題，我希望立言者與社會讀者共同負起這種責任。

（一九六三年十月二日《徵信新聞報》）

漫談國產影片

前幾天，我由東海大學的宿舍走向文學院的中途時，建築系的系主任陳其寬先生老遠和我招手。走到一起後，他問我看過《故都春夢》沒有？接着又以很高的興趣，提到幾部國語影片，並簡單地提出了他的若干意見。例如他很欣賞《秦香蓮》中所加入的黑頭平劇；他贊成我對兩部《七仙女》所作的批評。又對某一宣傳得很起勁的國產片子（西施）表示失望等等。而歸結爲：「我沒想到這幾部國產片進步得這麼快，現在看外國片子有點不過癮了，希望你再寫文章加以提倡。」

陳先生的話，使我感到很驚異。因爲他在美國多年，不僅對建築和繪畫方面都在不斷地追求新的境域。而我，不僅是藝術的外行；並且這幾年來，從文化反省的觀點，對現代藝術，總是保持批評的態度。正因爲如此，我雖然和陳先生同事有年，但關於這一方面的問題，彼此間很少交換意見。想不到在這次談話中，彼此的見解，却多不謀而合。同時，他是一位很認眞的人，我相信他和我所談的，不會含有一點虛僞的世故。我爲了尊重他對國產影片的好感，便把他的話，在這裏向社會報導出來，也算是盡了一點提倡的責任。至於下面我所說的未成熟的意見，乃是臨時引發出來的，應由我單獨負責。

這幾年來，漸漸有人了解我在做點中國思想史的研究工作。看到我偶然談到文學、藝術上的問題時，便覺得是「思出其位」。並且還有好心的朋友，以此相規勸，不過；做爲一個中國的人文主義者，不可能不關心到文學藝術方面的問題。而以「人性論」爲基點，把中國的哲學思想和文學藝術思想連結起來，這正是我的責任和目前所做的試探。自有藝術以來，沒有任何一種藝術，對社會影響之大，能與影片相比配。所以我雖然不曾對電影作過一點專門研究，但自然會常常留心到這方面的問題。不過，我一向是不愛看國產影片的人。有時爲了陪太太，也多半看不終場。但做爲一個中國人，必然地，希望能出現值得一看的國產片子。所以看了梁祝片和兩部七仙女，便很僭越地寫了兩篇「感興」式的文章，乃是出於這種心理。

負責的影評，無疑地，可以幫助電影的進步。影評，大體上有三種性質：一是以技巧爲主的，這是專家的影評；對於電影工作者很有意義，但一般觀衆未必能了解。二是以當下的印象爲主的，這是一般觀衆的影評；這種影評，可能有由直覺而來的錯誤；但一部片子的成敗，總是決定於觀衆。三是站在一般藝術的立場所作的影評；這是介乎前述二者之間，主要是爲了幫助觀衆，以提高社會欣賞水準爲目的的影評。我的看法，報紙上須要多有這種影評。

但這裏却遇着一個難題，即是藝術家與大衆之間的脫節問題。在以貴族爲主的歷史階段，文學、藝術，是與大衆無關的。一直到近三百年的發展，文學、藝術與大衆的關係，才爲之一變，這是歷史的一大進步。但近三、四十年來的所謂現代文學藝術，又和大衆疏隔起來了。這種疏隔，與貴族時代主要不同之點，過去是來自教育的不普及；而今日則是來自文學家藝術家特異的觀點和表現的特異的形式。

在這裏，無法涉及此一問題的深入探討，而只想指出，像電影這種藝術，不可能以孤芳自賞的態度而存在。幾年以前，臺灣來了幾部「意識流」的片子，許多青年奔走相告，認爲這種電影太好了，我也便忙著去看。但看後自愧頭腦落伍，無法領受。當時，我對於所謂「意識流」云者，還是莫名其妙，於是找些這一方面的東西閱讀。等到我稍稍摸清了底細，即認爲這種新的探索，或許有它的意義；但在電影方面，不可能持久的。前年我從日本報紙上證實了我的觀點。

不僅如此，日本是一個感染性最敏銳的民族，所以年來抽象畫，和意識流這一型的詩盛極一時。但出現在報紙上的抽象畫，一定抽象得有個限度。而意識流的小說，出現在報紙上的，則可以說是絕無僅有。當他們出很高的代價徵求授獎的小說時，也只是要求在傳統的基礎上做新的表現。這道理很簡單，抽象畫，意識流的詩，可以自己結成團體，互相欣賞一番。但報章、雜誌，也和電影一樣，要大衆能接受，而大衆所能接受的依然是以結構、對象、主題爲基點。我說這些話的意思，是想指出，作爲一個電影藝術的批評者，一方面要不斷地爲觀衆開拓新的領域，同時，也要時時刻刻地，把大衆的感情、觀點，放在自己腦筋裏面，挾帶着大衆的感情、觀點而前進。

談到國產影片的發展方向問題時，我便想到莫爾頓在其「文學的現代研究」中所指出的：「世界文學，乃是以各民族文學爲立脚點而向前眺望，才能成立」的意見。根據他的意見，不能把握自己民族文學的人，不可能對世界文學有所貢獻。由此可知，目前有人提倡建立電影中的「民族風格」的意見，可能是國語片發展的正當方向。

這裏，首先要打破一個觀念：即是在文學藝術方面，民族與民族之間，時代與時代之間，在做比較時，不可輕易轉用「進步」的觀念。藝術的發展，是「變化」而不是「進步」，這是目前大家所共同承認的。假定這一觀念不澄清，則民族風格的建立，會遇到許多困難。例如梁祝等片中黃梅調所配的音樂，假定我們離開了是否與片情相和諧、配合的問題，而只責以它較之西方的和聲音樂，遠爲落後，則當演一部以中近東的回教徒爲背景的影片時，也應責以不可採用回教徒們的音樂；那將從何說起呢？

國產片引起人們的注意，絕大多數是來自古裝的故事片，這不是沒有原因的。因爲第一、它的本身自然是代表我們民族的風格。第二、這種故事的本身，經過了長期的醞釀流傳，容易形成完整的結構，和明顯的主題，這也容易爲觀衆所接受。譬如陳其寬先生提到的不能令人滿意的某「起飛片」，我認爲此片的製片人、導演、及演員，都做了很嚴肅的努力；這一點，的確要算是一個進步。但就作品來說，似乎缺乏主題，缺乏情節，因而在結構上，沒有一股力量貫串下去；於是便在許多地方，顯得賣力中的生湊，熱烈中的鬆懈。

也許會有人一著急起來，以爲老弄古裝片，不是進步的辦法。眞的，民族的風格，更應表現於現代生活之中。但對我們而言，這是非常困難的。因爲我們目前的知識分子，因各種原因，多半早忘記了自己。若能通過歷史的記憶，而慢慢發現自己的本來面目，則演古裝片亦未始無助於演時裝片。我在日本時，一般電影院所演的，絕對多數是古裝故事片。只要大衆願看，藝術批評家便不必著急它沒有前途。目前所應努力的是：在取之不盡的歷史故事中，應進一步演出更有分量、更爲新鮮的題材。在古衣古冠的古代生活形式中，應更進一步把握住所演的古人的心，古人的情感。我決不是反對演時裝片，而只認爲在目前條件之下，主要從演古裝的故事片起步，或者是一條平實可通之路。

其次，談到黃梅調的問題。有人認爲黃梅調的流行，不是好的現象。其實，黃梅調較之許多黃色歌曲，較之美國貓王的那一套，不是高明得太多了嗎？它的音調或許悽婉了一點；但令社會上許多飛揚浮躁的心情，聽了黃梅調而能把頭低下來片刻，又有什麼太壞呢？黃梅調只要用得其所，大衆是歡迎的。不過，我很贊成陳其寬先生的意見，應當作更大的努力，把各種戲劇盡量融和在一起，只要能得到和諧，便也不嫌複雜。但這是很難的工作，須要有魄力的公司多多地實驗。而《秦香蓮》一片中的黑頭平劇，或不失爲相當成功的嘗試。這裏爲避免誤會，也須得提醒一句，我不是主張非用黃梅調不可，而是認爲用黃梅調決無礙於電影的進步。

再要說的一點是：電影的經營，是一種商業性的經營，它當然有競爭。但競爭，在不擇手段之中，還是要擇起碼的手段。例如：第一次，從臺北起，一路傳遍全省的凌波死訊，這已經過分了。過些時候，許多人又聽到樂蒂毀了凌波的容，凌波因而自殺的消息；這固然可以激起若干人趕快去看快要下檔的《七仙女》，但我想不出是什麼人用這種手段作競爭而不會暴露出國產影片的無前途。好不容易，國產片由若干公司及若干導演、演員的努力，而慢慢改變了國人的觀念。我希望能在社會大衆愛護之下，能好好地作更健全的發展。其條件之一，要能接受批評。

（一九六四年三月二十四日《徵信新聞報》）

風景·幽情

我平生是最好動的人。可是到了臺灣以後，對於臺灣的所謂風景、名勝，除了被動地去過兩三個地方以外，其餘的便連念頭也很少動過。這固然因爲各地政治性的招待所，太與我無緣；而自己的年事，正在一天一天地老去；會多少影響到自己的興趣。但更重要的是，臺灣的風景，對於我而言，總像缺少了一點什麼；而這種缺少，又常於不知不覺之間，好像覺得只能以對大陸風景的回憶、想像，來加以彌補。

遊風景，是藝術性的活動。據近代美學的研究，可以了解到，風景之美，不是一種存在，而是一種生起，一種展出。它的美，乃是生起、展出於人們美的觀照之中。對於沒有美的觀照的人而言，任何風景都不是美。而美的觀照的構成，包含了知覺、感情、想像三種因素。人當面對着某一風景而忘掉了一切的利害計較，並且也放下了思考分析，只是憑着自己知覺的直觀，凝着於風景之上，於是風景之美，便會生起、展出於自己之前。此時也會不知不覺地向風景移入了感情，並看出了風景後面所蘊蓄的意味，而向人構成一種氣氛、情調；人於此時便陶醉於自然之美裏面，把自己的精神加以純化淨化了。美的觀照，好像是專用而比較生疏的觀念。其實，普通所說的「看得出神」，這即是美的觀照最親切的描述。所以這大概是每一個人所能體驗到的美的經驗。

不過，作爲美的基本因素的感情，畢竟是屬於人與人之間的情態。當人把自己的感情移向自然時，乃是無形之中，把自然加以有情化，加以人格化。若是在自然中看不出人的情味，自然便只是死物，而沒有美的意味可言。在中國的許多神話中，一切精靈，必以能修練成人身爲其靈化的第一條件，這是很有道理的。我的看法，人是以其感情而存在。在牽引不出人的感情的地方，也一定是人所不會想到的地方。我年輕的時候，有時很思念這一個地方，有時又很思念那一個地方。有時又把思念過的地方淡淡地忘記了；有時又從淡淡地忘記中浮了上來。對於這種飄浮不定的感情上的思念，我也曾加以反省過，原來粗一看，是在思念某些地方的風景；仔細想時，却是思念某些地方和自己有感情關連的人物。風景的憧憬，實際常是憑藉對某些人的感情而浮起的。某一地方的人的感情沒有了，對風景的憧憬也便慢慢地消失掉。因此，將自然加以有情化，加以人格化，常常是富有藝術心靈的詩人、墨客的片時的感受。對一般人而言，還是要求風景與人情的直接融合。並且在這種融合中，可以得到厚化深化；因而也多少可以減輕「美的破壞性」，「美的幻滅感」。大家在遊風景時，總希望有良好的伴侶，實際是希望「有情人」能在一起作伴這便是出於風景與感情直接融合的要求。

假定是具有文化意識的人，便常常可以通過想像力，而擴大並加深風景與感情融合的機會。這便要談到「發思古之幽情」的問題上來了。現在許多人把這句話當作對於他人的一種批評、打擊來使用，以表示自己的進步。我想，這種人口裏所說的進步，是非常可疑，或是非常可笑的。若是某一個人有了某一方面的文化意識；而某一風景，又有某種古蹟是和某種文化有其關聯；則當此人面對此一風景時，便自然而然地會通過自己的想像力，把由古蹟所象徵的過去的人與事的意味，復活了起來，以與此風景融合在一起，而加強了美的意識、美的觀照；實際也便加強了某風景之美。我可以斷言，思古之幽情，乃是從人性中所流露出的美的衝動，藝術性的要求。若說這是不進步，那才眞是蠢才、惡漢，在佛頭上著糞了。但歸根結柢，還是在文化意識的問題上面。

四十九年五月，我在日本京都遊了兩個多星期。京都的亭園，多半是受中國文人畫的影響，所以多有「淸幽」或「淸遠」的情趣。有一天我到東本願寺（或者是西本願寺？記不淸楚），裏面有一個小庭園，日本朋友告訴我，這是仿照廬山遠公送客不過虎溪的虎溪而建築的。當時，引起我非常的悵惘。我幾次到廬山，豈特沒有到過虎溪，沒有到過東林寺、西林寺；連所有與文化關連着的古蹟，甚至對於早已聞名的白鹿洞書院，都當面錯過了。自己只是莫名所以地，隨着一群一群的莫名所以的人們，哄來哄去；幾次到過這一座與江南文化有密切關係的名山，却從不曾引起我一點懷古的幽情來，這正說明我所看到的廬山，只是草木無情，溪山頑鈍的廬山，廬山的美，並不曾向我生起、展開；因爲我的心還不曾開竅。這還能算得到過廬山，享受過廬山的風景嗎？我是一個俗人，文化的薰陶不夠，所以一顆虛靈的藝術之心，一時顯發不出來。

杭州西湖，不僅是風景多；而且每一風景，都積累了，染上了，前人所留下的古蹟，這便爲湖光山色，增加了深度、厚度，而這些深度厚度的情味，又嘗假文化人的妙聯妙語，把它指點出來，更使人流連不已。但我在杭州前後住了三年，眞正引發過我的懷古幽情的，只是蘇小墳，和岳王墓；其餘的，也不過是人云亦云地隨喜一番罷了。原因很簡單，當時藏在我靈魂深處的，只是一位想像中的美人，和一位「壯懷激烈」的忠臣。此外，便多是從口耳間飄過，和自己的心靈，還不曾融合過來。

因爲我沒有佛教方面的文化修養，所以在南京住了三年多，便不曾去過棲霞、牛首。這十多年來，對禪宗多少有了一點應當被古德所訶斥的知解，於是我常常後悔，曾經由當陽經過，坐在馬上，已經望見玉泉寺了，爲什麼不稍稍在寺前駐馬呢？曾經在韶州宿過一晚，爲什麼不多留一兩天去瞻仰一下南華、雲門呢？我是鄂東人，鄂東黃梅的東山，實創出了禪宗爾後一千多年的天下，即所謂「東山法門」；而我竟連一遊的念頭都不曾動過，眞太抱愧作爲一個鄂東人了。日本的常盤大定，曾經遍歷了我國的名山古利，寫下一部厚厚的遊記，這是常磐氏個人佛教文化意識的覺醒，而使他過了這一段半宗教、半藝術的文化生活，我眞爲他驕傲。我們實在已衰老了，已痲痺了；在悠久的歷史中，少數人留下的名蹟，不斷地由多數人加以破壞、加以汚穢。現在到臺灣來了，沒有實物可資破壞了，便努力從觀念上加以破壞。所以這一羣知識分子，是沒有文化教養的知識分子，是沒有人性所必不可缺的藝術心靈的知識分子。因爲大家在生命內部的，只是「嘔吐」，只是「沾液」，只是「慾動」，所以決發不出懷古之幽情來。而剖析了看，他們在完全不懂西化的「西化」偶像之下，徹頭徹尾地是奴才的根性。奴才只當主子有情興去趨風景區時，才跟着提壺擁帚。試稍稍留心觀察吧，主子看的是客觀的風景，奴才看的却是主子的顏色。小奴才們直接看不到顏色，便只好爭主子的殘羹冷汁了。這是今日西化運動的眞實面貌。在這種風氣之下，當然要把幽情當作反動、落伍的口號了。好在臺灣正是有風景而缺少幽情條件的地方，這恰好是主子與奴才兩相搭檔的好處所。而我們這種多少免不掉有點懷古幽情的人，只好站在角落裏由追悔而懷念自己的故鄉故土了。

（一九六四年四月《自由談》）

祝本居國民大會

《自立晚報》負責的先生，第二次來信，以第四屆副總統，國民黨已推定年事較輕之嚴家淦先生爲候選人，即以「用新人，行新政」爲題，要我寫篇文章，這倒引起我很大的躊躇。第一，我逃難初到臺灣，即已耳聞嚴先生的大名；到現在爲止，已經十有七年了。在這十七年中，嚴先生由廳長、省主席、部長、院長、而副總統，這是揚帆宦海中自然而然的發展。把嚴先生稱爲「新人」，有點像把四十歲左右的一位賢妻良母的太太稱作新娘一樣，未免有點彆扭。第二、副總統的地位比行政院長高；但行政院長對政治所負的實際責任却比副總統大。嚴先生當行政院長已快有兩年；要談嚴院長的新政，應在他初當行政院長之日。遲至今日而要談他的新政，也等於把「三日入廚下，洗手作羹湯，未知姑食性，先與小姑嘗」的詩，寫在一位賢妻良母的扇子上，依然有點不相對稱。

在政治觀點上所說的新人，指的乃是原在政治圈外，以其工商經驗、學術地位，突然加入到政壇裏去的人。我們目前所需要的根本不是這種人，而是「新幹部」。「新人」是出自社會，「新幹部」是出自機關。因嚴先生的躍昇副總統，今後將有大批新幹部，繼去年人事動態之後，正面加入到政壇，政壇由此而得到更多的活力，那倒是可信的。

其次，從政治實際來談新政，新政不僅只能出現於政黨政治下的內閣更動以後；更重要的是，必須有新國會的出現，議員們挾帶着社會新的趨向、要求，以形成議員們的新精神，因而促成、迎接新內閣的新政策，這才可以出現新政。我們的中央民意代表，因爲事實上的終身職而早經離開了民意，一個個都是耆年碩德，利精害熟，能容許下一個眞正的新人新政嗎？所以妨礙新人新政出現的最大、最基本的阻力，是終身職的民意代表。我這樣說，不知有多少人會罵我；但我的良心良知，非要求這樣說出不可。好在當反攻的前夕，我們所要求的是「配合政治」，是配合軍事要求的政治，而不是什麼新政。萬一由新而亂，那是不得了的事情。由嚴先生躍昇一事而推測「配合政治」的可以加強，也是値得歡欣鼓舞的。

這次國民大會最偉大的成就，乃在我們反攻的準備，得到了眞正的完成；反攻的勝利，是千眞萬確的在望。不僅因此次大會而更鞏固了領導的中心；更因此次大會而擺脫了人事與法制的包袱，使國家領袖，能發揮最大的意志與效力。「以此制敵，何敵不摧？以此圖功，何功不克？」新人新政云云，渺乎小矣。

科擧時代，有的是過一生的考，却連秀才也得不到的人，我的父親，便是其中之一。他們的文章，大概犯着兩種毛病，一是晦澀，二是犯題。尤以犯題的毛病更厲害。我重違自立晚報負責先生的雅意，却又交上這篇犯了題的卷子，可見我天生就是以「老童生」世其家的人。但歡欣鼓舞之情，決不在秀才、擧人、進士之後。

（一九六六年三月二十三日《自立晚報》）

永遠猜不透的謎底

在過去，科學家認爲宇宙有七大謎，爲科學所不能解答。近年來科學突飛猛進，對於上述七大謎到底得出若干解答沒有，我不淸楚。但我們政治上不能解答的謎底，恐怕遠超過於宇宙間大謎的總和。宇宙間的大謎不能解答，對於人類的生存並沒有什麼影響。但政治上的謎底，却和政府治下的人民的生死，息息相關；所以我忍不住稍稍地向社會提出一點點：

麥克阿瑟「高級」公路修成以後，路面破損的情形，較一般公路的破損率大得多；效率與金錢，成了反比例；你能猜出這一謎底嗎？曾文水庫的預算，日本大壩工程權威永田博士認爲「至少可以節約五億元」，於是省府「從善如流」，要把縮減的經費作爲擴建基高兩港之用。這些時候，又說縮減不出來，仍維持原預算。數日上一出一入，便是五億多；世界最富的國家，有無這種豪舉？國民小學中最低能的兒童，有無這種計算方法？但這樣的機關，這樣的負責人，還在領導「科學建設」，你能猜出這一謎底嗎？光復以後所修的橋樑的持久性，比日治時代所修橋樑的持久性，要低得很多（如中興大橋）。世界每一地區的技術、器材、工具，都在突飛猛進地進步；我們的建設，在許多地方，却證明是正在突墜猛縮地退步；你能猜出這種謎底嗎？而目前的最大謎底，還是黃豆舞弊案的處理問題！

黃豆舞弊案所招來的損失，在兩億以上！就常情推測，沒有大官大商的勾結，而能幹出這樣瞞天過海的偉大事件，這已經是令人難以猜透的謎底。而處理的辦法，是責成鐵路局負責賠償。舞弊案早經提到法院，賠償的責任，便應由法院判決。若非法院的判決，又有什麼人能代法院作此判決？要鐵路局賠，是由路局的機關賠嗎？那等於是要鐵軌枕木及房屋等負責賠。作此決定的人，第一應斷定這兩億多元是鐵軌枕木房屋等吞下去的。第二應當有使鐵軌枕木房屋等「顯聖」變錢的魔術。是由鐵路局局長以下的私人賠嗎？他們假定沒有貪污，爲什麼要賠？他們假定貪污了，早應坐在牢裏，爲什麼還在照常辦「公」不誤？是由局長拿鐵路局的「公」款來賠嗎？那麼，兩億多元，必定是因「公」移用，「公」才負有賠償之責；若是如此，鐵路局長便應把因「公」移用的情形公佈出來，以免累及小商人、小站員。而「公」用「公」還，也不能算什麼舞弊。若不是因「公」移用，則根據什麼情、理、法，而可以判決要用鐵路局的「公」款來賠償？鐵路局是省營的，鐵路局的錢，是從老百姓身上賺來的。拿鐵路局的公款去賠官商勾結的贓款，等於是貪官污吏奸商，盜竊了老百姓的財物兩億多元後，又要老百姓貼上兩億多元。這一謎底，只要是住在地球上的人皆無法猜透，說僅是「心照不宣」就可以解釋的嗎？

有位朋友向我說：「今日只要『動』特權者的一根汗毛，他們便說你是在動搖國本？」所謂「動」，難道有人敢用手去動，只不過是說話時口風的波動而已。因爲數十年來有一條政治的金科玉律是：「國家的事，不是費盡了一切人力物力的人所『作』壞了的；而是一介寒儒們的口風所『動』壞了的。」這又算不算得是永遠猜不透的謎底呢。

（一九六六年四月十八日《自立晚報》）

黃豆案的調查問題

某報載，省政府黃主席第三次「手令」視察室，調查一億五千萬元（報上原來多說是兩億元，近來又多說是一億五千萬元）的黃豆大貪污案，由此可以證明黃主席是有懲治貪污的偉大抱負的。「手令」兩字，在過去聽了會令人心驚，即在今日，依然聽了也會令人肉緊。所以我看到這段新聞後，不覺對黃主席發生無限地敬佩甚至於是感激之情。不過，這一案件，早進入到司法的階段，調查的機能和責任，也是在檢察官和司法行政部的調查局手上。省政府視察室的調查，除了供黃主席私人參考以外，對於本案的處理而言，沒有什麼意義。這等於臺北市的砂石貪污案發生後，市長高玉樹假定自動去調查一番；臺中市的掛圖貪污案發生後，市長張啓仲假定自動去調查一番，對於案情本身的沒有什麼意義，完全是相同的道理。

社會所要求於司法機關的，是把此案與臺北市和臺中市的貪污案件，作同樣地剝繭抽絲，窮追到底的追究。司法機關對於楊玉城砂石案所作的調查所作的調查、審判，其嚴肅、積極而精細徹底的情形，可以算是對付貪污事件的範例。臺中市的掛圖貪污案，現在雖尚未進入審判階段，但從報上所看出的調查情形，和對於楊玉城案的調查情形，並無兩樣。楊玉城不是國民黨員；但張啓仲却是國民黨員。由此也可以打破楊玉城案是出於政治鬥爭的歪曲傳說。

這種傳說，實際對於我們的政府是致命的傷害，這只要稍稍用點頭腦便可以想到。但司法機關，不可對於市級的，比較小的貪污案，能生龍活虎地發揮效率，而對於省級的，特別嚴重的貪污案，卻有氣無力的像瘟神樣的讓社會得到非常強烈的對比。假定像報紙所透出的，此一大貪污案，僅僅是一個小站員和幾個小公務員所幹出來的，也要把他們與商人勾結的過程，每人分贓的多少，贓物的去處，商人呑豆所得的下落，詳細調查公佈出來，以符合兩億或一億五千萬元的總數。這一點做不到，而做出由鐵路局賠償的決定，這在事實上乃是掩護贓主的決定。我想，這與有懲治貪污決心的黃主席的本意，是大相逕庭的。

（一九六六年四月二十三日《自立晚報》）

「士有三賤」

東漢末年，宦豎擅權，主昏政亂，天下洶洶，而釜底游魂的權責，荒淫貪暴，並無悔禍之心。仲長統針對這種情形，著了《昌言》十二卷，在儒家精神中，注入若干法家的因素，議論明切而具體，可以說是救時良藥。《昌言》早經亡失大半；但其斷簡零縑，今日讀來，猶足發人深省。這裏只提出他所說的「士有三賤」，讓大家來看沒落時代的所謂知識分子的嘴臉，是古今一致的。他說：

天下之士有三可賤。慕名而不知實，一可賤。不敢正是非於富貴，二可賤。向盛背衰，三可賤。

賤是卑賤，即是沒有人格。一個時代的完全沒落，其根本原因便來自知識分子的卑賤。仲長統在這裏，舉出了三種卑賤的具體徵表。

人沒有不慕名的。但在衰亂時代，政府、社會，對人、對學問，常常失掉了衡斷的能力，及大公無私的精神，於是欺世盜名之徒，得以大行其道。在這種情形之下，便須一番循名責實的工夫，揭穿許多欺盜的技術，使社會少受一點毒害。但循名責實，首先應對某種實有若干了解。例如某人值不值得稱爲文學家，便須對文學有若干了解。某人值不值得稱爲哲學家，便須對哲學有若干了解。有了這種了解，便應就文學家之名，哲學家之名，和相應的文學、哲學之實作一番考校。這在今日，「洋學」最易得名，更須就某人所標榜的那一方面的洋學，找出他的底子，看他洋得道地不道地。但這樣做，第一、要有學問上某種程度的修養。第二、要有冷靜的頭腦，不想憑藉他人的名來抬高自己的地位。第三，要勤勉耐煩的求知精神，在表示自己意見之先，做一番探討的工作。可是落後而又趨向沒落地區的知識分子，既很少有學問上的修養，又懶惰成性，對任何問題，不肯費一分氣力，尤其是學問上的問題。但又不甘落寞，總是想抓住他人的名譽來出自己的風頭，於是自然慕名而不知實了。社會許多自命爲摩登之士，十之八九，都像鄉下老太婆朝杭州城隍山的神隍廟一樣，見了貓神、狗神、鼠神、蛇神，一律燒香下跪。假定有人說這是不值得的，他可能爲了她的信心、面子，而向你拚命。這種老太婆，由貓神、鼠神跪到城隍爺面前，已經精疲立竭，香紙都光了，還希望她到西天去見佛求經嗎？

慕名而不知實，會發生三種結果：㈠假定是一位名實相符的人，他對社會所能發生的效用，是來自他的實而不是他的名。但大家只慕他的名，而不知他的實，這便只落得空熱鬧一場，實際上一無所得。臺灣的暑期講習會，便是這種情形。㈡若是遇着一位名實不符的人，更會因爲大家的瞎捧瞎抬而使他神魂飛越，肆無忌憚，便只好愈來愈出醜了。有人把《論語》上的「執御乎」解釋或「騎馬嗎」，這種人也推陳出新地大談其色情化的孔子，叫人看了啼笑皆非，即是一例。㈢在此種風氣之下，一方面有實而無名的人會受到抑壓。另一方面，便會有許多人，不惜違反「實」以在「一哄之市」裏去求名。臺灣年來各種學術獎的百醜出盡，正由於此。上述三種結果，都是斷滅學術種子的核子武器。

知識分子的卑賤，主要是來自他的沒有人格。因爲沒有人格，便一面懼權畏勢，即不敢「正是非於富貴」。一面趨炎附勢，而「向盛背衰」。顚倒大是大非的都出自富貴之家。不敢正是非於富貴，則極其量也不過是用打蒼蠅的方法去掩護老虎。

人的盛衰，並不一定代表人的價值。國的盛衰，並不一定代表國家的文化價值；古希臘早亡了，難道就可證明希臘文化無價值？「振衰起敝」，才是知識分子的責任，這正是孔子所說的「人能弘道」。向盛背衰的人，只是由於無智無力無品的趨赴，以求個人的「沾光」「揩油」，決不會吸盛者之所長，以救自己之所短。中國主張全盤西化的人們，骨子裏都含有深固地漢奸的根蒂，其原因不是來自「西化」，而是來自這種人他們之所謂西化，實際只是「向盛背衰」。所以他們對於本國文化，假定有人提出有價值的一部分時，便引起他們的深仇大恨，非以誣衊、抵賴等方法，狂吠兇噬不可。他們不是以研究、吸收西方文化爲西化，而是以仇恨誣辱祖國爲西化。這種情形表現在國內社會，則這種人才必然是奴才、走狗，專幹欺善怕惡的勾當。

或者有人要問，就最近的一些大貪污案裏的知識分子來說，是否也可以用「士有三賤」來加以解釋呢？我的看法，最近的一些大貪污案，是東漢末年尚未出現，因而也未曾爲仲長統所能想到的，所以不能用他的「士有三賤」來加以解釋。假定套用仲長統的口氣，則這批人，應該包括在「士有三狗」之內。這批人後面都有強有力的主人；他們之所以敢明火執仗，乃是「狗恃人勢」，一狗也。這批人有的是以主人的「狗頭軍師」自居，許多貪汚，是在狗頭軍師掩護之下幹的勾當，二狗也。我們鄉下把不要臉的人稱爲「人頭狗臉」，而他們正是人頭狗臉，三狗也。由三賤到三狗，這是歷史的大發展。

（一九六六年九月三日《新聞天地》）

鄉邦的文獻工作即是復興中華文化的工作

萬武樵先生來教，謂《湖北文獻》將出《中華文化復興專號》，要我寫篇文章；謹略抒鄙見，以答萬先生厚意。 一九六八、三、七誌

復興中華文化的意義，非只一端。保持對自己民族的記憶，由此以激發、凝集大家的意志，規整、策勵大家努力的方向，這在今天來說，應當是許多意義中的重大意義之一。保持對自己民族記憶的方法，也非只一端。發揚鄉邦的文獻，彰顯鄉邦的山川人物，由此以使大家精神，通過鄉土之愛而與祖國的山河大地，發生特別親切的關連；這對我們流亡海外的人來說，應當是許多方法中的重要方法之一。

同樣的文獻，站在整個國家的立場來看，只有普通的意義；但站在鄉邦的立場來看，則除了普通的意義以外，還常常可以發現它有特別的意義。甚至有的文獻，站在整個國家的立場，容易加以忽略遺忘；但站在鄉邦的立場，則自然會加以重視，加以珍惜。所以對鄉邦文獻的提倡，可以把祖宗創造歷史的心血，更完整、更親切地傳承下來，以增進我們生活的內

容，增長我們創新的志氣。

我們的山川，可以由自然科學的觀點加以陳述；可以由經濟的觀點加以陳述；也可以由人文的觀點加以陳述。但眞正能陳述得委曲盡致，把山川的面貌、性情，完全表達出來，使其與人的精神發生非常的親和感；並且除了知識的意義以外，還要包含着文學藝術的意味，這便只有在故鄉懷念中的山川陳述，才可以做得到。因此，我常想，在自然地理、經濟地理、人文地理以外，還應當有一種「抒情地理」。抒情地理，似可包括於人文地理之中。但一般的人文地理，依然是以知識爲主，使人看起來，人與山川總會保持着相當大的距離。只有由鄉邦懷念中所陳述的地理，把地理的知識，同時感染上作者的感情；這是能把人和山川，自然地連結在一起的地理陳述；一般的人文地理是無法盡到這種責任的。所以《湖北文獻》出刊以來，使我最感興趣的是這一類的文字。

人物的價值，與人物在當時的地位、名譽，不一定有很大的關係。但一般史學家對人物的評價，因爲只能從間接的材料着手，所以常常受到地位、名譽的限制，在地位、名譽導引之下去加以把握；於是「發潛德之幽光」的重大意義，在一般史家的筆下，不容易做到。只有鄉邦人士，把自己所親見親聞的鄉邦人物，在記憶中復活了起來，做細心的體認，才可突破地位名譽的限制，把被埋沒了的潛德幽光，重新加以顯發，使一般人能夠了解我們歷史的命脈，社會的生機，原來是由這類位不高而名不顯，却能代表某一方面的人生價值的許多人物，所延續、所充實起來的。因之，也可以使一般人能了解，我們的歷史、社會，本是充滿了價值的歷史、社會；這對當前沉淪陷溺的人心，會發生很大的鼓舞作用。並且此一工作，對湖北人而言，更爲重要。因爲「楚人不善爲名」；而百十年來，出版上的便利，又遠不如其他各省；所以湖北被埋沒的人物，可能比其他各省爲多。我每回想到年輕時的老師中間，有不少的人，在人格和學問上，都有高人一等的成就；但因爲我流浪太久，手頭資料不夠，而記憶力又太差，以致連我自己的許多老師都其聽其湮沒，而不能多盡一分彰顯的責任，這是時時使我感到不安的。周君亮先生寫的小人物傳記，有很高的文學價值。假定鄉邦人士，仿周先生的筆意，把自己記憶所及的人物，凡值得描寫的，便如實描寫出來，這是文學而又兼有史學意義的工作。

依照我上述的觀點，萬武樵先生所領導的湖北文獻社的工作，都是非常切實的中國文化復興的工作。我謹藉此機會向萬先生和實際負責的各位先生，表示敬意。並希望此一工作能更積極地發展。

（一九六八年《湖北文獻》七期）

接受政治上的進步吧！

老百姓對政治表示意見的機會，只有靠投票。我是住在台中市的老百姓；上次選舉市長時，我全家認爲機會難得，把三張票都投給了國民黨所提出的候選人。大家說這一票是神聖的，我當時也覺得這一票是神聖的。過了不太久，市長當選人的貪污案發生了，與此相同的許多傳說，也普遍地傳開了，我才知道神聖與汚穢之間，常有一種很微妙的關係。這或許是無可奈何之事。

這次選舉市長的前兩天，我因事赴台北，四月廿一日，正是投神聖一票的一天，我坐晚上八時半的對號快車回台中，晚十一時到達。坐上駛往某大學的計程車後，便問司機：「你看這次的市長是誰人當選？」「大概是林澄秋吧！票還未開完，但已多出對方一萬多票。」「林澄秋比林丁山好嗎？」「差不多。」「爲什麼林澄秋的票會多些？」我所以這樣驚異的問，知道所有的有組織的票，都要投向林丁山。「幫林丁山拉票的人，有的三十元一張，有的二十元一張，有的十元一張。先生！同樣的一張票，憑白少得十元二十元的。當然不投林丁山。」「林澄秋方面的價錢呢？」「林澄秋沒有錢，所以也不會出錢拉票。」「林丁山那裏有這多錢？」「聽說他這次一共花了七百多萬，快到八百萬。沒關係，他去年在地皮上據說賺了一千多萬。」

到學校後，家裏忙着在收看十一時二十分的電視新聞，果然當選的是林澄秋。在我家裏做半工做了多年的一位「歐巴桑」曾和我太太說：「本來要投林丁山的；有人告訴我，林澄秋受欺壓，所以就投林澄秋。」

我對上述的故事，不能判斷它自身的眞實性。有的人告訴我，錢是用幫助打DDT這一類的名義送的。經手的人良心好，便從中少揩油。良心黑，便從中大揩油。所以票錢分得有多有少，並不能怪林丁山，也有改送毛巾的。

上述的種種，只能當作傳言或謠言來聽取。但林丁山比林澄秋所花的錢要多得多。而國民黨爲了要使自己提名的林丁山當選，拿出了組織上可以運用的一切力量，則是可以斷定的。爲林丁山競選的，直接間接，多半是我的朋友；所以開票後一兩天，我心裏也像難過了一番。

我是一個有思考習性的人；擺在眼前的這一現象到底作何解釋呢？終於給我想通了；住在文化城的台中市的市民，在這次選舉中，作了金錢和勢力以上的選擇，這是他們開始發揮「人民是國家主人」的意識，把民主政治向前推進了一大步。這一進步的意義，是整個政治運行體制上的進步，與當選人的賢愚沒有太大的關係。假定有一次選錯了，選民會用自己的力量改正自己的錯誤。站在國家的立場來看，是可以使人興奮的現象。

我這樣說，是不是存有一種幸災樂禍的心理呢？絕非如此。國民黨的基本路線，是要推進民主政治。選舉上一縣一市的失敗，這是民主政治中必不可少的失敗；就黨的立場來說，這不過是一時的小失敗。民主政治的進步，是國家的大成功，也是國民黨的大成功。負領導責任的人，首先應作「大小之辨」，從大成功的方向上去把握問題。若以小失敗去抹煞大成功，結果便是把小失敗變成大失敗乃至徹底的失敗；這是我所不忍看到的。也是我寫這篇短文的動機。

選舉，是政治進步的基本力量與方式，選舉必定有相對的兩方。老實說，「一人競選」，這是違背邏輯基本規律的一句不通的話，所以嚴格的說，這不能算是選舉。由選舉所得到的進步，有的是均衡性的，有的却是偏枯性的。這是眞正有政治興趣的人，所不能不深切了解的大問題。

相對的雙方，都在平等而合理的方式之下，做選舉的競爭，即使競爭失敗了，但可由這種失敗以檢討、改進自己的政策、行爲，促成自己的不能不進步，以爭取下一屆的勝利。於是選舉不僅推動了整個國家的進步，並且由勝敗迭見，也推動了雙方政治團體自身的進步，此之謂均衡性的進步。

假定選舉是在不平等的基礎上進行，不僅競爭的雙方，有的能得到便利，有的却得不到便利；甚至甲方可以使用不合理的手段，而乙方則不敢使用不合理手段，這樣一來，甲方縱使能佔一時的便宜；但結果，甲方因慣於使用不合理的手段而日趨墮落，乙方則爲情勢所逼，因而不能不在合理的基礎上鍛鍊自身的能力，而在無意識中得到進步，則由選舉所發生的進步作用，只會落在乙方；此之謂偏枯性的進步。朱子說過：「蓋人心之靈，莫不有知；而天下之物，莫不有理。」這是非常有力的兩句話；一切眞正的勝敗，永遠會在這兩句話下面進行。過去的滿清、軍閥，都在另一形態的偏枯性的進步之下被淘汰了，國民黨則可以合理反非理，背負着國家民族的運命而光輝地站起來，這是國民黨的「本來面目」。我相信國民黨的黨人，會永遠不迷失自己的本來面目，隨時代的進步，追取均衡性進步中的勝利。

（一九六八年五月三日《自立晚報》）

《學藝周刊》發刊詞

在這小小園地出現之初，謹提出我們下面的兩點待望：

第一，由「現代」這一名詞所代表的，是各種帶有衝突性的鉅大力量。這些鉅大力量，對「人自身的學問」（註），給與了怎樣的衝擊和考驗？而人自身的學問，對於這些衝擊和考驗，是在作何種的反應？是順承型的反應？有如繼抽象藝術之後而來一種「破布藝術」？是反省型的反應？有如英國大史學家湯恩比在《現代文明之試煉》中，主張向基督徒的復歸？是中和型的反應？有如美國生物學家西諾特（Edmund Ware Sinnott）們想發動「世界文藝復興運動」，把各民族古代的精神成就，和現代各學知識的成就，作一大的綜合融和？在每一型的反應中，更有各不相同的觀點、線路、和結論。這是環繞着危機世界中所必有的現象。人自身的學問，正是在這些複雜而豐富的反應中成長起來；也只有從這一角度才能了解人自身的學問的意義，因而可能看出一個向前的正確方向。所以我們懇切地希望能知道，能了解這一類的反應。並在這類反應中加進自己的思索。這裏，不存在有古與今的問題，不存在有中與西的問題；而只存在着如何從現代危機中脫出，以為人類獲得生存的保證與更好的生存的問題。

第二，在人自身的學問範圍之內，雖然不是對時代作直接的反應，但凡是新的研究成果，乃至新的趨向，新的動態，也可以看作是對時代所作的間接的反應，也成爲我們所要求知道、了解的對象。當然，把中國的傳統文化，西方的傳統文化，做出新的研究，得出新的結論，都包括在這範圍之內。同時，我們注意到，在人生中帶有濃厚的虛無主義氣息的時代，是最缺乏人文教養，最反對人文教養，却又最需要人文教養的時代。所以我們也希望能從文學藝術這些方面，得到有益於人文教養的文章。

我們所以有上述的待望，是認爲一切文化，都是「時代之子」。對於時代的痲木不仁，便必然會形成對文化的痲木不仁。因對文化的痲木不仁，便自然形成對文化的懶惰與囈語。對文化的懶惰，是表示自己在世界文化中的消失。對文化的囈語，則正和一個人樣，乃是死亡前所出現的現象。懶惰、囈語的自身，無法可治；要治，只有治好已經痲木不仁了的神經。我們待望著：通過此一小小園地，不讓我們在現代的激流中，在現代激流的文化中，繼續痲木不仁下去。每一個人，每一個民族，都希望能證明他自己在時空之中，確實佔有一個存在的位置。痲木不仁的人，誰能說他是眞正的存在著呢？面對現代，先從痲木不仁中甦醒過來，這是我們爭生存的第一步。

知識分子的痲木不仁，多出於在現實生活中的自我錮蔽。先能在錮蔽的牆壁上打開一個窗口，讓自己的頭，從窗口中伸出去；讓牆壁外的陽光空氣，從窗口中透進來，這可能是使神經甦醒的方法之一。這一小小園地，希望能在這一點上盡到若干責任。

從文化的整體看，可以說我們所待望的太少。但臺灣還有許多其他的文化園地，我們只希望在這許多園地中，分擔一小部分的分工工作。從另一角度看，又可以說我們的支票開得太大；但這張支票的兌現，不可能僅由編者及編者的小環境來擔當，而是應由對時代，對文化，有上述共同感覺的人士，來共同分擔。因此，我們以開放的心靈，嚴肅的態度，願向從文化上對時代盡一番責任的人士，尤其是努力上進的青年，公開這一小小的園地。我們歡迎每一個人自己研究的成果；同樣歡迎大家所做的忠實的介紹，和翻譯。除了誕妄、橫蠻、信口開河、沒有任何根據等類的東西外，我們歡迎大家從各個方面提出各種問題；歡迎從各個不同的角度談同一的問題。

最抱歉的是：因為篇幅太小，通常只能容納三千五百字左右一篇的文章，所以要求作者盡量發揮長話短說的技巧，盡量提供短小精悍的作品，不得已時，可採用內容連續，形式獨立的方法，或能稍彌補這種缺憾。至於內容不要過分專門，文字力求通俗，那是做為一個報紙副刊的宿命，這當然可以得到大家共諒的。

（註）這裏所謂人自身的學問，是指以人身為對象的學問，包括了人文科學及有思想性的社會科學。許多第一流的自然科學家，也加入了這種反應工作，也正是這裏所需要的寶貴材料。

（一九六四年十月五日《徵信新聞報》）

按此周刊係再三應《徵信新聞報》之邀約而主編的。但刊出後，與反對人生價值鼓蕩色情變態心理之「現代化」趨向不合，又被片面毀約停刊了，這是我一生中所辦的最短命的刊物。一九六八年九月二十五日補誌。

西方聖人之死

——對史懷哲的悼念

九月五日報載，以五十多年的歲月，為非洲土人的疾病而奉獻其生命的史懷哲，終於九月四日，走完了他九十歲的人生旅程。謹草此文，以表悼念之意。

西方出現過偉大的宗教家，更出現過不少的哲學家。但可以當中國所謂「聖人」之名而無愧的，只有史懷哲。他的死，我特稱之爲「西方聖人之死」。

哲學家有豐富的理智活動。但西方型的哲學家，他所表現的理智，可以對人類命運不負責任，甚至哲學家自身，也對他自己的知識不負責任。普通的教徒，只爲自己從罪孽昇向天國而祈禱，祈禱後更安心去作惡。偉大的宗教家，則常關心於人類的命運，並對其所奉的教義，首先求其在自己行爲中實現。但於不知不覺之中，常須歪曲、或阻滯理智的伸展，以維護宗教所信仰的神話。以偉大宗教對人類運命的責任心，發揮哲學家的理智；將哲學家的理智，實踐於自己日常生活中的行爲，這才是中國的所謂聖人。史懷哲正合於此一條件。因此，他雖然根本不知道中國文化，但他背負着基督教的旗子，於不識不知之中，向中國文化的方向，摸索前進。

史懷哲一生的思想與實踐，大約可以用兩點來加以概括。第一是他力竭聲嘶地，指出西方文化的危機，在於倫理道德在文化中的墮落。他希望能恢復十八世紀時代倫理道德在整個文化中的地位。一般科學萬能論者，認爲科學可以解決一切。認爲凡是提倡倫理道德者，都是不懂科學者。所以他不惜再三申明，他自己是音樂家，並且是外科醫生；他懂得藝術，懂得科學，他更懂得科學的效用。但他明告世人，僅靠科學，並不能解決西方文化的危機；而從科學中，也導不出倫理道德，在這一點上，他與早經死去的愛因斯坦的看法，可以說是完全相同。但愛因斯坦體認到最後，認爲倫理道德的根源來自宗教，而史懷哲則認爲倫理道德是來自人的心。

愛因斯坦之所謂宗教，並非牧師神父，愚夫愚婦，口裏念念有辭的所謂宗教，而指的是犧牲自己，服務人類的精神狀態。愛因斯坦之所謂「宗教精神」，如實的說，乃是儒家之所謂「人物一體」的仁。所以愛因斯坦很明確的指出，神在他的所謂宗教中，乃是可有可無，不關輕重之物。

史懷哲不同於愛因斯坦之點，因爲他畢竟是一個哲學家，對西方哲學，較之愛因斯坦有更多更深的了解。他認爲倫理道德是在過去的哲學中保有其地位。到了十九世紀末，二十世紀初，因科學的突飛猛進，把哲學的地位完全奪走了，所以倫理道德在文化中的地位，也隨哲學的墜落而墜落。但他最了不起的地方是在於指出西方哲學，走的是「思辨」的路。由思辨而建立哲學的系統，到了黑格爾，已發展到了高峯。此一高峯，既經科學催毀了，便很難重新加以建立。因此，他認爲倫理道德，不是通過思辨性的哲學所能重建的，而只能落實於每一個人的具體的心，在各人的心上加以重建。這正是中國文化中所謂心性之學的意義。

第二、是史懷哲倫理道德的最基本內容，乃是對「生的敬畏」。他之所以拋棄文明的生活，身入蠻荒，獻出畢生的精力，乃是「生的敬畏」的實踐。所謂生的敬畏，即是對於一切生命，均承認其有平等而崇高的價值，因而發生一種敬畏之心。由此種敬畏之心而發出與人類，乃至與萬物，同爲一體之感。現世中的一切對立、鬥爭，當然在這裏完全解消了。這種思想對西方之所以特爲重要，因爲以柏拉圖爲首的形上學，把人生的價值安放在高不可攀的理型世界，視肉體生命，爲進入理型世界的障礙。而希伯來的宗教，對俗世生活，對具體生命，所持的否定態度，較柏拉圖的形上學，更爲頑固而徹底。不在生命的自身，來肯定人生的基本價值，對個人而言，或可以有促進對理想、對天國的追求。但落在政治、社會上面，會使有支配地位或有支配欲望的人們，不以平等的精神去看待人類，而只根據自己的所信，以區分人類的等級，視與自己信仰不同的生命爲卑不足道，乃至是與自己異類的東西。這便對於對他人的征服、搾取、虐待，都從文化上、宗教上，提供以正當的理由，使西方文化，帶有嚴酷的侵略性格。柏拉圖理想國中的四階級，實同於印度婆羅教的種姓制度；而「自由人」對奴隸的驅使虐待，柏拉圖，亞里士多德們，都視爲理所當然。至於宗教中由信仰所發生的歧視、虐殺、戰爭，更是史不絕書，至今未已。追溯到最後，正因爲在生命的自身，不曾立定價值的基點，因而缺乏眞正的人類平等觀，缺乏眞正的人類愛。西方文化所到之處，即是矛盾、對立加深之處，世界的危機，豈非在這種地方可以得到一個徹底的說明嗎？史懷哲的「生的敬畏」的思想，對西方文化所含的侵略性格，實有從根本上加以轉回，而對世界的危機，實有從根本加以解救的重大意義。只有西方人眞正接受到史懷哲的思想與行爲的影響時，西方的文化才可以得救。

以「心」爲道德的根源，以「生」爲一切價值的基礎，正是中國文化的一體兩面。只有每一個人體認到自己有一顆「不忍人之心」，而加以保持、擴充時，便自然感覺到一切價值，都是以生命爲起點，而立刻對一切生命予以平等地看待。「天地之大德曰生」，「生生之謂易」；在這種地方，怎能不說史懷哲雖然不知道中國文化，但其畢生的探索，正是向中國文化的方向前進呢？史懷哲自身所不曾突破的是他思想中所帶的神秘主義的氣氛，這是因爲他的精神已超脫了他的宗教信仰，但他的感情，還停留在宗教信仰中的結果，文化的歷程本是十分艱鉅的。

（一九六五年九月十日《華僑日報》）

吳大猷先生對台灣的兩大貢獻

在美國工作的物理學家吳大猷先生，是這幾年政府用很大力量，請回臺灣擔任發展科學要職的一位海外學人。吳先生雖然目前只能抽出很短的時間回到臺灣來，但就我所能了解的，他對臺灣確實已提供了兩大貢獻。一是提議規定各大專學校負院、系行政責任的人，應當有一定的任期；三年一任，最多只能連任一次。另一是向報界呼籲，不要用太誇張的文字，渲染短期回國的學人，以致引起在臺灣作學術工作者不良的心理反映。這兩樣極平常的事情，在現實中所具有的鉅大意義，容易為人所忽略，所以我想特別提出來談一談。

臺灣各大學的情形是，只要當上了院長、系主任，除非另有高就，便可以「一當到死」，很少人肯中途告退。因為第一在游動而不悅學的社會中，一般人認為院長和系主任，就是學問的標誌。在當教授時沒沒無聞，但一當了院長、系主任，社會便立刻另眼相看，覺得某人的學問，一夜之間便長成了。擔任院長系主任的人，為了保持此一社會上的優勢，便決不肯中途放手。（實則有什麼上、下？）何況院長系主任，有人認為是「學官」，中國人對「官」的興趣是出于天性，誰人肯斲喪自己的天性。當校長的人，也是要「當到死」，而又感到一動不如一靜的，誰又敢在院長、系主任頭上動念頭。

但「知識」這種東西，必須毫不間斷的繼續追求，才能保持和增進。幹系、院幹久了的人，自然熱心於人事與事務，而懶散於學問。這樣一來，院長、系主任的學問，常和他擔任的時間久暫成反比例。當校長的人更如此。所以以院系終其身的人，在學問上常常變成了廢人。我是當過系主任的人有資格說出這種話。

問題的嚴重性並不止此。在學問上已經報廢了的人，但吃的依然是學術飯，便不能不動腦筋維持一種虛僞的學術門面；其方法，即是排斥對學術有成就乃至有誠意的人不准參加到他的範圍裏面去，以免看穿他們的秘密，形成他們精神上的威脅。同時即以全力培養一個一個的不受學術感染的小團體、小派系，以作自己的捍衞。連對助教的選用，也一定要選擇次而又次的學生，以免後患。目前大勢，是女生當助教的機會大過於男生，因爲看著順眼，坐著安心之故；其中當然也有例外，但是少之又少。這是使學術絕種的嚴重趨向。吳先生的提議，是針對此一眞實情況下的無可奈何、而多少有點實效的良藥。但爲什麼不推及到大專學校的校長先生？還是吳先生與大專學校校長先生見面的機會多，不好意思提出來？還是已經提出而經過官僚手上時打了折扣？都不得而知。此一提議，經政府接受後，延遲到本年度的八月才公佈，由此不難想見此事的前途，依然是向「欺善怕惡」的路上走；但吳先生的苦心我是很佩服的。

關於吳先生第二點的貢獻，是因某一特定事情而發；我對於某一特定事情的內容不很清楚，所以願借此作較爲廣義的了解。人類中除了上智與下愚以外，沒有不被環境所左右的。本來是可造之才，有爲之士，但若經過一連串的有計劃的打擊與抑壓，多數的便歸於頹廢，少數的便趨於橫決。本來是可以由小成而趨向大成的人，但經過過分的吹噓與提拔，多數的便成爲發酵過度後的廢物；少數的便趨於自滿自私。關於前者，自我二十歲左右起，便痛惜於我們國家的大量糟塌人才。關於後者，自我來臺灣後，便驚奇於我們報紙所發生的長期的反作用。但這次不是偶然的。社會要刺激，新聞業者便以誇張的手法，伏在桌上寫社會新聞以滿足社會的要求，乃是新聞學的秘辛。許多報紙上的社會新聞，其寫作過程和基本性格，實與社會小說無異，在黃黑橫行的時代，可以誇張和想像的題材，觸處皆是。黃黑稍微受到了一點抑制，便不能不向各方面蔓延。所以對短期歸國學人的過分誇張，一方面是來自人類對於自己所不了解的東西，容易發生神秘的感覺；另一方面也是來自二十年來新聞事業中的新傳統。一位稍露頭角的導演，經過吹上九天，半雲半霧以後，我相信他此後不會再導演出一部像樣的電影，即其最顯著的一例。

上面兩件平淡的事情，對於前者來說，等着機關爲他辦大出喪的大官，不會感到這是一個問題；萬一感到，也彼此心照不宣，誰人敢多這一句嘴。關於後者，也有人感覺到。但一想到自己可能馬上被人抓住小辮子而成爲新聞人物時，便暗地裏出一身冷汗。尤其是管新聞文化的人，更是知彼知己的人。因爲中國文化無形中是抑制黃黑新聞的一股潛力，所以有的報紙便始終反對中國文化。反對的理由是要現代化。而現代化的內容，說穿了便是黃黑新聞吧了。其他的個人，誰敢隨便向報紙橫一眼睛。所以吳先生的兩點建議，對臺灣而言，可以說是「平凡中的偉大」，故我不惜表而出之。

（一九六八年八月二日《華僑日報》）

賈桂琳再婚的若干聯想

美國故總統甘迺迪的遺孀賈桂琳，於本月二十日，在希臘斯柯匹奧島，與比她大二十三歲的希臘船業鉅富歐納西斯結了婚，而成爲世界性的社會新聞。這總算是在震蕩緊張的世局中，上演了一個不喜不悲的短劇。因爲是不喜不悲的，所以沒有任何值得評論的意義。但我因此聯想到中西文化，反映在此一角落上的影響，或者值得略加比較。

我國秦時代，女人的再嫁，在觀念上和事實上，似乎比後世自由得多。從政治上提倡不再嫁的貞節，大概始於西漢，尤其是到了漢宣帝，每當賞賜天下時，常常把「貞婦」列在三老的後面，給她們一點物質和名譽上的安慰。到了東漢特重「名節」。婦人的貞節，自然構成名節中的一部分，於是社會上提倡的力量，遠大過朝廷提倡的力量。儘管兩漢宮廷中的荒淫，可使今日的「黃色西化論」者也會爲之咋舌；但貞節婦的提倡，一直到五四運動時代爲止，在社會上發生了很大的影響。

環繞此一問題，實含有三種因素交互發生作用。在西漢從政治上加以提倡時，主要是出自現實上的因素。中國平民的家族基礎，是在兩漢時代不斷地擴大，鞏固起來的。而當時的政治，也意識地要擴大、並鞏固平民的家族。一個壯年的丈夫死去以後，剩下的、多數只是年老的父母，和幼弱的子女。此時的遺孀，假定能守而不去，則一家老小得以苟全，一個門戶還可以繼續存在。當然，遺孀爲了盡到這番責任，其含苦茹辛，是可以想見的。所以自漢宣帝起，經常給此種遺孀以物質和精神上的鼓勵，這實際是漢代的重大社會政策之一，具備有現實上的眞實意義。今日有人（如林某）以爲這是始於宋代的理學家，因而加以狂瞽的攻擊，可以說是太無知識了。

一個遺孀肯爲了已死的丈夫，擔當起一家老幼的生活責任，這需要一種犧牲的精神，和艱苦卓絕的意志，以抗拒各種誘惑，與忍受萬般辛苦。所以在上述的現實的因素中，便含有強烈的人格因素。沒有此一人格因素，便不能以強迫之力去實現此種現實的因素。所以從東漢時代的儒者開始，一直到宋明理學家，主要便從這一點上去強調貞節的意義。這是現實向理想的昇華。但理想常與現實衝突。若現實上，因爲窮得無以自存，便決無要求非守節不可之理。且守節不守節，應完全出自當事者的自由意志。若當事者的自由意志，選擇的是改嫁一途，便非任何人所得加以干預。所以程伊川雖說過「餓死事小，失身事大」的話，但他並不曾干預他侄女（？）的改嫁。

貞節問題中所含的第三個因素，也是比較後起的因素，是有關榮譽的觀念。此一觀念若出於當事者的自身，則此種榮譽觀念，亦常與第二因素之人格觀念合在一起，不可厚非。但若僅出自她的家族，由其家族之榮譽觀念而強迫當事者非守節不可，便常成爲悲慘、而可笑的結果。在這種情形下的所謂貞節問題，才可以反對。

五四運動時代，有人喊出「禮教吃人」的口號，「貞節」實際是形成此一口號的主要內容。客觀地看，由當事者自由意志而來的貞節，任何人無權加以反對，而貞節總比不貞節好，這才是人類的正常心理。但把貞節過分加以神聖化，以至流於虛僞、殘酷，則此一反對，收到實際上的效果，也絕非是偶然的。

五四以後，雖然守節不守節，非常的自由；但很有地位的遺孀，在上述長期文化背景之下，還會發生若干影響。黎元洪的遺孀黎本薇（側室）民國二十一、二年的時候，同她的後夫姘居青島，當時青島市長，是廉潔幹練，努力現代化建設的沈鴻烈先生，但他對黎本薇看不過眼，以「有傷風化」爲名，請她們離開了青島。中山先生去世時，他的遺孀宋慶齡女士，雖正在盛年玉貌，而思想又左傾，但並未作再嫁之想。這和賈桂琳的情形比較起來，能說沒有反映出中西文化的差異嗎？

賈桂琳在寡居五年中，結交了浮出社會上層的各色人物。但終於選擇了一位大她二十三歲的鉅富；她的這一選擇，紐約的街頭輿論是「都是金錢與金錢結婚」（路透社紐約的十七日報），可謂一語破的。若是中國一位自己有錢的中年婦女，在爲她的再嫁而作選擇時，絕對多數，便不在錢上著眼，而只是在眞實人生享受上動念頭；寧願選擇比他年齡小的，決不選擇冒著兩次寡居的危險。在這一點上，可能中國有錢的婦女，比賈桂琳更爲現實。但這說明美國人的內心深處是金錢高於一切，金錢決定一切。至於中國人認爲子女隨母下堂而當世俗的所謂「拖油瓶」，會傷害孩子的自尊心，非萬不得已，決不出此。以甘家的地位，讓賈桂琳拖著相當大的油瓶去結婚，這幾乎是中國人所不能想像的。此種觀念上的差異，大概沒有什麼是非得失可言，而只成爲差異而已。

（一九六八年十月二十八日）

溥心畬先生的人格與畫格

先生生於清光緒二十二年七月二十五日。宣統二年庚戌，清室將貴冑陸軍學堂改爲貴冑法政學堂，凡王公大臣，勳藩子弟，年屆十五者，即可奉命入學。先生之入學，以是年九月十五日。宣統三年辛亥，革命成功，清帝遜位，學校並入清河大學，旋又并入法政大學；先生即畢業於此，時年十八歲。畢業後，赴青島省親，遂在禮賢書院習德文，得德國亨利親王之介遊德，入柏林大學；三年畢業後返國。是年夏五月在青島完婚，時年二十二歲。先生嫡母居青島，生母住北京馬鞍山戒台寺。婚後依生母讀書寺中。秋八月又赴德入柏林大學研究院三年半，得博士學位，時年二十七歲，返國後仍居戒台寺讀書。年二十九，移居城內。七七事變發生，避地萬壽山。日寇再三強先生參與僞政權，先生大節凜然，稱病不復入市。日人以鉅金求一畫且不可得。而其學問之醇，藝事之卓，實來自前後閉戶山居約二十年，專心壹志，心無雜念，所得所積之厚。世變後，先生由北平而杭州，由杭州而台灣，雖於顛沛流離之中，未嘗一日改其度，未嘗一日廢其學，未嘗一日不著書，未嘗一日不作書不作畫。

先生做人植基於經學，著有《四書經義集證》、《爾雅釋言經證》，皆採以經證經的堅實方法，卓然成家，其手稿藏台北中央圖書館。文則直追六代，詩則直追盛唐，根深葉茂，沉麗深醇，非時流所能企及。書法植基於說文，立規於虞褚，歛宏肆於矩矱之中，鏤骨力於風神之際，爲近代所罕見。先生之於繪事，因體悟特深，功力特熟，實與其現實生活，融爲一體。朋輩與先生相聚，先生談經論文，詼諧間出，常娓娓不倦者數小時；而手不停揮，煙雲林壑，出自腕底者亦數小時。蓋先生之性情趣味，自然流露之於書，尤流露於畫。取途北宋，故格調之高。一掃董其昌後卑弱怯懦之習。胸無俗念，故風神之雅，一洗近百年來繁雜單寒之體。香港某書畫店，數次開近代畫展，先生畫蹟，亦眞僞雜陳，其眞者有如魏晉大名士，雍容談笑於強顏作達者之間，深醇淡定，望之使人鄙吝都消，神情自遠。我私自計度，現時所標先生之畫値，僅及一時風頭勁健者十分之一二；但百十年後，如社會尙有藝術氣氛，則輕重取捨之間，必會倒轉過來，使先生得到公平的待遇。

一九五七、五八年，我主持私立東海大學的中文系，以全力請先生蒞校指導諸生藝事，先生前後約來三次，每次約停留一週。在這段短時間內，先生以極簡單的語言，道出書法畫法中的窔奧。一字一石，一樹一山，如何下筆，如何變化，如何由一筆而發展成一完整的形體，歷程分明，方法簡捷；眞盡到循循善誘的能事。我每次披對先生所遺留下來的這一束教材，如見他盤膝而坐。口講手揮，面色凝重叮嚀的神氣，不覺爲之感歎。

文學藝術的高下，決定於作品的格！格的高下，決定於作者的心；心的清濁深淺廣狹，決定於其人的學，尤決定於其人自許自期的立身之地。我希望大家由此以欣賞先生之畫，由此以鑑賞一切的畫。

寫於香港美孚新村

附錄一 古道照顏色

——徐復觀師逝世三週年祭

王孝廉

一九八二年二月十九日，我從機場直接趕到台大醫院，病房中的老師已經下半身整個痲痺，正是他在病床上利用每天斷斷續續的一點清醒的時間，由學長記錄寫下他對讀書和治學的最後意見的時候。

二月、三月，老師掙扎於死亡邊緣，我經常是星期一、二在中興上課，星期三下午趕到成大上完一個晚上的課，再搭最後一班夜車北上，到達醫院的時候，通常是星期四的清晨，清晨的台大醫院一片靜寂，病房中看到的是徐師母日漸清瘦的身體和如銀的白髮，以及陳淑女學姐的哀傷無助的眼神。天亮以後，來探病的人也就多了起來，有老師的老友、學生以及一些敬愛他的年輕朋友。記得有一次文工會的周應龍先生送來了五萬塊錢，說是代表蔣秘書長的意思，老師無論如何也不肯收下這筆錢，要在場的謝先生退回這筆錢，可是周先生留下這筆錢以後就走了。這五萬塊錢也就是老師去世以後，他的長子徐武軍博士捐回文工會的那五萬塊錢。

一九八二年四月一日，下午五時，老師去世。

老師從住台大醫院檢查身體，發現癌症而開刀到他去世，一共經過了一年八個月。其實他開刀的時候，醫生已經發現太晚了，結果祇是打開了胸膛再重新縫回去而已，這一年八個月的時間，老師是憑着他的信心和毅力而活的。

一九八〇年的八月，中央研究院開「世界漢學會議」，八月十六日的上午，哲學組的論文發表是三位先生，日本的岡田武彥先生、金谷治先生和老師，老師發表〈先漢經學的形成〉。論文發表以後，由嚴靈峯先生講評，曾經起了熱烈的討論。上午的會議結束，老師說他有些累，所以我就送他回了青年會他和師母住的地方，當時參加會議的各國學者，是由主辦單位招待住在圓山飯店的，老師說他是「鄉下人」，住不慣高級飯店，所以還是自己出錢住每次回台北住慣了的青年會。

當天下午，我提着老師的行李，送老師和師母到台大醫院，進醫院原是回台北例行的身體檢查。是第三天的上午，老師打電話來，要我接他出院，他說都檢查完畢了，下午出院。我去的時候師母正在收拾東西準備回青年會，這時候一個年輕的醫生，進來說：

「徐先生您現在還不能出院，我們還有一些檢查要做。」

「是什麼呢？不是都做完了嗎？」師母有些着急地問。

「沒有什麼大關係，祇是胃部還得再進一步地檢查一下。」

醫生說完就走了，我跟着醫生走出病房，到了廊下，醫生回頭對我說：

「你是徐先生的什麼人？」

「學生。」

「哦！徐先生的兒女在台灣嗎？」

「不在，在香港或在美國，徐先生到底怎麼啦？」

年輕的醫生沉默了一會兒，好像考慮該不該對我說，最後還是說了：

「既然徐先生的兒女不在，那麼就對你說吧，但是最好不要讓他本人和他太太知道，其實徐先生是很嚴重的胃癌，恐怕最多也祇有半年了，最好是讓他的家人接他回去，他喜歡吃什麼就給他吃什麼，他喜歡做什麼就讓他做什麼……」

我不知道該不該告訴老師實況，不知道該如何告訴他尤其是不知道該如何對師母說。在走廊下抽完了幾根煙以後，我擦乾了眼淚，裝着沒事的樣子回到了病房。告訴老師醫生要他辦理延長住院的手續，老師穿着睡衣和我到前面住院掛號的地方，在走廊上問我：

「醫生怎麼說？」

「沒有說什麼，祇是說最好再住幾天，做比較精密的檢查……」

「哦！」

又走了一段路老師突然停下來對我說：

「不要告訴師母，她受不了。」

「沒事呀！爲什麼不能告訴師母？老師的身體又沒怎麼樣？」

老師突然笑了，說了一句「小孩子」，然後就走到電話邊打電話給他的朋友，電話中老師說：

「……既然還要再檢查，總不外是『那玩意兒』的，可能短時間是出不去的了……今天晚上的吃飯就不去了……順便告訴×公……」

辦完繼續住院的手續，在回病房的走廊上，老師一面走着一面對我說：

「我父親過世時是沒有開弔的，所以我也不要開弔，不舉行任何儀式，祇要火葬就好了。唉！倒不是對死有什麼怕，祇是想再有幾年時間，讓我完成正在寫的幾部書……」

接著是照胃鏡、切片以及進手術房開刀。二十二日，老師開完刀推回病房，仍未醒過來的時候，我因爲這邊學校有事，那天下午的飛機回了日本。老師出院回到香港後，寫了一封信給我，信的內容是：

病中承你多方照顧，師弟之情，有增無減，感念誠難為懷，完全清醒後，知你已去日，當時悵惘良久，我希望你還是設法在台灣立足，少說話、慎交遊、向文學方面發展。我於十月十一日返港，體重減去四十六磅，現已恢復二十磅。教書事已辭去，現正整理一部份舊稿，擬印一冊中國文學論集續篇。唯此病須繼續醫治，而此間水準甚低，故今後行止，頗難決定，但不論天涯海角，在我未死之前，希望不失去連絡。

復觀八〇、十一、八

老師開刀、出院以後，回香港住了五個月，第二年的三月底赴美國繼續治療，九月又回香港。這時候我在日本書店看到一本日本人寫的胃癌開刀以後，能夠繼續生存的一本現身說法的書，於是買了寄到香港。十一月收到老師的信說：

> 胃病書及來信都收到，謝謝，我初回香港，體重又減輕，現在好多了，每週在家上兩次課，還寫些東西。
>
> ……………………
>
> 我始終不贊成你繼續弄中國神話的東西，許多人這類工作，已走火入魔了。
>
> 復觀八一、十一、十一

這是老師的最後一封信。

一九七七年的年底，台灣文壇大有「山雨欲來」的氣氛。正在這時候，老師回了台灣，記得是當他到青年會的當天下午，有多位先生去拜訪他，樓下西餐廳還有一位某報的女記者約好了訪問他，臨下電梯的時候，師母還拉着我低聲說：「看着老師，叫他少說得罪人的話。」下樓以後，老師先和女記者談了些儒家、論語、孔子、他的治學方法等問題。然後話題就轉到當時熱門的鄉土文學上，在當時，老師祇是聽幾位先生的說法和看法，並沒有說太多的話。可是事後我才知道老師爲鄉土文學的作家，做過一些聲援的事，這就是他在這封信上所說的這些話：

> 鄉土文學的問題，我完全同意年輕人這一方面，在通訊中，我寫了一段，《中華雜誌》已轉載。因又怕他們受到打擊，所以在台北與黃少谷先生談天時，曾特別和他提到此事，

希望千萬不可使用政治手段去干涉。曾在台大哲學系教書現在美國教哲學的傅偉勳先生很推重「人性論史」。見到岡田先生時代我問候，他是純樸的漢學家的典型，令人肅然起敬。記住，讀書一定要有計劃的讀，計劃包括目的、方向、方法、時間。

復觀七七、十、十一

我去日本旅遊的事，大概也只是說說而已。

我離開東京而去廣島大學，主要的是因爲池田末利先生，池田先生是老師認爲「天資極高，思辨力極強，爲日本有數之漢學家，且熱情豪邁，不愧爲豪傑之士」（一九七〇年、十、二十的信）的一位師長。

我初到廣島大學，因爲人地生疏，又沒有朋友，精神上很苦悶，加上日文程度不好，上課覺得吃力，當時也眞的懷疑自己到底是不是可以做學問的料子。那時候老師不斷地寫信給我，信上總是強調要我先讀好日文，他在一九七〇年十月二十日的信上說：

你能到池田先生的門下，實在是很幸運的，人生治學，以能否遇到良師益友為最大的機緣，萬萬不可輕易放過，我希望你①先讀好日文，②在池田先生指導下先念完碩士學位，③池田先生退休後你再轉到京都或者東京，池田先生都可以幫你的忙。再不可三心二意，遲疑不定。我在日時，若遇到這樣有學問而又這樣親切的先生，便不會進士官學校，學問上也早就成名了。郭沫若的東西我早看過，他很有天分，學問在胡適之上，但他的西周奴隸制度的說法是站不住脚的，大陸上也有人反對他，我有一篇文章也是反駁他，他在金文上有貢獻，但立說太隨便。你當然要看他的東西，但不必先存「我喜歡什麼，不喜歡什麼」的主見。

復觀五九、十、二十

我在廣島大學開始的那段時間，像個營養失調的孩子，貪心地吞食着各種食物似地讀了許多雜七雜八的書，尤其是大陸方面出版的一些書，這似乎也是台灣出國的留學生所必經的一個階段。那時候大陸正是掀天動地鬧文化大革命的時候，「批林批孔」的旗幟之下，一些御用學者如蔡尚思、楊榮國的反傳統的書紛紛出籠，而我也讀得津津有味，那時候老師寫給我的信特別多，現在回想起來，老師對我是多少有些擔心的，深怕我因爲認識不夠而在學問上隨波逐流地讓人牽着鼻子走的。老師在信上說：

你能先把日文學好就不錯了，由說文上推金文，由金文上推甲骨文，是研究中國古代神話的必須工具，你應受這種訓練。顧頡剛已經是打胡說，蔡尚思簡直打胡說得十分幼稚，我看你的信，只使我抱愧，太沒有讓你們學到一點什麼，既不記得原始文獻，也缺之基本理解能力。聞一多我與他相識，他對古史的研究我沒有看到，但我去年先看他的一部東西，程度和蔡尚思差不多，不過他的天分和寫作能力都比蔡尚思高明。大陸也有不少的人比你所提的有成就，譬如郭沫若的奴隸社會說，有的人相信，有的人便反駁。大陸上所出的好的文史雜誌，很難看到蔡尚思們的文章，因爲他太不夠格。傳統不是可不可以反的問題。反、不反、是態度，不是學問，主要是在說得對，說得不對的問題。研究古代的東西，還是要對先秦的典籍下一番工夫，有一番思想訓練，自己能從原典上去批判他人說法的得失。

復觀五九、十一、十二

對於當時批林批孔的代表學者楊榮國，老師在信上說：「楊榮國那樣打胡說的東西，你看得起勁，也眞不是一件容易的事。」而對顧頡剛，老師似乎始終不能贊成，他不止一次在信上批評他，有一次說「顧頡剛乃一妄人，我不了解何以在日本發生這大的影響。」（七三、四、二十三）而我的碩士論文卽是以顧頡剛爲代表的古史辨的學者爲中心寫的：《從古史到神話——以古史辨爲中心的中國神話研究》。碩士論文通過以後，我進了廣島大學的博士班，老師曾在信上無限感慨地說：

來信及出伊甸記收到，寫得很好。

在混亂徬徨中能進博士班，也是一種萬幸。大陸以外的青年苦悶，大陸青年的絕大多數也是苦悶，在香港，見聞比較廣，每年浮水逃出幾百人。還有回去觀光的輾轉可以了解不少情形。總之，各人只要能在海洋中抓住一支木板，都是難得的，無是非可言。王××先生早靠攏了，有次我們閒聊，我說「我寫的亂七八糟的東西，只有港台兩地可以印，有人看」，他聽後嘆息了半天，說：「談到思想，簡直沒有辦法……」……我早說日本研究中國神話的人所使用的方法，簡直是胡鬧。

復觀七四、六、二四

從我開始弄中國古代神話，十多年來老師始終是不贊成的，主要是他不喜歡日本學者的「簡直是胡鬧」的研究方法，對於中國研究古代神話的學者如顧頡剛、聞一多，老師也是極不喜歡，認爲他們是「打胡說」。老師不贊成我弄神話，也許是像他死前最後信上所說怕我像許多人一樣地「走火入魔」吧？

一九六九年，老師因爲梁先生的「漢奸問題」，被迫離開教了十四年書的東海大學，離開東海以後，有段時間，老師是完全失業的。那時候台大哲學系曾經安排了三小時的兼課給老師，可是也被反對掉了。輔仁大學的哲學系也曾想找老師兼課，也沒成。那時新亞要找老師去香港，起初也是有人從中破壞。一九七〇年八月，我和陳文華兄來日本，當時兩個人住在東京池袋的一個三疊大的小房子中，那時老師在台北寫給我們兩個人的信，足以說明在台北失業中的老師情形：

到了東京後，希望你兩人咬緊牙關，先把日文徹底弄通，並準備好明年春季的考試，做學問不可愛熱鬧。三蓆的房間太小，最好留心租一間六疊的房間共住。日本人讀書風氣之盛及生活的清潔條理，這是他們能追上時代的基本因素，任何階層的人一有空便看書，他們對外文的訓練，重翻譯不重講話，比我們實際得多些。我赴香港事已作罷，所以一個多星期以來，已開始了正式的研究工作，現正着手寫「中國姓氏的演變與社會型式的形成」一文，自覺有不少新的發現。一個人要站起來，常要靠外力的幫助，去年他們打破我的飯碗及今年不能赴港，我都認為對我是一種大幫助，我要好好利用這種幫忙，以莊嚴我的晚年，但是否貫徹下去，却難講。

復觀五九、九、十二

你來信說初到東京很難過，使我非常失望，因為這流露出缺乏一種丈夫氣概和冒險家精神，無論如何你要拚命地把日文學好，你缺乏忍耐力，我覺得你應該懸樑刺骨一番才對。

第二年，老師到香港中文大學新亞去教書，初到香港，生活很苦，同時來自台灣的中傷和破壞也並沒有因爲老師離開台灣而減少。同時又有「面對大陸上翻天覆地的反孔情形，眞不知身在何處」的感覺。那時期老師除了教書以外，所有的時間是閉門寫書，並且因爲教書兼課不能維持起碼的生活，所以也寫一些批評時局的文章。這些文章有的因爲批評到台灣，而爲當局所厭。有的因爲批評大陸及毛江個人，而爲左派人士所怒。有的因爲批評台獨的問題，又爲台獨人士所怨。在詆毀積恨、攻擊像濃霧一般從四面八方籠罩而來的環境中，老師猶如兀自崢嶸的大木，頑強地屹立在這團濃霧之中，以下所摘錄的一些信，都是老師這段時間所寫的：

當局對我的態度，你是知道的，許多朋友也為我擔心，同時年老了，更不願落到中共手上去，所以原來返台後不出來的計劃，在精神上已破產……住在台灣，不外乎勉強能生活，來港後便不行，中大港大，只能兼課，兼課並不能夠吃飯，所以這一個月來，為此相當苦惱，師母的病，不能根治，只能拖時間，她來住了一個月，新亞的女生告訴我「徐師母是新亞最漂亮的師母」，我聽後非常高興。這裡的學生對我非常好，但也引起其他先生的嫉妒，也和東海一樣……。

復觀七一、五、二十一

我在新亞研究所有一研究員兼導師的名義，但無一文錢的待遇，進中大研究所的機會不大，甚至不可能，因為年齡的關係。我每月為《華僑日報》寫兩篇文章，上三小時課，還要常常講演，常躭擱了我的研究工作，但已經是忙個不了。三年以來，蜷伏在一間小房子裡，連轉身的地方也沒有，今後算有了三房一廳的自己的房子，分十二年付款，比租錢便宜，今天又有一講演。

復觀七三、一、二十六、早

知識青年的苦悶，到處都一樣，現在大家不僅是站在歧途，而且真像漂浮在茫茫大海中，連東西南北都辨不清楚……我對台灣，不敢置一詞，去年雙十節不給我請帖，我打電話要了來，今年又不給我，我又打電話要了，人不可以沒有國籍……

復觀七三、十、十三

今天此間報上轉載倫敦的消息，說毛澤東中風了，此訊如確，則共黨和國家都好了，他的確是中國的史達林，必有被鞭屍之一日，這一日到來，國家的問題便迎刃而解了，但這消息恐怕又是人的心理造出來的。我寫了呂氏春秋、淮南子、春秋繁露、揚雄、王充等五篇文章，約三十萬字，中大答應負責印行，不知何時能出版。現正寫鹽鐵論、大陸上完全在打胡說，做學問必需自己直接從原典著手，你現時懂到這一點，算慢慢走進去了。

復觀七四、十、十四

我在本月六日寫了一篇〈誰是中國的皇帝〉的文章，痛罵了毛澤東一次，應當在今天《華僑日報》上刊出，可能是華僑不敢登，所以今天未見報。有人晚上來看我，可能是為了這篇文章。我的看法，毛死得越早越快越好。我兩年沒有上課，今天第一次到新亞研究所上課，講中國文學批評史，每星期三次，寫書的工作大受影響……

復觀七五、九、九

老師在「親者痛、仇者快」的情形下死了三年了，當年老師在台灣教了十四年的大學，却有當年老師把他從中學拉到大學教書的先生，反對學生爲老師開追悼會。也有當年在老師生前對老師阿諛諂媚的同事，在老師去世之後，才敢說些無聊的話去詆譭老師。暗夜之中，林間的鷹睡了，正也是蝙蝠可以無所顧忌地亂飛的時候。

兩封信：

有一年的春初時，我陪着即將畢業的中文系同學到阿里山旅行，大霧中櫻花盛開，我做了一首七律的打油詩，中間有一聯是「霧裏櫻花如夢寐，劫中神木自崢嶸」，正是由心坎裡的淡淡哀愁所浮出的，春雪飄在櫻花上面，使過於艷麗的春光，鑲上冰肌玉骨，真是天下絕色了。

復觀七一、二、十七

有二十多年沒有看到紅葉了，提到紅葉，便有些莫名其妙的悵惘，以前遠遠地望到一大片紅葉時，不是悲、不是喜，而是只有紅葉，紅葉以外的一切都忘掉了。

我每週五天寫書，兩天寫篇時論文章混飯吃，我和師母的身體都不行，萬一病倒了怎麼辦？

我希望明年能來日本一遊，但今天又能料明天的事嗎？現時我的生活也很苦，不是我這種年齡的人所應當過的日子。

復觀七三、十、十三

霧裏的櫻花，開時如雪，落時也如雪，是一種乾淨，一種俐落，一種無常，刼中的神木，千年前崢嶸，千年後也崢嶸，是一種信念，一種執着，一種不屈。日本古話說「人是武士，花是櫻花」，回顧老師的一生，或許可以用他的「霧裏櫻花如夢寐，刼中神木自崢嶸」兩句詩來形容的吧？晚年的老師，或許也會懷念起青年時代在日本讀士官學校時所看過的櫻花和紅葉，老師生前時有帶師母重遊日本的希望，這個希望在他後來的現實中却成了「祇是說說而已」而永遠無法實現的了。

春雪，點點落在點點的落櫻上。

（原載一九八五年四月一日四月二日《中國時報》）

附錄二

一個時代的開始：激進的儒家徐復觀先生

——徐復觀先生逝世七週年

陳昭瑛

激進的（radical）是指從根本去掌握事物，對人而言，根本（root）就是人本身。

——馬克思〈黑格爾《法哲學》批判導言〉

人是世界一切問題的起點。

——徐復觀《雜文》〈自序〉

相對於某些人物被視爲思想史上一個時代的結束，復觀先生則可被視爲思想史上一個時代的開始。在《中國藝術精神》一書的序文，復觀先生曾寫：「回顧我們學術界的現狀，我寧願多做點開路築基的工作，而期待由後人舖上柏油路。」這段話說明先生自覺他的學問的開創性格，雖然他生前不能預知這個由他開啓的新時代會是什麼樣的時代。但是誠如他的自我期許，他已在中國思想史、文學史、藝術史做了開路築基的工作，一個思想史的新時代可能由他終止的地方開始，但是否能夠眞正地展開，卻要看台灣思想界中新起一代是否認識到他思想中的激進潛能，是否能由這種認識而破除以儒家爲保守學派的錯誤認識。

復觀先生逝世於民國七十一年四月一日，是八〇年代初期，對八〇年代以來台灣的各種進步的轉變，如民間力量的崛起、草根社會的形成，均未能躬逢其盛。但是我們從八〇年代卽將結束的今天，從今天知識青年關心本土、關心西方實踐之學的風氣來看，卻發現他在六〇年代、七〇年代所寫的著作，竟充滿激進的現實主義精神，充滿濃重的草根氣息。談到復觀先生的這種思想性格，就必須從他的童年談起。

從大地的兒子到激進的儒家

民前九年復觀先生生於湖北省浠水縣團陂鎭的鳳形灣，是一個典型的中國農村：破落而貧窮。他的父親是讀書人，但是考了二十多年試，未考取功名，因爲「高了脚」，不能下田。所以當他父親與叔父分家之後，他們家中生活更苦，每年總有四、五個月沒有白米吃，必須吃大麥、小麥，甚至豌豆湯作爲正餐，卽使如此，仍有一個月缺糧，他提及這種情形：

> 大麥吃完後，接著吃小麥，小麥吃完後要接上早稻成熟，中間也要缺一個月左右的糧；這便要靠母親和大姊起五更、睡半夜的「紡線子」，哥哥拿到離家八里的黃泥嘴小鎭市去賣。

而他自己讀書以外，便是砍柴、放牛、撿棉花、摘豆角，他說：

我父兄的艱辛，一閉目都到眼前來了；所以我真正是大地的兒子，真正是從農村的地平線下面長出來的。

因此在他垂暮之年，他寫了許多回憶農村的文章，他說：

我的生命，不知怎樣地，永遠和我那破落的灣子連在一起。

他對來自農村卻背叛農村的人極爲不滿：「農村，是中國人土生土長的地方，一個人，一個集團，一個民族，到了忘記他的土生土長，到了不能對他土生土長之地分給一滴感情，到了不能從他的土生土長中吸取一滴生命的泉水，則他將忘記一切，將是對一切無情，將從任何地方都得不到眞正的生命。」

是這段童年經驗，以及在這段經驗中他所體會到的個人與其族群之間的共同命運感、知識分子與土地之間的互動關係，決定了他中晚年治學的方向，甚至也決定了他的思想史方法論的基本原則。

他八歲從父親發蒙，到十二歲入高等小學之前的四年時間，他讀的是四書五經、《古文觀止》、《綱鑑易知錄》等古書。他非常喜歡讀詩，但他父親不准他讀，有一次他找到《聊齋誌異》，「正看得津津有味的時候，被父親發現了，連書都扯了燒掉，等到進了小學，脫離了父親的掌握，便把三年寶貴的時間，整整的在看舊小說中花掉了」。復觀先生對文學的興趣可說在十二歲以前卽已萌芽。他天生感性極強，所以對中國文學中所表現的有情世界感動特別深，他在民國四十六年進東海大學教書不久所寫的一篇題爲〈春蠶篇〉的短文中，探討愛情，探討李義山的情詩，他寫道：

春蠶在我生命中另一個永遠不能抹掉的痕跡，是由李義山「春蠶到死絲方盡」的一句詩刻上的。這是十幾歲似懂非懂的時候所喜愛的一句詩，現當遲暮之年，依然常在無端的悵惘中，無端的想起；而一想起之後，總是不知從什麼地方吹來一襲悽惻的微風，使我的心情得到一兩小時的寂靜。這句無題詩，為什麼對我有這樣一股永恆的魅力呢？我有時也私自嘲笑我是如此的不長進。

這篇美文可以說是他六〇年代以後所作的文學史、藝術史的一系列研究的序詩。而這些研究旣是從他童年、少年時代的興趣，從他個人的性情中發展出來的，也是從他的人性觀發展出來的——基本上，他認爲人是有血有肉的具體生命，因此，他非常重視人性中感性與理智所共同構成的整體性，他反對理智對感性的專制，他常覺得感性與理智之間的關係是互動的。對有情世界的關懷、探索，甚至耽美而不思自拔，這一特點，若放在秦漢以後便漸有禁欲性格的儒學史中來考察，是復觀先生最突出的一點，但這一特點卻使他與孔子精神越千載而相遇相通。可以說，這種精神在孔子之後便沒落了，到復觀先生才得到復興。

他十五歲高小畢業後，入武昌第一師範學院，再入武昌國學館，從此奠定了深厚的國學基礎，這是他戎馬半生、五十歲以後治中國學問仍有大成的原因。他二十六歲赴日求學，常讀日本經濟思想家河上肇的著作。民國二十一年因生活無著，擔任軍職直到民國三十五年以陸軍少將呈請志願退役，其間民國二十四年與王世高女士結婚，育有二子二女，生活美滿。

他對農民的關心也一直主宰他的政治生涯，他認爲國民黨是一個在社會上不生根的政黨，應改革爲代表自耕農與工人利益的民主政黨，他主張土地改革，把集中在地主手上的土地，轉到佃農貧農手上。不只在政治生涯中，他以人民爲具有絕對優先性，即使在五十歲以後的學術事業中，人民依然是一個絕對的範疇，主宰他的思想活動。

四十一歲這年他認識熊十力先生，受到鼓勵，生命力的投注漸由政治轉向學術，期以文化救中國。但他正式的研究工作是五十三歲進東海大學中文系任教後才展開的。六十七歲到香港新亞研究所任教至逝世，這段日子，因值大陸進行「文化大革命」，加以接收新聞資訊遠比在台灣時方便，他寫了近百萬言的雜文，批判中共，評論時事，批判的準則當然是人民。這種民粹主義也使得他在七〇年代台灣的鄉土文學論戰中支持鄉土文學。他在《雜文》序中說：「每星期七天，五天時間我面對古人，一天半或兩天時間我又面對當代。」可以說在當代儒家中，對當代世界的認識無人能超過復觀先生。他認爲研究中國問題，一定要有比較的觀點，也就是要從世界的全景來看中國的處境。由於他與現實一直保持互動的關係，因此他對現實也一直保有正確的判斷力。

作爲大地的兒子，復觀先生即使在他生命即將結束之時，籠罩心頭的仍是童年時的農村記憶，他兄長的破布衫，他母親的哭喊。他在病篤辭世前的病床上對女兒說：「大伯大概大我四、五歲。我上學，他挑柴挑米送到學校時，他大概是十四、五歲；每次壓得他肩頸都是紅色帶紫，汗透了破布衫。這情形，我怎樣也不能忘記。」又說：「小時候，你祖母放聲哭喊的兩句話，早上好像又聽見了：『給我點亮兒吧！給我條路吧！』」在他臨死之際，他的母親，對他而言是苦難的中國人民的代表在向他哭喊。而他這一生所想奉獻的也正是給受苦的人民一點亮、一條路。他思想中的現實主義、民粹主義是從他個人的現實生活，從先秦儒家而來，而不是從宋明理學而來。相對於激進的儒家；熊十力、牟宗三、唐君毅諸先生可稱之爲超越的儒家（transcendental confucianist），因爲他們是從超越的、先驗的方面去掌握事物。但是如果我們把孔孟荀當作儒家的原始典範，把《論語》、《孟子》、《荀子》當作原始儒家的最重要經典，那麼激進的儒家是儒家的正宗，超越的儒家則是支流。相對於激進的儒家是大地的兒子，超越的儒家乃是上帝的選民（此處之上帝非指人格神，是指形上學意義的「絕對者」（The Absolute）」；而且相對於激進的儒家所關心的乃是此岸世界（this world），超越的儒家所關心的乃是彼岸世界（other world）。就是在這一點上，在共同獻身於儒學重建的諸先生中出現了分水嶺，浮現了復觀之學的特色。（「獻身」一詞相當於新馬克思主義中「commitment」這個概念，也可譯為歸屬，獻身與否是界定儒家的標準之一。以儒學為研究對象，但對儒學無歸屬感的、只是儒學研究者，不宜稱為儒家，至於自許獻身儒學者是否卽為儒家亦有待辨明。）

復觀之學的特色：辯證的、實踐的、歷史的

復觀之學的特色，是辯證的、實踐的、歷史的，這些特色是就與新儒家中其他諸位先生比較而提出的；若以先秦儒家來衡量，則所謂復觀之學的特色就變成與孔孟，尤其是孔子思想的共通性。不過，復觀先生在這些共通性下，仍做了許多具有現代意義的發展。基本上，孔孟荀之學是激進的儒學，超越的儒學從漢初董仲舒所建立的天的哲學開始，雖然經過宋明理學家以及熊、唐、牟諸家，做了一番道德形上學的轉化，但是若就孔孟荀之激進的人文主義來看，超越的儒家終究是「儒家思想發展中的轉折」（套一句復觀先生的話），也就是歧出的發展，不是儒家思想的自然發展。

爲什麼說復觀之學是辯證的？

西方黑格爾、馬克思以降的辯證哲學的核心在於整體性（totality）這個概念的運用。整體性又可分爲結構的整體性與發展的整體性。

結構的整體性是一種靜態的、有機的整體性，整體中之各個部分不具有獨立存在之可能，如手足之不能脫離身體；而且部分的目的與功能只有在它與整體的關係中才能確定。孔子即具有這種結構的整體性之思想，他說「君子不器」，便是反對知識份子成爲只關心一種事物的專家，孔子認爲人是整全的人，具有朝向多方面發展的可能性，也應具有無事不關心的性格。因此，我們看到《論語》記載孔子：「入太廟，每事問」，看到孔門弟子無所不學，這說明先秦儒學包含向許多知識領域發展的可能性，如政治學的、經濟學的、社會學的、歷史學的、文學藝術的領域。

孔子對世界充滿探索之心，也關心一切屬於人的活動。而統貫這一切活動的，根據復觀先生的研究是孔子的人性論，也可說是孔子的「哲學人類學」。先生說：

文化中其他的現象，尤其是宗教、文學、藝術，乃至一般禮俗、人生態度等，只有與此一問題（指人性論）關連在一起時才得到比較深刻而正確的認識。（《中國人性論史先秦篇》〈序〉）

他意識到一切人文活動作爲一個整體性，是以對人本身的認識作爲核心，而任何一項特殊的人文活動作爲這個整體中的部分，必須放在這個整體中來看才能得到適當的定位和了解，而不能被孤立來看，必求找到該活動與其他活動之間的關係，才能解釋該活動的意義。因此整體與部分兩者間的互動，成爲復觀先生掌握古代各門學問的方法論原則。他常通過古代政經結構去看文藝與思想，或通過文藝與思想去看政經結構。他也常提到他的方法是比較的觀點，也是發展的觀點，所謂比較的觀點即是結構的整體性。他曾說他研究《文心雕龍》時，通過日文讀了許多西方文學理論的著作；研究《史記》時，又讀了許多西方史學的著作。他說：「中國的文學史學，在什麼地方佔得住腳，在什麼地方出了問題，是要在大的較量下才能開口的。」這是說把世界的文學、史學各視爲一個結構的整體性，那麼中國的文學、史學作爲這個整體性中的一個部分是不能被孤立來看待的，是必須與其他相關部分比較切磋才能掌握其意義。用儒學的術語來說，文學本身的概念若是「經」（「常」，普遍抽象原則），則文學在各個民族所表現的便是「變」（具體情境）「權」則是確定常與變、抽象與具體之間關係的能力。孟子之「嫂溺援之以手」，即說明在當時「男女授受不親」雖是「經」，但是面對「嫂溺」這一特殊具體的情境時，「經」卻必須被修正，這種隨機修正「經」的能力便是孔子所說的「權」，經與權恆處於緊張而互動的關係，孔子說：「可與共學，未可與適道；可與適道，未可與立；可與立，未可與權。」可見孔子把「權」視爲極難的功夫。因此相對於「仁」是孔門人性論之最高概念，「權」是孔門方法論之最高概念，「權」的概念證明先秦儒家含有辯證思想的萌芽。

因爲從辯證的觀點出發，孔子和復觀先生都不把宗教當作倫理生活的絕對基礎，而是把宗教當作社會歷史的現象，把宗教當作人文精神覺醒之前的人的活動，也就是當作古代史的一個階段來處理。而這古代史是人的歷史（以人為主體），而不是神的歷史。

如果說對人本身的認識（即復觀先生所說的人性論，我所說的哲學人類學），是先秦儒家認識一切特殊的人文活動的基礎，那麼先秦儒家在形成他們的人性論時所採取的乃是歷史的觀點，也就是他們是從三代與春秋戰國這些歷史階段，從生活在這些歷史階段中之具體的、有血有肉的人，又從這些人所創造的歷史中，去形成他們的哲學人類學。

因此歷史學對於先秦儒家，不只具有實質的意義，也具有方法論的意義。所謂實質的意義，是指以歷史學作爲本身自足獨立的學科，作爲客觀記錄人的實際生活的學科，孔子作《春秋》，便是肯定歷史學的這種實質的意義。而所謂歷史學對儒家具有方法學的意義，是指孔子把歷史的觀點用來看一切人文活動。因此舉例來說，文學在孔子看來，就不只是抒發感情的途徑，更是繼承古代人文遺產，反映當代社會的活動，因此文學理論在儒家，勢必變成文學社會學，文學思想史。

先秦儒家的歷史學由復觀先生繼承，並加以發揚。他的卷帙浩繁的《兩漢思想史》（包括作為卷一的《周秦漢政治社會結構之研究》）、《中國人性論史先秦篇》、《中國藝術精神》、《中國文學論集》、《中國思想史論集》以及反省當代的《雜文》這些著作，除了表明他所要成就的是歷史學，還表明他把歷史學也當作方法論來運用，不論是對古代思想、古代藝術、古代文學，或是對當代的研究，他都強調他所採取的是發展的歷史的動態的觀點。這種觀點就是本節前面所說發展的整體性，這種整體性是指一個實體的全部發展過程，一個實體在個別階段的意義必須放在其全部發展過程中，才能確定。復觀先生常提到靜態的、橫切面地來看一個研究對象，是「片段地」、而不是「全面地」。因爲要認識一個研究對象，必須把它放在它自身形成的歷史，以及與它相關的歷史演變中來看，才能看得清楚；而不能把它孤立來看，不能把它當作無歷史性的東西來看。他說思想史家的任務是：「要在時間之流中，弄清楚它們（研究對象）的起源、演變，在當時的意義及現代的意義。」只有這樣來掌握材料，才是「全面地」，而不是「片段地」，這種「全面地」掌握材料的能力，他就稱之爲「批判的能力」。

不只如此，他在《兩漢思想史》的兩篇文章中——〈原史——由宗教通向人文的史學的成立〉及〈論史記〉——發展了儒家的歷史哲學。我們可以從中得出幾個要點：首先，他指出孔子是一位歷史家，孔子認爲歷史知識是可能的，只要找到歷史發展中因、革、損、益等規律，則歷史是「雖百世，可知也」。第二，儒家對歷史學的重視不是基於科學主義的求真精神，而是基於道德的動機，儒家想以歷史學取代宗教，作爲道德生活的基礎，這又可從兩方面來談，一是儒家以歷史意義的不朽，取代宗教意義的永生。二是儒家以歷史的審判來取代宗教的審判，在歷史學興起之前，人以神爲賞善罰惡的最高力量。歷史學興起之後，可以用它所記錄的人世重要行爲的善惡，昭告於天下後世，因此當時貴族的心理，常是不怕神的審判，卻怕史的審判。接著，在談到《史記》時，復觀先生認爲，司馬遷的「思來者」指出歷史學具有承擔人類未來命運的責任。

綜上所述，我們可看出復觀先生是把儒家的歷史學（包括歷史哲學、史學方法論）當作儒家人文主義的基礎。歷史學具有過去的、現在的、未來的意義，是浪漫主義、現實主義及烏托邦主義的統一。

歷史的主體是作爲族群的人。因此歷史家在研究歷史時，是以身爲個體的人與作爲族群的人相遭遇。復觀先生常常批評一種方法上的錯誤，卽「思想與思想者不相干」，研究者與研究對象不相干的現象，他常提及歷史家應以「追體驗」的方式進入其研究對象的世界，也應該從「知人論世」的觀點來看研究對象與其時代的互動關係。我在上一節提到的他在童年經驗中所體會到的個人與其族群之間的共同命運感，決定了他的史學方法論中的基本原則，卽是就這一點而言的。歷史家作爲主體，與他的研究對象之間是一種互動的關係，而不是漠不相干的。

由於歷史是由具體的人來記錄具體的人，記錄人的實踐活動及實踐活動中的人，因此儒家的歷史哲學亦卽儒家的實踐哲學。復觀先生對孔子思想中的實踐性格曾反覆致意、再三強調，因此他主張應該以《論語》作爲研究孔子之「最可信的材料」。因爲是從歷史的、實踐的觀點出發，他認爲從宋儒周敦頤《太極圖說》到熊十力《新唯識論》止，這一系列以陰陽五行爲間架的形上學、宇宙論雖有它們的意義，但與孔子思想無關。那麼很清楚的，辯證的、實踐的、歷史的復觀之學乃是回到孔子，而後重新出發的結果。

從解放「儒學」到「解放儒學」

由於對人的完整性的關心，先秦儒家沒有貶抑感性的傾向。但是自董仲舒，受陰陽家影響，以性爲陽，以情爲陰，情遂轉到惡的一面，自此儒學便帶有禁欲的性格。到了宋明理學，受佛學思想助長，禁欲性格發展到頂點，終以喜怒哀樂未發的無情世界作爲歸宿。但是如果我們回到先秦，會看到《詩經》中那「樂而不淫」然而卻是衝決網羅的男女情愛被孔子一再詠歎，也會聽到那洙泗河畔孔門的弦歌不斷，我們會發現原來儒家是這樣生機勃發，情致充沛，有著如花開春暖般的勝境，原來給孔子裹上小腳的是宋明儒家。禁欲性格使儒家失去開拓現實世界的活力。從這一點來看，復觀先生的《中國藝術精神》一書便具有解放儒學的作用。他在書中即提到情欲與道德的互動關係，他主張道德之心須由情欲支持才能發生力量。如此強烈地肯定情欲在道德實踐中正面的積極的作用，可以說先秦以後，復觀先生是第一人。這是因爲他情深氣盛的本質，也因爲他眞正地掌握了孔子精神，所以他能那樣自如地出入古典文學藝術的世界，就好像那是他的家。

前面提到先秦儒家具有朝向各方面發展的可能性，復觀先生也始終抱有這種志向。當其他新儒家傾力於發展宋明理學的形上學時，他卻把心力放在兩漢的史學、政治、社會、經濟等思想。他以一生所學，印證了先秦儒家無事不關心的性格以及全面發展的可能性；也暗示著，儒學必須建立自己的具有現代意義的政治學、社會學、經濟學、歷史學、哲學人類學及文藝理論，才能使儒學成爲對當代社會具有解釋力乃至改造力的思想體系。孟子說孔子是「聖之時者」，這個「時」的概念指出儒家不論在任何時代都應該與時代互動，都應植根於他所處的時代，也應不斷努力於改造他所處的時代。

假如解放（作動詞）「儒學」是把儒家的激進潛能解放出來，作一徹底的全面的發展，那麼解放後的儒學將歸於何種境界？那便是「解放（作形容詞）儒學」，也就是本身具有解放力的學問，去解放那尚未被解放的事物，孔子的「己立而立人」就是這個意思。而復觀先生，爲當代儒學開啓一個新紀元的點火者，他是怎樣待望著這一時代的思想呢？他在《兩漢思想史》的〈鹽鐵論中的政治社會文化問題〉文中如此寫道：「歷史上最偉大的思想，是在改變一個時代、使人民能得到進一步的解放。」

（原載一九八九年四月《歷史月刊》十五期〈當代人物〉欄）

《徐復觀文存》刊行緣起

曹永洋

一九八二年二月十四日徐師胃疾復發，再度由香江回台，住進台大醫院。與我相識多年的志文出版社發行人張清吉先生有意印行徐師的著作。當時以新台幣十二萬元購下徐師的兩本著作：《論戰與譯述》（此書於一九八二年六月印行初版）、《徐復觀文存》（此書一九七一年由環宇書局以《徐復觀文錄》書名，共分四冊付梓。當時主其事的何步正先生並未支付分文版稅，加以排版錯落甚多，一九八〇年由徐師門生蕭欣義教授由四冊中編選成《徐復觀文錄選粹》，交由學生書局印行。經過這麼一番周折，徐師寫於六〇年代初期的文章，遂無法窺其全豹）。

有鑑於徐師的作品，學術論著多集中於學生書局印行，時論、雜文則多由時報文化公司刊行。這個夏天（一九八九年七月十九日——八月五日）張清吉先生招待我去日本旅遊，並在東京各大書店購買書籍。我跟他提到徐師那本仍未刊印的《徐復觀文存》，張先生當下就答應無條件交給學生書局印行，以便於想研讀徐師著作的讀者能完整地聽到他老人家的心聲與卓見。

此次暢遊日本歸來，重新細讀《徐復觀文錄選粹》中日本東京旅行通訊十一篇（另有〈日本的天女〉一稿當年徐師由日本郵寄香港《華僑日報》時遺失，惜哉）。這些文字徐師寫於一九六

○年東京旅次，時間雖然隔了將近三十年，但是我認爲這十一篇精闢的文字仍是我所讀到的有關日本民族、文化及社會觀察作品中最深刻、精密的文字。三十年的歲月，其實業已使日本這個國家有了全盤性驚人的改變，何以徐師的文字還是那麼銳利地穿越時空，未曾失去它的時效性呢?此無他，因爲這些文字並非出於一個走馬看花的旅客。徐師二十八歲赴日本留學，先在明治大學攻讀經濟，因無公費挹注，改讀日本陸軍士官學校。其後一九五○年、一九五一年、一九六○年他曾先後三次重遊舊地——一九六○年的停留時間較長。當時徐師執教於東海大學，他在旅次中寫下這十一篇膾炙人口，見識精闢的文字。終其一生，徐師對日本懷著一種複雜、難以言宣的感情。他赴日留學以前，在國學上已打下紮實的根柢。東瀛留學，使他學會了另一種文字。英年在日本兩年遊學期間，使他前半生在沙場軍旅生涯中度過。未料及他五十歲脫離政治，走入學術生涯中，日文在治學歲月中帶給他莫大的幫助。日後他常鼓勵學生，想要在學術上有所成就，單靠自家的文字，在視野及吸收方面無形中受到致命的囿限；一定要學好另一種語言，才能有所突破。由於徐師與日本這個國家有這樣一段曲折的淵源，加上他在史學、文學、藝術及思想史上卓越而精湛的學養，我認爲他老人家在六○年代發表的這些文字，不但沒有失去其時效性，而且不斷地能提供我們以深刻的省思與警覺。

物質上表象的繁榮與安定，很多時候，往往只是一種欺罔的假相。如果我們對國家未來的前程，缺乏前瞻性，很快地便會在日新月異、角逐激烈的世界舞台中遭到淘汰。等到發現自己是在原地踏步，甚至陷於泥淖不克自拔時，已經爲時晚矣！

近十年來，台灣在文化、政治、經濟、教育層面上產生極大的變革。我常想：如果徐師仍然健在，基於他對國家、民族的那一份熱愛，他必然不甘於保持緘默——他一定會以那風動人心的健筆，不斷地給這個社會發自肺腑的針砭，這是無庸置疑的。在這樣一個迷惘、徬徨，道德淪落，人心隳壞，喪失理想與人生目標的時代，人類最需要的是思想上的諍友。可是培育一個思想家的土壤與客觀條件要比有形的硬體建設遠爲艱難。倘非如此，何以自負的法國人，在讀到康德大師的著作時，肯公開承認：「德國有大思想家了！」

歲月倏忽，徐師辭世轉眼已經七年多，徐師母定居內湖翠柏新村也已四年。每一次到那兒去探望她時，往日徐師、師母對待學生有如自己子女的情景，就會清晰浮現眼前。前塵往事，宛然如昨。在夕暮中坐上車子，與師母揮別時，心中總感到在師母背後，帶著慈藹微笑的徐師的形影，還是依偎著她……

徐師傑出的弟子如今散布在全球各地，我深信他們在學術的領域裏一寸一寸地攻頂、推進時，一定不會忘記這位教誨過他們的思想家。他在每一個學生心中深處播下的種子！

這本書的校對工作，曾得學姊陳淑女及好友陳昭瑛分勞，謹此向她們表示由衷的謝意。徐師生前的文字，除了書札，大體都儘量搜集了。做爲徐師不成器的一個門生，這是我所能盡的一點微薄的心意。我知道這無法酬償我想表達的那份感謝。

又本書的書名是徐師生前在書簡裡交代的，從已絕版的環宇書局印行的《徐復觀文錄》中抽掉的幾篇也是徐師的意思，因爲在徐師的著作中或已收錄不願重複的。〈溥心畬先生的人格與畫格〉一文是徐師寓居香江時爲溥心畬先生的一次畫展所寫，有一次去翠柏新村探望師母時，她親自交給我的。徐師和溥先生保持着一段眞摯的友誼。徐師的代表作《中國藝術精神》付梓時，溥先生已辭世，徐師爲此悵惘良久。附錄部分收了王孝廉、陳昭瑛的文字，從這些文字中我們可以看出徐師的人格，學問所發生的影響。儘管這本書的刋行在時間上已經相隔二十多年，然而從這些文字中讀者依然可以看到晚年的徐師，始終在吸收新知上保持着熾熱的，敏銳的心靈，他那鍥而不捨探索學問的毅力，對人類文化和未來命運所懷抱的關心，在在足以作爲青年學子的榜樣。因爲一位深刻的思想家，他的著作往往會隨着時間的消逝，更凸顯出其卓識與銳見。相反的，譁衆取寵的淺薄之輩，很快地與草木同朽，時間永遠是公平而嚴肅的審判者。

這三十年間台灣的社會架構在各個層面都有巨大的改變，二十世紀也只剩下短暫的「十年」，然而徐師六〇年代發表的文字卻更彰顯他的睿智和密察。他生存的時代，無論在政治立場或學術圈裡都遭到相當程度的抑壓、孤立，不過他很清楚地了解國家與個人的命運。在他那筆力萬鈞、銳利無比的文字背後，我們發現他擁有一顆寬容的世界心靈。一般人誤以爲他是「中國文化至上論」的捍衞者，這是極大的謬誤。他老人家生命中最後的三十年從政治的權力核心遁入學術領域的研究。他又在時論中對當代的學術、文學、政治、教育、經濟提出嚴正的批評，這不是一時的意氣之爭。個中端倪、眞僞，現在回過頭去看，應該是很清楚了。羅馬一位史學家有云：「上帝的篩子篩得很慢，但却汰篩得很細。」這眞是智者的名言！

時間對於有價值的著作，是確切不移的試金石。倘若是煙霧烘托的假相或動聽的口號，時過境遷，便淪爲糟粕，毫無生命可言。但是發自肺腑，從心血中產生的作品結晶，總是閃爍其樸質的原色的光輝。讀者無論隔着不同的時空，這些文字照樣能撼動你的心弦。尼采在三十歲，四十歲閱讀「罪與罰」「紅與黑」時如遭電擊，也許就是這種切身的體驗和觀照，當然一味地痲木不仁之輩，不在論列之內。

末了，要感謝學生書局歷任主持人，也要向志文出版社張淸吉先生的氣度表示敬意。徐師著作的刋行，印證這個苦難時代坎坷，曲折的全盤歷程。人類嚮往光明，憧憬的心總是無法用各種方法手段加以扭曲的。塵埃落定之際，它必還歸其本來的面目，徐師的著作在很多有心的讀者心中，已經贏得了肯定的評價，這是無庸贅言的。封面題墨請書法家李金昌兄賜筆，併此申致謝忱。

一九九〇年十二月二十五日

台北市石牌

徐復觀教授著作表

一、學術與政治之間（甲集）／一九五六年／中央書局（絕版）。

二、學術與政治之間（乙集）／一九五七年／中央書局（絕版）。

三、學術與政治之間（甲、乙集合刋）／一九八〇年／學生書局。

四、中國思想史論集／一九五九年／中央書局（絕版）。

五、中國思想史論集／一九六七年／學生書局。

六、中國人性論史／先秦篇，一九六三年／中央書局（絕版）。

七、中國人性論史／先秦篇／商務印書館。

八、中國藝術精神／一九六六年／中央書局（絕版）。

九、中國藝術精神／學生書局。

十、公孫龍子講疏／一九六六年／學生書局。

十一、石濤之一研究／一九六八年／學生書局。

十二、徐復觀文錄（四册）／一九七一年／環宇書局（絕版）。

十三、徐復觀文錄選粹／一九八〇年（係由四册《文錄》中精選彙輯）／學生書局。

十四、徐復觀文存（收錄四冊《文錄》未選入《選粹》的文稿）一九九一年／學生書局新版。
十五、黃大癡兩山水長卷的眞僞問題／一九七七年／學生書局。
十六、中國文學論集／一九七四年／學生書局。
十七、兩漢思想史／卷一／一九七二年初版／香港新亞研究所出版，原書名《周秦漢政治社會結構之研究》／三版改名／一九七四年臺一版／學生書局。
十八、兩漢思想史／卷二／一九七六年／學生書局。
十九、兩漢思想史／卷三／一九七九年初版／學生書局。
二十、儒家政治思想與民主自由人權／一九七九年「八〇年代」初版，一九八八年學生書局收回刋行初版。
二一、周官成立之時代及其思想性格／一九八〇年初版／學生書局。
二二、徐復觀雜文集①論中共②看世局③記所思④憶往事（四冊）／一九八〇年四月初版／時報公司。
二三、徐復觀雜文集·續集／一九八一年初版／時報公司。
二四、中國文學論集續篇／一九八一年初版／學生書局。
二五、中國思想史論集·續篇／一九八二年初版／時報公司。
二六、中國經學史的基礎／一九八二年初版／學生書局。
二七、論戰與譯述／一九八二年初版／志文出版社新潮文庫。
二八、徐復觀最後雜文集／一九八四年／時報公司。

二十九、徐復觀教授紀念文集／一九八四年／時報公司。
三十、徐復觀先生紀念論文集／一九八六年／學生書局。
三十一、徐復觀最後日記—無慚尺布裹頭歸／一九八七年／允晨叢刊。

翻譯兩種

一、詩的原理（萩原朔太郎著）一九八八年／學生書局新版。
二、中國人之思維方法（中村元著）一九九〇年／學生書局新版。

註：此為徐復觀教授最完整的著作年表。以上各書皆不斷有新版問世，可分別向印行書局，出版社購買。另有徐師書簡已着手編輯，不久當可付梓。至此，徐師著作大體賅備矣。

受業生
蕭欣義
陳淑女　謹識
曹永洋

一九九〇年十二月編訂

國家圖書館出版品預行編目資料

徐復觀文存

徐復觀著. – 初版. – 臺北市：臺灣學生，1991
面；公分

ISBN 978-957-15-0234-2(平裝)

1. 論叢與雜著 – 1978

078 80001466

徐復觀文存

著 作 者 徐復觀
出 版 者 臺灣學生書局有限公司
發 行 人 楊雲龍
發 行 所 臺灣學生書局有限公司
地 址 臺北市和平東路一段 75 巷 11 號
劃撥帳號 00024668
電 話 (02)23928185
傳 眞 (02)23928105
E-mail student.book@msa.hinet.net
網 址 www.studentbook.com.tw
登記證字號 行政院新聞局局版北市業字第玖捌壹號
定 價 新臺幣四五〇元

一九九一年六月初版
二〇二四年三月初版二刷

84817

ISBN 978-957-15-0234-2 (平裝)